ALIMENTO
PARA O CÉREBRO

ALIMENTO PARA O CÉREBRO

PROTEJA SEU CÉREBRO E TORNE-SE MAIS
INTELIGENTE, FELIZ E PRODUTIVO

MAX LUGAVERE
com **PAUL GREWAL, M.D.**

TRADUÇÃO:
LUIZ ROBERTO M. GONÇALVES

nVersos

Copyright© 2018 by Max Lugavere Licença exclusiva para publicação em português brasileiro cedida à nVersos Editora. Todos os direitos reservados. Publicado originalmente na língua inglesa sob o título: *Genius Foods: become smarter, happier, and more productive while protecting your brain for life*, publicado pela Editora HarperCollins Publishers, New York.

Diretor Editorial e de Arte: .... Julio César Batista

Produção Editorial e Capa: .... Carlos Renato

Preparação: .... Mariana Silvestre de Sousa

Revisão: .... Elisete Capellossa

Editoração: .... Juliana Siberi

Imagem de Capa: .... Pixel-Shot - Stock Adobe

Dados Internacionais de Catalogação na Publicação (CIP)
(Câmara Brasileira do Livro, SP, Brasil)

Lugavere, Max *Alimento para o cérebro: proteja seu cérebro e torne-se mais inteligente, feliz e produtivo* Max Lugavere, Paul Grewal; tradução Luiz Roberto M. Gonçalves.

1. ed. - São Paulo: Nversos Editora, 2021.

Título original: *Genius food* / ISBN 978-65-87638-31-7

1. Alimentação - Obras de divulgação 2. Alimentos funcionais 3. Autocuidados de saúde 4. Bem-estar 5. Cérebro 6. Cognição - Obras de divulgação 7. Dietas 8. Memórias 9. Saúde I. Grewal, Paul.

21-58775   CDD-613.2

Índices para catálogo sistemático:
1. Alimentos funcionais : Nutrição aplicada 613.2
Maria Alice Ferreira - Bibliotecária - CRB-8/7964

1ª edição – 2021
Esta obra contempla o Acordo Ortográfico da Língua Portuguesa
Impresso no Brasil - Printed in Brazil
nVersos Editora: Rua Cabo Eduardo Alegre, 36 – CEP: 01257060 – São Paulo – SP
Tel.: 11 3995-5617
www.nversos.com.br
nversos@nversos.com.br

Nota: Nem a editora nem os autores têm o intuito de prestar aconselhamento ou serviços profissionais ao leitor. As ideias, procedimentos e sugestões contidos neste livro não substituem consultas com um médico. Todas as questões relacionadas à sua saúde requerem supervisão médica. Nem os autores nem a editora podem ser responsabilizados por qualquer perda ou dano supostamente resultante de qualquer informação ou sugestão contida neste livro. A editora não tem qualquer controle sobre e não assume qualquer responsabilidade pelo conteúdo dos sites dos autores.

Este livro é dedicado ao primeiro gênio que conheci: minha mãe.

SUMÁRIO

Introdução 11	Gordura: A barca de nutrientes 53
Como usar este livro 15	Turbocarregue seu cérebro com carotenoides...........53
PARTE 1 - Você é o que você come........... 17	Notas de campo..54
CAPÍTULO 1 - O problema invisível 19	Alimento para o Cérebro #2 Abacate 55
Minha investigação...................................20	**CAPÍTULO 3**
Recupere seu direito cognitivo original............22	**Superalimentado, mas com fome**...................57
Recuse a demência..22	Muita energia, poucos nutrientes......................59
Um mestre controlador genético — você!...........24	Micronutrientes ausentes...............................59
Inflamação 26	Açúcar e carboidratos — O básico......................61
Superalimentação 26	A maré crescente de doçura pegajosa 62
Deficiência de nutrientes 26	Glicação = Exposição à glicose × Tempo 64
Exposição tóxica 27	Nota do Médico: Os problemas do A1C................66
Estresse crônico...27	Toxinas envelhecidas em nosso ambiente................67
Estagnação física..27	Açúcar adicionado: a maldição do cérebro 68
Insônia 27	Alimentos projetados exclusivamente para confundir seu cérebro......................................69
Azeite de oliva extravirgem............................28	Não fique "frutado" com frutose......................69
CAPÍTULO 2	
Gorduras fantásticas e óleos perigosos...... 31	*Foie gras* humano...71
Chega a "frankenfood" (Alimentos geneticamente modificados) 33	Terrorista do cérebro-intestino 72
Gorduras poli-insaturadas: A faca de dois gumes.....36	Placa nos dentes (e no cérebro)........................73
Noite dos lipídios mortos 36	A verdade amarga sobre frutas doces 74
Um cérebro em chamas.................................39	Nota do Médico: Quando você realmente precisa restringir as frutas..................75
Sayōnara... para o Alzheimer? 41	Um apelo à ação 76
Saudável na membrana 41	Notas de campo...77
BDNF: O principal construtor de cérebro............42	Alimento para o Cérebro #3 mirtilos....................78
Desbloqueando o cérebro... com gordura..............43	**CAPÍTULO 4 - O inverno está chegando (para o seu cérebro)** 79
Furanos — O agente adormecedor do cérebro?.........45	Origens de um mito.......................................80
ALA — O ômega-3 vegetal 46	O problema dos "carboidratos crônicos" 81
Gorduras monoinsaturadas: melhores amigas do cérebro............................47	Nota do Médico: O longo caminho para o diabetes.82
Gorduras saturadas: Estáveis e capazes..............48	Prioridades para um tempo diferente 83
Gordura proscrita?.......................................49	Você envelhece no ritmo em que produz insulina.....84
Gorduras saturadas no sangue 49	Estragando o organismo.................................85
Gordura saturada e o cérebro: Amigos ou inimigos?...................................50	Diabetes cerebral 87
	Glicose de jejum (Mg/Dl) × Insulina de jejum 88
Gordura trans: Uma gordura a ser temida 51	Exame de sangue para prever Alzheimer? 89

A mentira glicêmica 90
O que faz um bom "carb" ser ruim? 91
Glúten e seu metabolismo – amigos ou inimigos? 92
Fazendo mudanças que duram..................................93
Durma e medite quando estiver estressado 94
Organize o ambiente alimentar..................................94
Crie um "livro de regras" interno e
anote seus objetivos 95
Esqueça "tudo com moderação"
e adote a coerência 95
Tenha um "amigo responsável" (real ou digital) 96
Uma última palavra 96
Notas de campo..97
Alimento para o Cérebro #4 chocolate amargo 97

PARTE 2
A interconexão de tudo
(seu cérebro responde) 99

CAPÍTULO 5
Coração saudável, cérebro saudável 101
A discussão dieta-coração 102
Colesterol e o cérebro 105
A conexão colesterol-doença 106
Nota do Médico: Hiper-absorventes de colesterol...107
Interpretando seus números 109
"Códigos de trapaça" de reciclagem de LDL...........110
Aumentando o fluxo de sangue no cérebro 112
A doença cardíaca pode começar no intestino? 113
Nota do Médico: HDL - o bom, o ruim e o fugindo 114
Estatinas: O ralo do cérebro.....................................115
Nota do Médico: Por que nos preocupamos
com as estatinas..117
Notas de campo..119
Alimento para o cérebro #5 - ovo 120
Cultivado em pasto > Enriquecido
com ômega-3 > Criada livre > Convencional..........121

CAPÍTULO 6 Abastecendo seu cérebro 123
Punido na bomba..123
Abrindo a mangueira cetônica..................................124
A solução para a poluição? 126
Gordura de bebê não é só fofinha – é uma bateria .127
Jejum intermitente 127
Creatina: Um construtor de
músculo (e cérebro)..129
A dieta cetogênica 130

Proteína na dieta cetogênica 131
O plano alimento para o cérebro 132
Carboidratos pós-treino: uma
droga para aumentar o desempenho?.....................132
Voltando para as "configurações de fábrica" 133
Deixando os carboidratos? coma sal........................133
Nota do Médico: Mulheres e dietas superbaixas
em carboidratos..135
Cetonas: Salva-vidas para o
cérebro que envelhece?...135
A nova fronteira: tratando alzheimer como
doença metabólica 137
Não posso simplesmente comer minhas cetonas?....138
Mary Newport: Uma pioneira do óleo de coco.......140
Notas de campo..143
Alimento para o Cérebro - #6 carne de boi
criado em pasto 143

CAPÍTULO 7 Siga sua intuição 147
O que há no seu cocô?...148
Mansões de Famosos: Edição microbioma.............149
A carne e o microbioma...150
Uma fonte de juventude 152
Transplante de microbiota fecal (FMT) 153
O sintonizador imunológico 154
Limpeza doentia?...156
Protegendo nosso cérebro
do que está em nossas entranhas 158
Como funcionam os probióticos? 160
Nossa maravilhosa mucosa......................................162
"Mas eu não sou um rato!".......................................163
Nós criamos o que alimentamos..............................164
Os poderosos probióticos..164
Regras de diversidade..167
Um futuro brilhante...169
Notas de campo..170
Alimento para o Cérebro #7 verduras escuras 171

CAPÍTULO 8
Quadro de controle químico do cérebro 175
Como funcionam os neurotransmissores.................175
Glutamato/GABA: Os neurotransmissores
Yin e Yang 175
Glutamato 175
GABA 176
A ascensão do "psicobiótico" 176

Otimizando o glutamato/GABA 177
Acetilcolina: O neurotransmissor do aprendizado e da memória 178
Otimizando a acetilcolina 178
Anticolinérgicos comuns a se evitar 180
Principais alimentos com colina 180
Serotonina: O neurotransmissor do humor 180
Otimizando a serotonina 182
A dieta pode realmente tratar a depressão? o estudo smiles 183
Serotonina e o intestino 185
Dopamina: O neurotransmissor de recompensa e reforço 185
Você é um preocupado ou um guerreiro? 186
Combatendo a "adaptação hedônica" (também chamada condição humana) 188
Otimizando a dopamina 189
Norepinefrina: O neurotransmissor do foco 189
Nota do Médico: Caminhar e falar melhora a memória 190
Otimizando a norepinefrina 190
Alerta nerd 191
Otimizando o sistema 192
Proteja suas sinapses 192
Expresse seu *Wonder Junkie* interior 193
Evite substâncias tóxicas 193
Faça breves períodos de jejum 194
Evite a estimulação excessiva 196
Notas de campo 196
Alimento para o Cérebro #8 brócolis 197

PARTE 3 - Sente-se no banco do motorista .. 199

Capítulo 9 O sono sagrado (e os ajudantes hormonais) 201
Um cérebro sem sono é primal - e não no bom sentido 202
Sistema glinfático: A equipe de limpeza noturna do cérebro 202
Truques para otimizar o sono 204
Auxiliares hormonais 205
Insulina: O hormônio de armazenamento 205
Nota do Médico: A perda de sono pode engordar ... 206
Grelina: o hormônio da fome 206
Leptina: o hormônio do acelerador metabólico 207
Recuperando a leptina para ficar melhor nu 208

Hormônio do crescimento: O hormônio de reparo e preservação 209
Cortisol: O hormônio *Carpe Diem* 210
O lado escuro do cortisol 211
O eixo HPA - O quadro de controle da reação ao estresse 212
Notas de campo 215
Alimento para o Cérebro #9 salmão selvagem 216

CAPÍTULO 10
as virtudes do estresse (ou como obter um organismo mais robusto) 219
Movimento 220
O cultivador do cérebro 222
Exercício aeróbico 222
Vista seu cérebro com *klotho* 223
Exercício: O matador da demência? 224
O reforçador metabólico 225
Exercício anaeróbico 225
Nota do Médico: Obedeça a seus imperativos biológicos 226
Antioxidantes de alta dose – Uma muleta celular?. 228
Como obter o máximo dos exercícios 229
Condicionamento por calor 230
Proteínas de choque térmico: Um guarda-costas proteico 231
BDNF para impulsionar o cérebro 232
Você está de olho na minha mielina? 232
Você sofre de controle crônico do clima? 233
Jejum intermitente 233
Alimentos "estressantes" 236
Mais um motivo para ser orgânico 238
Vegetais crucíferos e sua tireoide 239
Notas de campo 240
Alimento para o Cérebro #10 amêndoas 240

CAPÍTULO 11
O plano alimento para o cérebro 243
Desatravanque sua cozinha 244
Alimentos para sempre: Estoque 245
Alimentos para comer com moderação 246
Planejamento de refeições 247
Exemplo de Semana Genial 248
Uma nota sobre o leite de nozes 248
Opte por orgânicos 250
Divida para conquistar o seu prato 250

Obedeça à regra de "um dia ruim" 250

A enorme salada diária "gordurosa" 251

Evite falsos alimentos "sem glúten" 251

E quanto ao álcool? 252

O armário de remédios 253

Dias 1 a 14: Limpando o cache 254

Evitando a "gripe" de baixos carboidratos 255

A partir do dia 15: Reintegre os
carboidratos estrategicamente 256

Como (e quando) se realimentar de carboidratos 257

Pirâmide de Carboidratos Personalizada 258

Notas finais 260

CAPÍTULO 12
Receitas e suplementos 261

Ovos mexidos "cremosos" 261

Esperto Jamaicano 262

"Picadillo" de boi natural 263

Salmão selvagem do Alasca empanado
com cúrcuma, gengibre e *tahini-miso* 264

Fígado Incrível 265

Asas de frango insanamente
crocantes sem glúten 266

Iscas de frango com cúrcuma e amêndoas 267

Legumes salteados 268

Tigela do cérebro melhor 269

Salada de couve "cremosa" 269

Chocolate cru estimulante cerebral 270

Suplementos 271

Óleo de peixe (EPA/DHA) 271

O que as baleias sabem que nós não sabemos?
óleo de peixe vs. óleo de *krill* 271

Vitamina D3 273

Vitamina D: A vitamina antienvelhecimento? 274

Folato, vitamina B12 e vitamina B6 274

Vitamina K2 275

Cúrcuma 275

Astaxantina 275

Probióticos 276

AGRADECIMENTOS 277

RECURSOS 281

NOTAS 285

ÍNDICE REMISSIVO 311

INTRODUÇÃO

"Antes de tocar duas notas, aprenda a tocar uma – e não toque uma nota a menos que você tenha um motivo para tocá-la."

– MARK HOLLIS

Se você tivesse me dito alguns anos atrás que um dia eu escreveria um livro sobre a otimização do cérebro, eu teria certeza de que você estava me confundindo com outra pessoa.

Depois que mudei do curso de pré-medicina para cinema e psicologia, a ideia de uma carreira na área de saúde parecia improvável. Isso foi agravado pelo fato de que, logo depois de me formar, me firmei no que considerava o emprego dos sonhos: jornalista e apresentador de TV e internet. Meu foco eram as histórias que sentia que não eram muito noticiadas ou que poderiam causar um impacto positivo no mundo. Estava morando em Los Angeles – cidade que idolatrava como um adolescente fã da MTV que cresceu em Nova York – e tinha acabado de terminar uma temporada de 5 anos hospedando e produzindo conteúdo para uma rede de TV chamada Current.

A vida era ótima. E tudo estava prestes a mudar.

Por mais que gostasse da vida em Hollywood, sempre fazia viagens para o leste do país para ver minha mãe e meus dois irmãos mais novos. Em 2010, numa dessas viagens para casa, meus irmãos e eu notamos uma mudança sutil na maneira como minha mãe, Kathy, andava. Na época, ela tinha 58 anos de idade, e sempre tivera um corpo ágil. Mas, de repente, parecia que estava usando um "traje espacial subaquático" – cada passo e gesto pareciam uma decisão consciente e proposital. Embora saiba disso agora, naquela época não conseguia fazer a conexão entre a maneira como ela se movia e a saúde de seu cérebro.

Ela também começou a reclamar de vez em quando de uma "névoa" mental. Isso também não me pareceu importante. Ninguém na minha família jamais teve problemas de memória. Na verdade, minha avó materna viveu até os 96 anos de idade e sua memória foi precisa até o fim da vida. Mas, no caso da minha mãe, parecia que sua velocidade de processamento geral havia diminuído, como um navegador da web com muitas abas abertas. Começamos a notar que quando pedíamos a ela para passar o sal, no jantar, ela demorava alguns segundos a mais para registrar. Enquanto eu atribuía o que estava vendo como "envelhecimento normal", no fundo tinha a terrível suspeita de que algo estava errado.

Só no verão de 2011, durante uma viagem da família a Miami, essas suspeitas foram confirmadas. Minha mãe e meu pai estavam divorciados desde meus 18 anos de idade, e essa foi uma das poucas vezes, desde então, em que meus irmãos e eu estivemos juntos com meus pais sob o mesmo teto – buscando uma trégua do calor do verão no apartamento de meu pai. Certa manhã, minha mãe estava na bancada do café da manhã com toda a família presente, ela hesitou e, em seguida, anunciou que vinha tendo problemas de memória e recentemente havia procurado a orientação de um neurologista.

Em tom incrédulo, mas brincalhão, meu pai perguntou a ela: "É mesmo? Pois bem, em que ano estamos?"

Ela nos olhou fixamente por um momento, e depois outro.

Meus irmãos e eu rimos e dissemos, quebrando o silêncio desconfortável: "Vamos lá, como você pode não saber o ano?"

Ela respondeu: "Não sei", e começou a chorar.

Esta lembrança ficou gravada em meu cérebro. Minha mãe estava muito vulnerável, tentando corajosamente comunicar sua dor interna, insegura, mas autoconsciente, frustrada e assustada, e nós éramos completamente ignorantes. Foi o momento em que aprendi uma das lições mais difíceis da vida: *que nada mais tem importância quando uma pessoa querida fica doente.*

A enxurrada de visitas médicas, consultas a especialistas e diagnósticos provisórios que se seguiram culminou no final com uma ida à Clínica Cleveland. Minha mãe e eu tínhamos acabado de sair do consultório de um renomado neurologista e eu tentava interpretar os rótulos dos frascos de comprimidos que segurava. Pareciam hieróglifos.

Olhando para os rótulos, silenciosamente murmurei os nomes dos medicamentos para mim mesmo no estacionamento do hospital. *Ar-i-cept. Sin-e-met.* Para que serviam? Frascos de comprimidos em uma das mãos, plano de dados ilimitado na outra, recorri ao equivalente da era digital a um cobertor de segurança: o Google. Em 0,42 segundos, o mecanismo de busca retornou resultados que acabariam mudando toda a minha vida.

Informações sobre Aricept para doença de Alzheimer.

Doença de Alzheimer? Ninguém tinha dito nada a respeito. Fiquei ansioso. Por que o neurologista não mencionou isso? Por um momento, o mundo ao meu redor deixou de existir, exceto pela voz na minha cabeça.

Minha mãe tem doença de Alzheimer? Não é algo que só os velhos têm? Como ela poderia ter, e ainda nessa idade? Vovó tem 94 anos e está bem!

Por que mamãe está agindo com tanta calma? Ela entende o que isso significa? E eu? Quanto tempo ela tem antes de... O que vem a seguir? O neurologista mencionou "Parkinson *Plus*". *Plus* [mais] o quê? "*Plus*" parecia um bônus. "*Economy Plus*" significa mais espaço para as pernas no avião – geralmente uma coisa boa. "*Pert Plus*" era shampoo mais condicionador, também uma coisa boa. Não. Minha mãe recebeu medicamentos para a doença de Parkinson *mais* mal de Alzheimer. Seu "bônus" eram os sintomas de uma doença a mais.

INTRODUÇÃO

Enquanto lia sobre as pílulas que ainda segurava, frases repetidas se destacavam.
"Sem capacidade de modificação da doença."
"Eficácia limitada."
"Como um *Band-Aid*."
Até o médico parecia resignado. (Mais tarde, aprendi uma piada sobre neurologia que circulava entre estudantes de medicina: "Os neurologistas não tratam doenças, eles as admiram".)

Naquela noite eu estava sentado sozinho em nossa suíte no Holiday Inn, a algumas quadras do hospital. Minha mãe estava no outro quarto e eu diante do computador, lendo loucamente qualquer coisa que pudesse encontrar sobre as doenças de Parkinson e Alzheimer, embora os sintomas de minha mãe não se enquadrassem exatamente em nenhum dos diagnósticos. Confuso, desinformado e me sentindo impotente, foi então que experimentei algo que nunca havia sentido antes. Minha visão se estreitou e escureceu, e o medo envolveu minha consciência. Mesmo com minha percepção limitada na época, podia entender o que estava acontecendo. O coração batendo forte, respirando com dificuldade, uma sensação de desgraça iminente eu estava tendo um ataque de pânico. Se durou minutos ou horas, não tenho certeza, mas mesmo quando as manifestações físicas diminuíram a dissonância emocional permaneceu.

Ruminei essa sensação durante os dias seguintes. Depois que voltei para Los Angeles e a tempestade inicial passou, senti como se estivesse numa paisagem destruída, examinando o caminho à frente sem mapa ou bússola. Minha mãe começou a tomar os "*Band-Aids*" químicos, mas eu sentia um mal-estar contínuo. Certamente, o fato de não termos histórico familiar de demência significava que algo presente no ambiente devia estar provocando sua doença. O que mudou em nossas dietas e estilos de vida entre a geração de minha avó e a de minha mãe? Minha mãe foi de alguma forma envenenada pelo mundo ao redor?

Enquanto essas perguntas rodavam em minha cabeça, eu não encontrava espaço para pensar em qualquer outra coisa, incluindo minha carreira. Senti-me como o Neo de *Matrix*, relutantemente convocado pelo coelho branco para salvar minha mãe. Mas como? Não havia nenhum Morfeu para me guiar.

Decidi que o primeiro passo era encerrar minha vida na Costa Oeste e voltar para Nova York, a fim de ficar mais perto de minha mãe. Então, fiz isso e passei o ano seguinte lendo tudo o que pudesse sobre a doença de Alzheimer e a doença de Parkinson. Mesmo naqueles primeiros meses, quando me sentava no sofá depois do jantar, com o rosto enterrado em pesquisas, lembro-me de ver minha mãe pegando os pratos da mesa na sala de jantar. Com os pratos sujos nas mãos, ela dava alguns passos na direção de seu quarto, em vez da cozinha. Eu assistia em silêncio, contando cada segundo que passaria antes que ela percebesse o próprio erro, enquanto o nó que se formava em meu estômago se apertava ainda mais. A cada vez, minha coragem se renovava na busca de respostas.

Um ano se transformou em 2, e 2 anos se transformaram em 3, enquanto minha fixação para entender o que estava acontecendo com minha mãe me consumia. Um dia, percebi que tinha algo que poucos têm: credenciais de mídia. Comecei a usar meu cartão de visita de jornalista para chegar aos principais cientistas e clínicos do mundo, com os quais me encontrei para ter mais uma pista em minha caça à verdade. Até hoje, li centenas (senão milhares) de artigos científicos abrangendo várias disciplinas e entrevistei dezenas de pesquisadores importantes e muitos dos médicos mais respeitados do mundo. Também tive a oportunidade de visitar laboratórios de pesquisa em algumas de nossas instituições mais respeitadas — Harvard, Brown e o Karolinska Institutet da Suécia, para citar alguns.

Que ambiente externo permite que nossos corpos e cérebros prosperem em vez de funcionarem mal? Essa se tornou a base da minha investigação.

O que descobri mudou minha maneira de pensar sobre nosso órgão mais delicado e desafia a visão fatalista que me foi dada pela grande maioria dos neurologistas e especialistas científicos da área. Você ficará surpreso — talvez até chocado — ao saber que, se você é uma das milhões de pessoas em todo o mundo com predisposição genética para desenvolver a doença de Alzheimer (estatisticamente, há uma chance em quatro de ser esse o caso), você pode reagir ainda melhor aos princípios propostos neste livro. E, ao segui-los, provavelmente terá mais energia, um sono melhor, menos "névoa cerebral" e se sentirá mais feliz.

Durante essa jornada, percebi que a medicina é um campo vasto com muitos silos. Quando se trata de saber a melhor forma de cuidar de algo tão complexo quanto o corpo humano, sobretudo o cérebro, você tem que quebrar esses silos. Tudo está relacionado de maneiras inimagináveis, e ligar os pontos requer um certo nível de pensamento criativo. Você aprenderá sobre esses muitos relacionamentos neste livro.

Por exemplo, vou compartilhar um método de queima de gordura tão poderoso que alguns pesquisadores o chamaram de *lipoaspiração bioquímica* — e como ele pode ser a melhor arma do seu cérebro contra a decadência. Ou como certos alimentos e exercícios físicos realmente fazem as células cerebrais funcionarem com mais eficiência.

Embora eu me dedique a comunicar as complexidades da nutrição para leigos, também tenho paixão por falar diretamente com médicos, porque, surpreendentemente poucos são bem treinados nesses tópicos. Fui convidado a ensinar (e também a aprender com!) estudantes de medicina e estagiários de neurologia em conceituadas instituições acadêmicas, como Weill Cornell Medicine, e tive a oportunidade de lecionar na Academia de Ciências de Nova York ao lado de muitos dos pesquisadores citados neste livro. Ajudei a criar ferramentas que estão sendo usadas para ensinar médicos e outros profissionais da saúde em todo o mundo sobre a prática clínica da prevenção do Alzheimer, e sou coautor de um capítulo sobre o mesmo tópico em um livro didático voltado para neuropsicólogos. Ajudei até em pesquisas na Clínica de Prevenção de Alzheimer na Weill Cornell Medicine e no New York-Presbyterian.

O que se segue é o resultado desse esforço gigantesco e interminável para entender não apenas o que aconteceu com minha mãe, mas como evitar que aconteça comigo e com outras pessoas. Minha esperança é que, ao ler sobre como fazer seu cérebro funcionar melhor aqui e agora, você evite seu próprio declínio e leve sua saúde cognitiva aos limites naturais.

Como usar este livro

Este livro é um guia para atingir o funcionamento ideal do cérebro, com o agradável efeito colateral de minimizar o risco de demência — tudo de acordo com a ciência mais atual.

Talvez você esteja querendo apertar o botão de *reset* de sua agilidade mental, para limpar o *cache*, por assim dizer. Talvez você esteja esperando aumentar a produtividade e ganhar uma vantagem sobre a concorrência. Talvez você seja uma das milhões de pessoas em todo o mundo que lutam contra a falta de memória, ou a depressão, ou uma incapacidade de lidar com o estresse. Talvez você tenha um ente querido sofrendo de demência ou declínio cognitivo e esteja temeroso por ele, ou de sucumbir ao mesmo destino. Não importa o que o levou a escolher este livro, você está no lugar certo.

Alimento para o Cérebro é uma tentativa de expor os fatos e propor novos princípios unificadores para combater nosso mal-estar coletivo moderno. Você aprenderá sobre os alimentos que se tornaram vítimas do mundo moderno — matéria-prima para fortalecer o seu cérebro, substituído pelo equivalente biológico do aglomerado de madeira barato. Cada capítulo investiga os elementos exatos da função cerebral ideal — desde suas preciosas membranas celulares até seu sistema vascular e a saúde de seu intestino —, tudo por meio das lentes do que mais importa: seu cérebro. Cada capítulo é seguido por um "***Alimento para o Cérebro***", contendo muitos dos elementos benéficos discutidos no texto. Esses alimentos servirão como armas contra a mediocridade cognitiva e a deterioração — coma-os, e com frequência. Mais adiante no livro, vou detalhar o Estilo de Vida ideal, culminando no Plano de *alimentos para o cérebro*.

Escrevi este livro de três partes para ser lido do começo ao fim, mas sinta-se à vontade para tratá-lo como um material de referência e pular entre os capítulos. E não tenha medo de fazer anotações nas margens ou sublinhar pontos-chaves (geralmente é assim que eu leio!).

Ao longo do livro, você também encontrará *insights* e "Notas do Médico" que destacam a experiência clínica e pessoal de meu amigo e colega Dr. Paul Grewal com muitos dos tópicos que cobriremos. O Dr. Paul teve seus próprios desafios, já que fez a faculdade de medicina com algo familiar hoje para muitos no mundo ocidental: a obesidade. Desesperado para encontrar uma solução para seu problema de peso, ele se aventurou a aprender tudo o que pudesse sobre nutrição e exercícios — assuntos que infelizmente são praticamente ignorados nos currículos das escolas de medicina.

As verdades que ele descobriu resultaram na perda drástica e definitiva de 45 quilos em menos de 1 ano — e ele compartilhará essas lições sobre exercícios e nutrição nas páginas a seguir.

A ciência é sempre um assunto inacabado; é um método de descobrir coisas, não uma medida infalível da verdade. Ao longo deste livro, usaremos nossa compreensão das melhores evidências disponíveis, levando em consideração que nem tudo pode ser medido por um experimento científico. Às vezes, a observação e a prática clínica são as melhores evidências que temos, e o que determina definitivamente a saúde é como você reage a uma determinada mudança. Adotamos uma abordagem evolucionária: defendemos a posição de que quanto mais novo no mercado for um produto alimentício, remédio ou suplemento, maior será o ônus da prova para que ele seja incluído no que consideramos uma dieta e estilo de vida saudáveis. Chamamos isso de "Culpado até que prove em contrário" (como exemplo, veja a seção sobre óleos de sementes polinsaturados no Capítulo 2).

Pessoalmente, comecei essa jornada do zero, seguindo as evidências aonde quer que elas me levassem. Usei minha falta de ideias preconcebidas a meu favor, para manter uma distância objetiva do assunto e garantir que não deixei de ver o todo por causa das partes. Assim, você verá uma ligação entre disciplinas que podem não estar conectadas em outros livros do gênero, por exemplo, metabolismo e saúde do coração, saúde do coração e do cérebro, saúde do cérebro e como você realmente se sente. Acreditamos que fazer a ponte entre essas divisões contém as chaves do reino cognitivo.

Finalmente, sabemos que existem diferenças genéticas entre os indivíduos, assim como diferenças em nossos níveis de saúde e condicionamento físico, que determinarão coisas como tolerância a carboidratos e resposta aos exercícios. Encontramos os denominadores comuns amplamente aplicáveis que beneficiarão a todos e incluímos textos em caixas laterais com orientações sobre como adaptar nossas recomendações à sua própria biologia.

Minha esperança é que, ao terminar de ler **Alimento para o Cérebro**, você entenda seu cérebro de uma nova maneira, como algo que pode ser "ajustado" igual a uma bicicleta. Você verá a comida de um modo novo – como um *software*, capaz de colocar seu cérebro novamente "*online*" e operar sua mente infinitamente capaz. Você vai aprender onde encontrar os nutrientes que podem realmente ajudá-lo a se lembrar melhor das coisas e a ter uma maior sensação de energia. Você verá que, na verdade, retardar o processo de envelhecimento (incluindo o envelhecimento cognitivo) tem a ver com os alimentos que você omite de sua dieta e com aqueles que você escolhe consumir, bem como quando e como os consome. Também compartilharei com você os alimentos que podem reduzir mais de uma década da idade biológica do seu cérebro.

Tenho que ser honesto – estou muito animado para que você inicie essa jornada comigo. Não apenas você começará a se sentir melhor dentro de 2 semanas, como estará cumprindo minha agenda oculta – e talvez meu único objetivo verdadeiro para você seja: usar as melhores e mais recentes evidências disponíveis para que possa evitar o que minha mãe e eu experimentamos. Merecemos cérebros melhores – e o segredo está em nossa alimentação. Alimentação para nutrir o cérebro.

PARTE 1

VOCÊ É O QUE VOCÊ COME

CAPÍTULO 1

O PROBLEMA INVISÍVEL

"Os homens deveriam saber que do cérebro, e apenas dele, surgem nossos prazeres, alegrias, risos e brincadeiras, bem como nossas tristezas, dores, sofrimentos e lágrimas. Por meio dele, em particular, pensamos, vemos, ouvimos e distinguimos o feio do belo, o mau do bom, o agradável do desagradável. A mesma coisa que nos deixa loucos ou delirantes nos inspira medo, traz insônia e ansiedades inúteis... Desse modo, defendo que o cérebro é o órgão mais poderoso do corpo humano."

– HIPÓCRATES

Pronto para a boa notícia? Aninhados dentro de seu crânio, a poucos centímetros de seus olhos, estão 86 bilhões dos transistores mais eficientes e conhecidos do Universo. Essa rede neural é você, executando o sistema operacional que conhecemos como vida, e nenhum computador já concebido chega perto de suas incríveis capacidades. Forjado ao longo de milhões e milhões de anos de vida na Terra, seu cérebro é capaz de armazenar quase 8 mil iPhones de informações. Tudo o que você é, faz, ama, sente, cuida, almeja e aspira é possibilitado por uma sinfonia de processos neurológicos incrivelmente complexos e invisíveis. Elegantes, contínuos e extremamente rápidos: quando os cientistas tentaram simular apenas 1 segundo das capacidades do cérebro humano, os supercomputadores levaram 40 minutos para fazer isso.

Agora, a má notícia: o mundo moderno é como *Jogos Vorazes*, e seu cérebro é um combatente involuntário, caçado de forma impiedosa e implacável por todos os lados. A maneira como vivemos hoje está minando nosso incrível direito de nascença, lutando contra nosso desempenho cognitivo ideal e nos colocando em risco de sofrer algumas doenças sérias.

Nossas dietas, devastadas por produtos industrializados, fornecem calorias baratas e abundantes com baixo teor de nutrientes e aditivos tóxicos. Nossas profissões nos estimulam a fazer as mesmas tarefas continuamente, enquanto nossos cérebros pululam com modificações e estímulos. Estamos sobrecarregados com estresse, falta de conexão com a natureza, padrões de sono não naturais e exposição excessiva à notícias e tragédias, e nossas redes sociais foram substituídas pela internet – tudo que nos leva ao envelhecimento prematuro e à deterioração. Criamos um mundo tão diferente daquele em que nosso cérebro evoluiu, que agora ele luta para sobreviver.

Essas construções modernas nos levam a agravar os danos com nossas ações cotidianas. Nós nos convencemos de que passar 6 horas na cama significa que tivemos uma noite inteira de sono. Consumimos *junk food* e bebidas energéticas para ficar acordados, nos medicamos para adormecer, no fim de semana exageramos no escapismo, tudo em uma frágil tentativa de obter um alívio momentâneo da luta diária. Isso causa um curto-circuito em nosso sistema de controle inibitório — a voz da razão interior de nosso cérebro —, transformando-nos em ratos de laboratório numa busca frenética pela próxima dose de dopamina. O ciclo se perpetua e com o tempo reforçando hábitos e promovendo mudanças que não apenas nos fazem sentir mal, mas podem levar ao declínio cognitivo.

Não é de se admirar que mesmo as pessoas com alto nível de instrução fiquem confusas quando se trata de nutrição. Um dia nos dizem para evitar manteiga, no dia seguinte que podemos consumi-la. Em uma segunda-feira, ouvimos que a atividade física é a melhor maneira de perder peso, apenas para aprender na sexta que seu impacto em nossa cintura é mínimo em comparação com a dieta. Repetidas vezes ouvimos que grãos integrais são a chave para um coração saudável, mas as doenças cardíacas realmente são causadas por deficiência de aveia no café da manhã? Tanto os *blogs* quanto a mídia tradicional tentam cobrir novas ciências, mas sua cobertura (e manchetes sensacionalistas) muitas vezes parece mais direcionada a atrair visitas a seus *sites* do que informar ao público.

Nossos médicos, nutricionistas e até mesmo o governo têm suas opiniões, no entanto, mesmo assim são consciente e inconscientemente influenciados por poderes ocultos. Como você pode saber em quem e no que confiar quando há tanta coisa em jogo?

Minha investigação

Nos primeiros meses após o diagnóstico de minha mãe, fiz o que qualquer bom filho faria: acompanhei-a às consultas médicas, com a agenda cheia de perguntas em mãos, desesperado para obter até mesmo um lampejo de clareza para aliviar nossas mentes preocupadas. Quando não conseguíamos encontrar respostas em uma cidade, voávamos para a próxima. De Nova York a Cleveland a Baltimore.

Embora tivéssemos a sorte de visitar alguns dos mais importantes departamentos de neurologia dos Estados Unidos, sempre fomos recebidos com o que passei a chamar de "diagnóstico e *adiós*"; depois de uma bateria de testes físicos e cognitivos, éramos enviados de volta, muitas vezes, com uma receita de algum novo curativo bioquímico e pouco mais. Depois de cada consulta, eu ficava cada vez mais obcecado por encontrar uma abordagem melhor. Perdi o sono em inúmeras horas de pesquisa tarde da noite, querendo aprender tudo o que pudesse sobre os mecanismos subjacentes à doença nebulosa que estava roubando de minha mãe e sua função cerebral.

Como ela estava aparentemente em seu apogeu quando os primeiros sintomas apareceram, não fui capaz de culpar a velhice. Uma mulher jovem, elegante e carismática na casa dos 50 anos de idade, minha mãe não era — e ainda não é — a imagem de uma pessoa sucumbindo aos estragos do envelhecimento. Não tínhamos histórico familiar de qualquer tipo de doença neurodegenerativa, então, parecia que seus genes não podiam ser os únicos responsáveis. Devia haver algum gatilho externo, e meu palpite foi que tinha algo relacionado com a alimentação.

Seguir esse palpite me levou a passar a maior parte da última década explorando o papel que os alimentos (e fatores como: estilo de vida, exercícios, sono e estresse) desempenham no funcionamento do cérebro. Descobri que alguns médicos de vanguarda se concentraram na conexão entre a saúde do cérebro e o metabolismo — como o corpo cria energia a partir de ingredientes essenciais como alimentos e oxigênio. Embora minha mãe nunca tenha sido diabética, mergulhei na pesquisa sobre diabetes tipo 2 e hormônios como a insulina e a leptina, o sinal pouco conhecido que controla a principal chave metabólica do corpo. Fiquei interessado pelas pesquisas mais recentes sobre dieta e saúde cardiovascular, as quais eu esperava que falassem sobre a manutenção da rede de minúsculos vasos sanguíneos que fornecem oxigênio e outros nutrientes ao cérebro. Aprendi como as bactérias ancestrais que povoam nossos intestinos atuam como guardiãs silenciosas de nossos cérebros e como nossas dietas modernas as estão literalmente matando de fome.

À medida que descobri mais sobre como os alimentos influenciam nosso risco de doenças como o mal de Alzheimer, não pude deixar de integrar cada nova descoberta à minha própria vida. Imediatamente percebi que meus níveis de energia começaram a aumentar e pareciam mais consistentes ao longo do dia. Meus pensamentos pareciam fluir com mais facilidade e eu me vi frequentemente bem-humorado. Também percebi que era mais fácil direcionar meu foco de atenção e desligar as distrações. Embora não fosse meu objetivo inicial, até consegui perder gordura e entrar na melhor forma da minha vida — um bônus bem-vindo! Apesar de minha pesquisa ter sido inicialmente motivada por minha mãe, fiquei viciado em minha nova dieta saudável para o cérebro.

Eu tinha inadvertidamente me deparado com uma ideia oculta: que os mesmos alimentos que ajudam a proteger nossos cérebros contra a demência e o envelhecimento também os farão funcionar melhor aqui e agora.[1] Ao investir em nosso futuro, podemos melhorar nossas vidas hoje.

Recupere seu direito cognitivo original

Desde que a medicina moderna existe, os médicos acreditaram que a anatomia do cérebro se tornava fixa na maturidade. O potencial de mudança — seja para uma pessoa que nasceu com deficiência de aprendizado, uma que sofreu lesão cerebral, uma vítima de demência ou simplesmente alguém que procura melhorar o funcionamento do cérebro — era considerado uma impossibilidade.

Sua vida cognitiva, de acordo com a ciência, funcionaria assim: seu cérebro, o órgão responsável pela consciência, passaria por um período intenso de crescimento e organização até os 25 anos — o estado de pico de seu *hardware* mental — e começaria um declínio longo e gradual até o fim da vida. Isso, é claro, supondo que você não fizesse nada para acelerar esse processo no caminho (olá, faculdade!).

Então, em meados dos anos 1990, foi feita uma descoberta que mudou para sempre a maneira como cientistas e médicos viam o cérebro: *descobriu-se que novas células cerebrais podiam ser geradas durante toda a vida do ser humano adulto*. Esta foi certamente uma notícia bem-vinda para uma espécie herdeira do principal produto da evolução darwiniana: o cérebro humano. Até aquele ponto, pensava-se que a criação de novas células cerebrais — a chamada neurogênese — ocorresse apenas durante o desenvolvimento.[2]

De uma tacada, os dias do "niilismo neurológico", termo cunhado pelo neurocientista Norman Doidge, acabaram. O conceito de neuroplasticidade vitalícia — a capacidade do cérebro de se modificar até a morte — nasceu e, com ele, uma oportunidade única de explorar essa descoberta marcante para obter mais saúde e desempenho.

Avance apenas algumas décadas até hoje e você poderia ter um torcicolo com o progresso que está sendo feito em direção à compreensão de nossos cérebros — como podemos protegê-los e como podemos melhorá-los. Vejamos os avanços no campo da pesquisa sobre o Alzheimer. Essa é uma doença neurodegenerativa devastadora que afeta mais de 5 milhões de pessoas nos Estados Unidos (estima-se que o número triplicará nos próximos anos); apenas recentemente se pensou que a alimentação poderia ter algum impacto sobre a doença. Na verdade, embora ela tenha sido descrita pela primeira vez em 1906 pelo médico alemão Alois Alzheimer, 90% do que sabemos sobre a doença foi descoberto apenas nos últimos 15 anos.

Recuse a demência

Tive o privilégio de visitar Miia Kivipelto, neurobióloga do Instituto Karolinska, em Estocolmo (Suécia), uma das principais pesquisadoras que exploram os efeitos da dieta e do estilo de vida no cérebro. Ela lidera o inovador estudo FINGER, sigla em inglês de Estudo Finlandês de Intervenção Geriátrica para Prevenção de Deficiência e Incapacidade Cognitivas, o primeiro estudo de controle randomizado de longo prazo e em larga escala para medir o impacto que nossas escolhas alimentares e de estilo de vida têm em nossa saúde cognitiva.

O estudo envolve mais de 1.2 mil adultos idosos em risco, metade dos quais estão matriculados em programas de aconselhamento nutricional e exercícios, bem como apoio social para reduzir os fatores de risco psicossocial para declínio cognitivo, como solidão, depressão e estresse. A outra metade – o grupo de controle – recebe cuidados padrão.

Após os primeiros 2 anos, as descobertas iniciais foram publicadas, revelando resultados surpreendentes. A função cognitiva geral dos participantes do grupo de intervenção aumentou 25% em comparação com os controles, e sua função executiva melhorou 83%. A função executiva é extremamente importante para muitos aspectos de uma vida saudável, desempenhando um papel fundamental no planejamento, na tomada de decisões e até na interação social. (Se a sua função executiva não estiver funcionando perfeitamente, você pode reclamar que não consegue pensar com clareza ou "fazer as coisas".) E a velocidade de processamento dos voluntários melhorou em impressionantes 150%. A velocidade de processamento é a taxa em que uma pessoa recebe e reage a novas informações, algo que normalmente diminui com a idade avançada.

O sucesso desse teste destaca o poder que uma "transformação" completa do estilo de vida pode ter para melhorar o funcionamento do seu cérebro, mesmo na velhice, e ainda fornece a melhor evidência até o momento de que o declínio cognitivo não precisa ser uma parte inevitável do envelhecimento.

Como resultado dessa mudança em nossa compreensão do cérebro, surgiram instituições dedicadas a preencher as lacunas de nosso neuroconhecimento coletivo, como o Centro de Nutrição, Aprendizagem e Memória da Universidade de Illinois Urbana-Champaign. Outras especialidades emergentes seguiram o exemplo, ansiosas por explorar as ligações entre nossos ambientes (incluindo dieta) e vários aspectos do nosso funcionamento cerebral. Outro exemplo é o Centro de Alimentos e Humor da Universidade Deakin, que existe apenas para estudar a ligação entre dieta e transtornos de humor. Em 2017, o centro revelou que até mesmo a depressão pode ser tratada com alimentação. Detalharei essas descobertas e os alimentos exatos que podem melhorar seu estado de espírito nos próximos capítulos.

Ainda assim, muitos permanecem no escuro sobre este vasto e crescente corpo de pesquisas. Um estudo realizado pela AARP [Associação Americana de Aposentados] descobriu que, embora mais de 90% dos norte-americanos acreditem que a saúde do cérebro seja muito importante, poucos sabem como mantê-la ou melhorá-la. Até mesmo nossos médicos bem-intencionados, a quem recorremos quando estamos assustados e confusos, parecem estar atrasados. O próprio *Journal of the American Medical Association* relatou que leva 17 anos, em média, para que as descobertas científicas sejam colocadas na prática clínica do dia a dia[3]. E assim nos movemos enquanto a velha narrativa continua – mas não precisa ser assim.

Um mestre controlador genético – você!

"Sem imperfeição, nem você nem eu existiríamos."
— **STEPHEN HAWKING**

"'Erros' é a palavra que você tem vergonha de usar. Não deveria ter. Você é o produto de um trilhão deles. A evolução forjou a totalidade da vida senciente neste planeta usando apenas uma ferramenta: o erro."

— **ROBERT FORD**
(INTERPRETADO POR ANTHONY HOPKINS), *Westworld*, HBO

Nossos genes já foram considerados nosso manual biológico – o código que comandava nossas vidas, incluindo o funcionamento de nossos cérebros. Compreender esse código era o objetivo do Projeto Genoma Humano, concluído em 2002, com a esperança de que, no final, os segredos para a cura de doenças humanas (incluindo câncer e doenças genéticas) estariam jogados bem à nossa frente. Embora o projeto fosse uma realização científica notável, os resultados foram desanimadores.

Acontece que o que distingue uma pessoa de outra é, na verdade, bastante insignificante do ponto de vista genético, respondendo por menos de 1% da variação genética total. Então, por que algumas pessoas vivem bem com 90 anos de idade ou mais, mantendo cérebros e corpos robustos, enquanto outras não? Perguntas como esta continuaram deixando os cientistas perplexos no rastro do projeto e deram origem à ideia de que deve haver algum outro fator, ou fatores, para explicar a ampla gama de diferenças na saúde e no envelhecimento demonstradas pela população humana.

Surge a epigenética, a fênix que renasce das cinzas do projeto. Se nossos genes são semelhantes às teclas de um piano de cauda com 23 mil notas, agora entendemos que nossas escolhas são capazes de influenciar a música tocada. Isso ocorre porque embora nossas escolhas não possam mudar nossa genética codificada, elas podem impactar a camada de produtos químicos que está no topo de nosso DNA, dizendo-lhe o que fazer. Essa camada é chamada de epigenoma, nome derivado da palavra grega *epi*, que significa "acima". Nosso epigenoma afeta não apenas nossas chances de desenvolver a doença pela qual corremos mais risco, mas também a expressão a cada momento de nossos genes que respondem dinamicamente às inúmeras informações que lhes damos. (Talvez ainda mais envolta em mistério seja a partitura, a ordem, a sequência e a frequência de ativação de cada gene no desenvolvimento de um determinado organismo – no entanto, isso é assunto para outro livro!)

Embora um tratado sobre epigenética pudesse abranger vários volumes, este livro se concentrará em apenas um dos principais maestros que tocam em nosso "teclado genético": a dieta. O seu condutor genético será um Leonard Bernstein ou um aluno da quinta série martelando as teclas pela primeira vez? Pode depender muito de suas escolhas alimentares. O que você come determinará se você será capaz de modular a inflamação, "treinar" um sistema imunológico campeão e produzir compostos potentes que reforçam o cérebro – tudo com a ajuda de alguns nutrientes subestimados (e técnicas de estilo de vida) que aparentemente se perderam no mundo moderno.

Conforme você prossegue, lembre-se: ninguém é um espécime perfeito. Certamente não sou, nem o Dr. Paul (embora ele argumente o contrário). Quando se trata de genes todo mundo tem características que quando colocadas contra o mundo moderno, aumentam o risco de doenças cardiovasculares, câncer e também de demência. No passado, essas diferenças podem ter impulsionado a evolução de nossa espécie, servindo como vantagens em nosso misterioso mundo ancestral. Atualmente, essas diferenças são o motivo pelo qual qualquer pessoa que chega aos 40 anos de idade tem 80% de probabilidade de morrer de uma dessas doenças. Mas há uma boa notícia: se os últimos anos nos mostraram alguma coisa, é que os genes não são o destino – eles apenas predizem o que a Dieta Americana Padrão fará com você. Este livro irá posicioná-lo para estar entre os 20% ao abordarmos como manter seu cérebro e sistema vascular saudáveis (e até mesmo dar algumas dicas para prevenção do câncer e perda de peso, já que estamos aqui).

Nos próximos capítulos, descreverei um antídoto para a Dieta Americana Padrão e seu estilo de vida que encolhe o cérebro, repleto de nutrientes para abastecer seu cérebro faminto e técnicas físicas e mentais para recuperar a robustez que é seu destino evolucionário. Seus principais opositores na batalha por seu direito cognitivo de nascença são inflamação, superalimentação, deficiência de nutrientes, exposição tóxica, estresse crônico, estagnação física e perda de sono. (Se isso parece muito, não se preocupe — eles se sobrepõem, e cuidar de um geralmente torna mais fácil melhorar os outros.)

Aqui está uma breve visão geral de cada um desses "malvados".

INFLAMAÇÃO

Em um mundo perfeito, a inflamação é simplesmente a capacidade de nosso sistema imunológico de "detectar" cortes, feridas e hematomas, evitando que um turista bacteriano ocasional se transforme em uma infecção completa. Hoje, nosso sistema imunológico tornou-se cronicamente ativado em resposta à nossas dietas e estilos de vida. Nos últimos anos, isso foi reconhecido como ocupando um papel fundamental na causa ou no agravamento de muitas doenças crônicas degenerativas que assolam a sociedade moderna. A inflamação generalizada pode, eventualmente, danificar seu DNA, promover resistência à insulina (o mecanismo subjacente que impulsiona o diabetes tipo 2) e causar ganho de peso. Talvez seja por isso que a inflamação sistêmica se correlaciona significativamente com uma cintura maior.[4] Nos próximos capítulos, iremos definitivamente ligar esses mesmos fatores à doenças cerebrais, à "névoa cerebral" e também à depressão.

SUPERALIMENTAÇÃO

Nem sempre fomos capazes de pedir comida com alguns toques em um *smartphone*. Ao resolver o problema da escassez de alimentos de nossa espécie durante a Revolução Agrícola, criamos um novo: a superalimentação. Pela primeira vez na história há mais pessoas acima do peso ideal do que abaixo do peso caminhando pela Terra.[5] Com nossos corpos em um estado constantemente "alimentado", um antigo equilíbrio foi perdido, um equilíbrio que nos preparava para baixa energia cerebral, envelhecimento acelerado e decadência. Parte disso tem relação com o fato de que muitos alimentos hoje são especificamente projetados para empurrar nossos cérebros a um "ponto de êxtase" artificial, além do qual o autocontrole se torna inútil (exploraremos isso no Capítulo 3).

DEFICIÊNCIA DE NUTRIENTES

Em *Vanilla Sky* (um dos meus filmes favoritos), o escritor/diretor Cameron Crowe escreveu: "Cada minuto que passa é uma chance de mudar tudo". Isso é particularmente verdadeiro no que diz respeito à capacidade de nossos corpos de reparar os danos causados pelo envelhecimento, mas apenas quando os alimentamos com os ingredientes certos. Como 90% dos norte-americanos não conseguem obter quantidades adequadas de pelo menos uma vitamina ou mineral, preparamos o terreno para o envelhecimento e declínio acelerados.[6]

EXPOSIÇÃO TÓXICA

Nosso estoque de alimentos tornou-se cheio de produtos "semelhantes a alimentos". Esses produtos contribuem diretamente para os três fatores mencionados acima: são despidos de seus nutrientes durante o processo de produção, promovem seu próprio consumo excessivo e induzem à inflamação. Mais insidiosos, entretanto, podem ser os aditivos tóxicos "bônus" — os xaropes, óleos industriais e emulsificantes que contribuem direta e indiretamente para um sistema imunológico ativado, gerando ansiedade, depressão, desempenho cognitivo abaixo do ideal e risco de doença em longo prazo.

ESTRESSE CRÔNICO

O estresse psicológico crônico é um grande problema no mundo ocidental. Como a inflamação, a resposta do corpo ao estresse foi projetada pela evolução para nos manter seguros, mas foi sequestrada pelo mundo moderno. Embora o estresse crônico seja diretamente tóxico para as funções cerebrais (abordado no Capítulo 9), ele também nos faz buscar alimentos não saudáveis, agravando assim o dano causado.

ESTAGNAÇÃO FÍSICA

Nossos corpos são projetados para o movimento e ignorar esse fato faz o cérebro sofrer. As evidências sobre o exercício estão crescendo em um grau impressionante, validando-o não apenas como um método de aumentar nossa saúde cerebral em longo prazo (permitindo-nos evitar doenças antes consideradas impossíveis de prevenir), mas como um meio de melhorar nossa forma de pensar e aprender.

Da mesma maneira, evoluímos com outro tipo de exercício: o exercício térmico. Somos ótimos em mudar nosso ambiente para adequá-lo a nossos níveis de conforto, mas a relativa falta de variação de temperatura que experimentamos diariamente pode minar nosso pico de capacidade cerebral e a resistência a doenças.

INSÔNIA

Por último, mas não menos importante, um sono de boa qualidade é uma condição prévia para o bom funcionamento da mente e uma saúde cerebral ideal. Ele lhe oferece uma capacidade de fazer mudanças na dieta e no estilo de vida, garantindo que seus hormônios trabalhem a seu favor, e não contra. E purifica seu cérebro e faz um *backup* de suas memórias. Grandes ganhos por pouco esforço e, ainda assim, nossa dívida coletiva de sono está aumentando.

Como mencionei, qualquer um desses vilões tem o poder de causar destruição cognitiva, e para isso eles formaram uma aliança terrível. Mas, se você permitir que este livro seja seu arco e flecha, espada e lança, você poderá ter uma chance.

Nos próximos capítulos traçaremos um roteiro para contornar as deficiências de nossos estilos de vida discordantes e altamente estressantes, conforme combinamos os princípios evolutivos com as pesquisas clínicas mais recentes. Usaremos a alimentação para redefinir seu cérebro para as "configurações de fábrica", deixando você sentir e ter o seu melhor. E vamos até mesmo nos aventurar na nova e empolgante ciência que cerca o microbioma – o coletivo de bactérias que vivem dentro de nós trabalhando os botões e alavancas de nossa saúde, humor e desempenho de maneiras surpreendentes. Eles fornecem uma nova lente a partir da qual podemos avaliar todas as nossas escolhas.

A seguir, enquanto você começa a recuperar seu legado cognitivo, aprenderá sobre o nutriente que seu cérebro deseja desesperadamente. Que a sorte esteja sempre a seu favor.

ALIMENTO PARA O CÉREBRO #1

AZEITE DE OLIVA EXTRAVIRGEM

Coloque um pouco de azeite de oliva extravirgem em uma colher e, em seguida, sorva lentamente como se estivesse tomando sopa e sendo particularmente rude. (Sim, estou dizendo para você beber óleo, mas você verá o porquê em um segundo.) Você deve, em pouco tempo, notar uma sensação picante no fundo da garganta: é um composto chamado *oleocanthal*. *Oleocanthal* é um tipo de fenol – compostos de plantas que estimulam poderosamente os próprios mecanismos de reparo do nosso corpo quando os consumimos (os fenóis são geralmente encontrados ligados entre si na forma de polifenóis). O *oleocanthal* possui efeitos anti-inflamatórios tão poderosos que é comparável a tomar uma pequena dose de ibuprofeno, medicamento anti-inflamatório não esteroide, mas sem nenhum dos potenciais efeitos colaterais.[1] A inflamação, como você aprenderá, pode negar fortemente a neuroplasticidade (a capacidade do cérebro de mudar ao longo da vida) e até mesmo produzir sentimentos de depressão, como as pesquisas agora começam a mostrar.

O azeite de oliva extravirgem é um alimento básico na dieta mediterrânea, e as pessoas que consomem esse tipo de alimento apresentam menor incidência de doença de Alzheimer. O *oleocanthal* pode desempenhar um papel aí também, tendo demonstrado o potencial de ajudar o cérebro a se livrar da placa amiloide, a proteína pegajosa que se agrega em níveis tóxicos na doença de Alzheimer.[2] Ele faz isso aumentando a atividade de enzimas que degradam a placa. Foi demonstrado em amplos testes de longo prazo que protege o cérebro contra o declínio (e até melhora a função cognitiva) quando consumido em volumes de até um litro por semana.[3] Se proteger o cérebro não fosse suficiente, o azeite extravirgem ainda demonstrou bloquear uma enzima no tecido adiposo chamada ácido graxo sintase, que cria gordura a partir do excesso de carboidratos na dieta.[4]

Além do *oleocanthal*, o azeite de oliva também é uma fonte rica de gordura monoinsaturada, uma gordura benéfica que ajuda a manter a saúde de seus vasos sanguíneos e seu fígado, podendo até ajudá-lo a perder peso.

Uma colher de sopa também contém 10% da ingestão recomendada de vitamina E por dia. A vitamina E é um antioxidante que protege as estruturas gordurosas do corpo, como o cérebro, do desgaste do envelhecimento.

Nicholas Coleman, um dos poucos oleólogos do mundo especializado no cultivo de azeites de oliva extravirgem ultra *premium*, tinha algumas dicas para compartilhar comigo sobre como encontrar o azeite certo. Por um lado, a cor não tem influência na qualidade do óleo. A melhor maneira de avaliar um azeite é prová-lo. Os bons azeites de oliva extravirgem devem ter gosto de erva, nunca gorduroso. Como o *oleocanthal* é responsável pelo sabor picante do óleo virgem, ele pode, de fato, ser usado como uma medida de quanto *oleocanthal* está presente no azeite. Os mais fortes podem ser tão picantes que você pode acabar tossindo de calor – o que é na verdade uma classificação da qualidade do azeite! Na próxima vez que você consumir azeite com "três tossidas", saberá que encontrou um guardião e seu cérebro vai agradecer por isso.

Modo de usar: O azeite de oliva extravirgem deve ser o principal óleo de sua dieta, para ser usado generosamente em saladas, ovos e como molho. Certifique-se de que o azeite seja mantido em uma garrafa que o proteja da luz (vidro escuro ou lata são bons) e guarde-o em local fresco e seco.

CAPÍTULO 2

GORDURAS FANTÁSTICAS E ÓLEOS PERIGOSOS

Minhas lembranças da infância no final dos anos 1980 e 90 têm alguns marcos especiais: cantar a letra da música tema de *As Tartarugas Ninja* repetidamente (poder de tartaruga!), minha primeira fantasia de *Os Caça-fantasmas no Halloween* e acordar muito cedo nas manhãs de sábado para assistir a uma das primeiras grandes séries do renascimento da televisão moderna: *X-Men*.

Minha memória do padrão alimentar de minha família é um pouco menos vívida. As refeições em minha casa eram geralmente preparadas por minha mãe, que era tão preocupada com a saúde quanto poderia ser qualquer mulher ocupada com três meninos (quatro, se você contar meu pai). Ela assistia ao noticiário noturno, lia o *New York Times* e várias revistas e, em geral, estava atenta aos principais conselhos de saúde da época. Não havia redes sociais, mas a TV e as revistas faziam um bom trabalho transmitindo as últimas descobertas e recomendações do governo. Foi assim que muitos, incluindo minha mãe, formaram suas ideias sobre nutrição.

Os principais óleos de cozinha em minha casa eram o óleo de canola e o de milho, porque não continham colesterol e gordura saturada. Muitas noites, o jantar consistia em algum tipo de macarrão ou espaguete à base de trigo com margarina — a suposta alternativa saudável à manteiga, que "entope as artérias". Era um prato que conquistaria o coração de qualquer nutricionista do início dos anos 90.

Infelizmente, a totalidade do conceito de "dieta" da minha mãe — e, com toda a probabilidade, da sua família, leitor(a) — foi na época o resultado final de ciência da nutrição equivocada, política governamental tendenciosa e empresas fazendo o que fazem melhor — cortar custos, *lobby* e marketing. E era tudo uma completa besteira.

Tudo começou na década de 1950, quando os norte-americanos estavam ansiosos por uma solução para um problema de saúde pública cada vez mais urgente: as doenças cardíacas. Minha mãe, nascida em 1952, cresceu em meio ao que deve ter parecido uma terrível epidemia nacional. As doenças cardíacas eram consideradas um "acompanhamento inevitável do envelhecimento" e algo sobre o qual os médicos pouco podiam fazer.[1] Em *The Big Fat Surprise*, a jornalista gastronômica Nina Teicholz relata o terror: *"Um aperto repentino no peito atingia os homens em seu auge no campo de golfe ou no escritório, e os médicos não sabiam por quê. A doença apareceu aparentemente do nada e cresceu rapidamente para se tornar a principal causa de morte no país"*.

Isso até que um cientista sincero surgiu dos corredores escuros da academia com uma vela.

Seu nome era Ancel Keys, um patologista da Universidade de Minnesota. Embora Keys não fosse médico, ele alcançou um pouco de "crédito de rua" nutricional durante a Segunda Guerra Mundial, quando criou a ração K, um sistema de refeições embaladas entregues aos soldados no campo de batalha. Após a guerra, Keys foi convocado pelo Departamento de Saúde de Minnesota para avaliar o súbito problema cardiovascular do país. A hipótese de Keys era que a gordura alimentar estava no centro da epidemia e, para ilustrar isso, ele elaborou um gráfico com dados nacionais mostrando uma correlação perfeita entre o total de calorias consumidas de gordura e as taxas de mortalidade por doenças cardíacas. Seis países foram incluídos.

Ancel Keys costuma ser creditado por ter desencadeado o efeito dominó que esculpiu a política nutricional pelos 60 anos seguintes, mas seu argumento foi construído sobre dados tendenciosos e, em última análise, mal interpretados. Seu gráfico destacou uma correlação entre duas variáveis escolhidas a dedo em meio ao mar infinito de variáveis que encontramos ao estudar coisas como dieta em toda a escala populacional. Mas as correlações não podem provar a causalidade; só podem mostrar relacionamentos que são usados para orientar novos estudos. Nesse caso, entretanto, a presunção causal foi feita, transformando Keys em um herói nacional e fazendo com que ele aparecesse na capa da revista *Time* em 1961.

À medida que isso se firmava no debate nacional, houve um coro crescente de vozes na comunidade científica que analisaram o trabalho de Keys. Muitos pensavam que a validade da própria correlação de Keys era questionável: ele omitiu dados que estavam disponíveis em 16 outros países que, se incluídos, não teriam mostrado tal correlação. Por exemplo, não houve epidemia de doenças cardíacas na França, cujos cidadãos amam queijo e manteiga − o chamado "paradoxo francês". Outros duvidaram que houvesse qualquer relação entre o consumo de gordura e as doenças cardíacas.

John Yudkin, professor-fundador do Departamento de Nutrição do Queen Elizabeth College em Londres, foi um dos maiores dissidentes de Keys. Já em 1964, Yudkin pensava que o culpado era o açúcar, não a gordura. Ele escreveu: "Nos países mais ricos, há evidências de que açúcar e alimentos que contêm açúcar contribuem para várias doenças, incluindo obesidade, cárie dentária, Diabetes *Mellitus* (tipo 2) e infarto do miocárdio (ataque cardíaco)". A reanálise dos dados de Keys, muitos anos, depois confirmou que a ingestão de açúcar sempre se correlacionou fortemente com o risco de doenças cardíacas do que qualquer outro nutriente. Afinal, o açúcar refinado, até a década de 1850, era um deleite raro para a maioria das pessoas − um luxo, muitas vezes dado de presente −, mas consumíamos manteiga há milênios.

Outro pesquisador, Pete Ahrens, expressou confusão semelhante. Sua pesquisa sugeriu que eram os carboidratos encontrados nos cereais, grãos, farinha e açúcar que podiam contribuir diretamente para a obesidade e as doenças cardíacas. (Décadas depois, pesquisas ligariam esses mesmos fatores à doenças cerebrais também.) Mas Yudkin, Ahrens e seus colegas falharam nas tentativas de falar acima do "carismático e combativo" Keys, que por acaso também tinha um poderoso aliado secreto.[2] Em 1967, uma revisão das causas alimentícias das doenças cardíacas foi publicada no prestigioso *New England Journal of Medicine* (NEJM). Foi um sucesso, destacando a gordura dietética (e o colesterol) como a principal causa de doenças cardíacas. O papel do açúcar foi minimizado no jornal amplamente lido, desanimando qualquer um que tentasse contestar Keys. Mas as revisões desse tipo (e as pesquisas científicas em geral) devem ser objetivas, não influenciadas pelo poder do dinheiro. Embora os pesquisadores frequentemente dependam de financiamento externo, em tais casos, suas fontes de financiamento devem ser divulgadas para alertar seus pares de qualquer viés potencial. Infelizmente, esse não foi o caso daquele artigo do NEJM. Os cientistas por trás dele receberam cada um o equivalente a US$ 50 mil em dinheiro de hoje de uma organização comercial chamada Sugar Research Foundation (Fundação de Pesquisa do Açúcar), hoje conhecida como Sugar Association — fato que não foi divulgado no artigo original. Pior ainda, a fundação influenciou até mesmo a seleção dos estudos revisados pelos cientistas. "Eles foram capazes de atrapalhar a discussão sobre o açúcar durante décadas", disse Stanton Glantz, professor de medicina na Universidade da Califórnia em San Francisco, em entrevista para o *New York Times*. O Dr. Glantz publicou essas descobertas no *Journal of the American Medical Association* em 2016.[3] (Se você gostaria de pensar que essas táticas nefastas ficaram para trás, pense novamente. A indústria do açúcar continua turvando as águas científicas, financiando pesquisas que parecem concluir, convenientemente, que as reivindicações contra o açúcar são exageradas.[4])

CHEGA A *"FRANKENFOOD"*
(Alimentos geneticamente modificados)

Até que ponto a comida pode ser manipulada e, talvez, até que não possamos mais chamá-la de comida? Durante muitos anos, os produtos que não se encaixavam nas definições estritas de alimentos básicos tiveram que ser rotulados como "imitação". Mas um rótulo com essa palavra significava a ruína de vendas dos produtos, então, a indústria de alimentos fez *lobby* para que essa imposição fosse desregulamentada. Em 1973, eles conseguiram o que queriam. Em *In Defense of Food* (Em defesa da comida), o jornalista Michael Pollan escreveu:

> A porta regulatória foi aberta para todos os tipos de produtos com baixo teor de gordura falsificados: gorduras em coisas como creme de leite e iogurte agora podem ser substituídas por óleos hidrogenados ou goma de guar ou carragenina, pedaços de bacon poderiam ser substituído por proteína de soja, o creme *chantilly* e creme de café poderiam ser substituídos por amido de milho, e as gemas de ovos liquefeitas poderiam ser substituídas por, bem, qualquer coisa que os cientistas de alimentos sonhassem, porque agora o céu é o limite. Contanto que os novos alimentos falsos fossem projetados para ser nutricionalmente equivalentes ao artigo real, não poderiam mais ser considerados falsos.

De repente, as comportas da *"Frankenfood"* (comida Frankenstein) foram abertas e o suprimento de alimentos foi inundado de produtos falsificados. Foi como a quebra do portal para o inferno no filme *O Portal*, de 1987, mas em vez de um ataque violento de criaturas macabras eles eram os substitutos processados de alimentos reais, agora acompanhados por um halo de baixo teor de gordura ou sem gordura.

Um dos produtos mais absurdos dessa onda surgiu no final dos anos 1990: batatas fritas que haviam sido formuladas com a molécula olestra. Era um sonho que se tornou realidade – um substituto da gordura criado em laboratório que milagrosamente deslizava pelo trato digestivo sem ser absorvido. A única desvantagem? As cólicas, o inchaço e o "vazamento anal" que criaram o equivalente ao derramamento de óleo do Exxon Valdez em cuecas desavisadas em todos os lugares.

Como evitar a *Frankenfood* quando, ainda hoje, uma ida ao supermercado moderno equivale a saltar por um campo de minas terrestres? Faça compras no perímetro do seu supermercado, que normalmente é onde os alimentos perecíveis e frescos podem ser encontrados; é nos corredores que a *Frankenfood* normalmente fica à espreita. E siga os Alimentos para o Cérebro, bem como a ampla lista de compras no Plano alimento para o cérebro no Capítulo 11.

Por fim, Keys publicou o Estudo de Sete Países, um marco na pesquisa, embora com falhas semelhantes às de seu trabalho anterior. Nele, Keys mudou o foco do consumo total de gordura para gordura saturada. A gordura saturada é sólida à temperatura ambiente e é encontrada em alimentos como carne bovina, suína e laticínios. Como qualquer pessoa que já derramou graxa em um ralo sabe, esse tipo de gordura pode entupir canos — e para iniciantes na ciência da nutrição fazia todo sentido que isso acontecesse no corpo também (alerta *spoiler:* não acontece).

Recém-enfocado nessas gorduras que "entopem as artérias", Keys conseguiu influenciar uma organização pouco conhecida (na época) chamada American Heart Association (Associação Cardíaca Americana). Com um investimento de um grande conglomerado industrial chamado Procter & Gamble, que produzia, entre outras coisas, óleos vegetais polinsaturados (que são altamente processados e, ao contrário das gorduras saturadas, líquidos em temperatura ambiente), a organização finalmente teve a capacidade de se tornar uma potência nacional. Comprou anúncios em TV e revistas alertando os norte-americanos sobre o bicho-papão escondido na manteiga. Quando o governo dos Estados Unidos adotou a ideia em 1977, o mito do "baixo teor de gordura" tornou-se um evangelho.

Em um instante, os norte-americanos se tornaram o alvo dos fabricantes que aproveitaram a oportunidade para produzir alimentos "saudáveis" com baixo teor de gordura e alto teor de açúcar e produtos para passar no pão à base de gordura poli-insaturada ("sem colesterol!"). Óleos extraídos por calor e química, como canola e óleo de milho, foram promovidos à posição de alimentos saudáveis, enquanto as gorduras naturais de alimentos integrais — até mesmo abacates — foram rejeitadas. Da noite para o dia, a margarina — uma rica fonte de gordura sintética chamada gordura trans — tornou-se uma "pasta amanteigada saudável para o coração".

Entre atalhos da indústria, arrogância científica e inépcia governamental, transformamos alimentos naturais reais em um campo minado químico de "nutrientes". A primeira vítima deste fiasco gorduroso? Nossos cérebros, que são quase inteiramente feitos de gordura. Sessenta por cento do delicado cérebro humano sujeito a danos é composto de ácidos graxos, e — como veremos nas páginas a seguir — os tipos de gorduras que você consome ditam tanto a qualidade do funcionamento do seu cérebro a cada momento quanto sua predisposição à doenças.

As gorduras desempenham um papel importante em todos os aspectos da sua vida — desde os processos de tomada de decisão à capacidade de perder peso, ao risco de doenças como o câncer e até mesmo seu ritmo de envelhecimento. Ao final deste capítulo, você poderá escolher os alimentos que contêm gordura e que otimizam não apenas seu desempenho cognitivo, a função executiva, o humor e a saúde cerebral em longo prazo, mas também sua saúde geral. Se você tirar alguma coisa desta seção, qualquer coisa que seja, saiba que: o problema não é a quantidade de gordura que você consome, mas sim, o tipo.

Gorduras poli-insaturadas:
A faca de dois gumes

As gorduras poli-insaturadas são um tipo de gordura alimentar onipresente em nossos cérebros e corpos. As mais conhecidas são as gorduras ômega-3 e ômega-6, que são consideradas essenciais porque nossos corpos precisam delas e não podemos produzi-las por conta própria. Portanto, temos que obter essas gorduras dos alimentos.

Duas das gorduras ômega-3 mais importantes são o ácido eicosapentaenoico (EPA) e o ácido docosahexaenoico (DHA). Essas são as gorduras "boas" encontradas em peixes como salmão selvagem, cavala e sardinha, no camarão *krill* e em certas algas. Elas também existem em quantidades menores na carne de bois criados em pasto e em ovos de galinhas criadas em pasto. Enquanto o EPA é um agente anti-inflamatório para o corpo inteiro, o DHA é o componente estrutural mais importante e abundante das células cerebrais saudáveis. Outra forma de ômega-3 encontrada nas plantas é chamada de ácido alfa-linolênico (ALA). O ALA precisa ser convertido em EPA e DHA para ser utilizado pelas células, mas a capacidade do corpo de fazer isso é altamente limitada e varia em eficácia de pessoa para pessoa (voltarei a isso!).

Do outro lado da moeda poli-insaturada, temos os ácidos graxos ômega-6. Eles também são essenciais para um cérebro saudável, mas a dieta americana hoje inclui muitos deles na forma de ácido linoleico. Essas gorduras ômega-6 deixaram de aparecer em nossa dieta como óleos fornecidos em pequenas quantidades por alimentos integrais para se tornarem os principais contribuintes calóricos na dieta americana em apenas algumas décadas.

Eles são o tipo predominante de ácido graxo encontrado nos óleos de grãos e sementes que hoje consumimos em excesso: óleos de cártamo, girassol, canola, milho e soja.

NOITE DOS LIPÍDIOS MORTOS

Por mais cobiçadas que as gorduras poli-insaturadas sejam pelo cérebro, elas são delicadas e altamente vulneráveis a um processo chamado oxidação. A oxidação ocorre quando o oxigênio (você deve ter ouvido falar) reage quimicamente com certas moléculas para criar uma nova molécula "zumbi" defeituosa, que tem um elétron extra super-reativo, chamado de radical livre. Quão reativo é "super-reativo"? Digamos apenas que esses radicais fazem os Caminhantes Brancos de *Game of Thrones* parecerem uma caravana de *hippies* pacifistas.

Esse elétron extra pode então reagir com outra molécula próxima, transformando-a em um segundo radical livre e desencadeando uma reação em cadeia interminável que deixa um caos absoluto em seu rastro. É o equivalente bioquímico do apocalipse zumbi, uma molécula mordendo e infectando a outra ao lado, gerando uma horda de mortos-vivos.

O pioneiro bioquímico orgânico austríaco Gerhard Spiteller, que realizou grande parte da pesquisa reveladora sobre os perigos das gorduras poli-insaturadas oxidadas, colocou da seguinte maneira:

> *"Os radicais são normalmente quatro ordens de magnitude (10.000x) mais reativos do que as moléculas não radicais. Sua ação não está sob controle genético, eles atacam quase todas as moléculas biológicas, destruindo lipídios, proteínas, ácidos nucleicos [DNA], hormônios e enzimas até que os radicais sejam extintos por moléculas necrófagas."*

Esta é uma forma de dano químico a que toda matéria orgânica está sujeita, como a ferrugem no ferro (o ferro é na verdade um catalisador desse mesmo processo no corpo humano, e pode explicar em parte por que os homens têm mais doenças cardíacas que as mulheres, e mais precocemente: eles têm mais glóbulos vermelhos e mais ferro em circulação) ou uma maçã cortada que fica escura. Deixe uma fatia de maçã sobre a bancada por alguns minutos e você verá como essas reações químicas ocorrem rapidamente. No corpo, a oxidação excessiva equivale à inflamação e danos às estruturas celulares e ao DNA. Também é considerada um dos principais mecanismos de envelhecimento.

A batalha contra a oxidação é constante em todas as criaturas vivas. Nossos próprios corpos, quando saudáveis, possuem capacidades de defesa antioxidantes embutidas e, idealmente, produzimos antioxidantes — as moléculas necrófagas mencionadas — tão rápido ou mais do que os radicais livres podem ser criados. (Muitos dos **Alimentos para o Cérebro** são benéficos em parte porque aumentam a produção das moléculas eliminadoras do próprio corpo.). Inflamação crônica ou doenças como diabetes tipo 2 prejudicam nossa capacidade de lutar contra o acúmulo de estresse oxidativo, e isso é agravado quando absorvemos pró-oxidantes em excesso na alimentação. Basta uma pequena quantidade de estresse oxidativo para desencadear uma reação nuclear em cadeia de destruição bioquímica, e o equilíbrio é delicado.

Isso coloca o cérebro em uma situação única e precária. Representando de 20 a 25% do metabolismo de oxigênio do corpo, construído em grande parte por essas delicadas gorduras poli-insaturadas e espremido em um recipiente do tamanho de um *grapefruit*, não poderia ser um ímã maior para a oxidação. Quando o estresse oxidativo sobrecarrega nossos sistemas antioxidantes naturais, ocorre uma "névoa cerebral", ou seja, a perda de memória, danos ao DNA e o aparecimento ou agravamento dos sintomas de Alzheimer, Parkinson, esclerose múltipla (EM), demência por corpos de Lewy e autismo.

As gorduras poli-insaturadas intactas (vamos chamá-las de frescas) são vulneráveis à oxidação, mas quando aparecem em seu estado natural, contidas em alimentos integrais, são cheias de antioxidantes que guardam gordura como a vitamina E. Este não é o caso quando as gorduras poli-insaturadas aparecem em óleos que foram submetidos a processamento térmico e químico. Quando esses óleos são extraídos e usados para criar alimentos embalados, eles representam uma das principais toxinas em nosso suprimento alimentar.[5]

Às vezes, esses óleos estão onde você esperaria encontrá-los, como em molhos de salada comerciais e margarinas. Outras vezes, são mais sorrateiros. Sobremesas à base de cereais como biscoitos e bolos, barras de granola, batata frita, pizza, pratos de massa, pão e até mesmo sorvete estão entre as principais fontes de óleos oxidados na alimentação.[6] Eles revestem e constituem o "verniz" dos cereais matinais. As nozes "torradas" são cobertas com eles (a menos que digam explicitamente que foram torradas a seco). E esses óleos são regularmente servidos para nós em restaurantes, onde o processamento, os métodos inadequados de armazenamento (ser deixado em um ambiente de cozinha quente durante meses, por exemplo) e o aquecimento e reaquecimento fazem com que essas gorduras altamente suscetíveis estraguem. A maioria dos restaurantes frita e refoga os alimentos nelas, reutilizando o óleo continuamente, danificando-as ainda mais e causando danos a você no processo. Batatas fritas? *Tempura* de camarão? Aquelas deliciosas iscas de frango empanadas com cerveja? Todos são veículos para esses óleos com mutação bioquímica e para grandes quantidades de compostos perigosos chamados *aldeídos*.

Aldeídos são subprodutos da oxidação da gordura e foram encontrados em quantidades elevadas em cérebros tomados por Alzheimer. Eles podem influenciar a suscetibilidade das proteínas cerebrais a se cruzarem e se agruparem, formando assim as placas que obstruem o cérebro e são características da doença.[7] Esses produtos químicos também atuam como toxinas poderosas para as mitocôndrias geradoras de energia do cérebro e da medula espinhal.[8] A exposição ao aldeído (resultante do consumo de óleos rançosos) prejudica diretamente a capacidade das células de gerar energia. Esta é uma notícia muito ruim para o seu cérebro, o principal consumidor de energia do corpo.

Mesmo depois de uma refeição rica em óleo polinsaturado, os marcadores circulantes de oxidação de gordura disparam em cerca de 50% nos jovens, enquanto um aumento de 15 vezes nos marcadores de óleos rançosos foi observado em indivíduos mais velhos.[9] Outro estudo observou que as artérias se tornam instantaneamente mais rígidas e menos reagentes às demandas de exercícios após uma refeição semelhante. Estas gorduras, muito distantes de sua forma natural, alimentam os mecanismos subjacentes de doenças crônicas, danificando o DNA, causando inflamação nos vasos sanguíneos e aumentando o risco de vários tipos de câncer.

GORDURAS FANTÁSTICAS E ÓLEOS PERIGOSOS

Estes são os óleos prejudiciais a ser evitados:

Óleo de canola	Óleo de cártamo
Óleo de milho	Óleo de girassol
Óleo de soja	Óleo de colza
Óleo vegetal	Óleo de semente de uva
Óleo de amendoim	Óleo de farelo de arroz

A procura da indústria alimentar por um tipo de óleo barato que pudesse comercializar para a população americana resultou em uma verdadeira galeria de produtos lamentáveis. Claro, com o tempo descobrimos que as gorduras trans eram piores para a nossa saúde do que a manteiga de verdade poderia ser, mas nosso véu de ignorância continua sendo explorado em potes amarelo-manteiga com rótulos como "sem óleos hidrogenados", "não-OGM", e, claro, "orgânico". Na realidade, esses jargões de bem-estar só servem para obscurecer os poucos centavos de *Frankengorduras* mutantes, rançosas e danificadas pelo calor que foram espremidas em uma embalagem e vendidas por US$ 4,99 na seção de alimentos saudáveis *premium* do supermercado.

Óleos de semente de algodão, canola, cártamo, girassol e soja — todos são más notícias e estão escondidos praticamente em qualquer lugar que os fabricantes possam espremê-los. Ao todo, nosso uso desses óleos disparou de 200 a 1 mil vezes no último século (o último número sendo o caso da soja), apesar de uma redução geral de 11% no consumo total de gordura por adultos nos Estados Unidos entre os anos de 1965 e 2011.[10] Esses óleos hoje representam de 8 a 10% da ingestão calórica total dos norte-americanos — era quase zero na virada do século. Embora um punhado de sementes de girassol, amendoim ou uma espiga de milho possam ser perfeitamente saudáveis, não há nível seguro de consumo para nenhum desses óleos quando extraídos industrialmente de suas fontes originais e aquecidos a altas temperaturas.

P.: Pensei que o óleo de canola fosse saudável porque contém ômega-3.

R.: O óleo de canola é altamente processado. Embora contenha uma quantidade relativamente alta de ômega-3 em comparação com outros óleos, os ômega-3 são ainda mais vulneráveis à oxidação do que o ômega-6. O processamento do óleo de canola cria o mesmo número de subprodutos oxidativos, incluindo gorduras trans, que danificam seus vasos sanguíneos e células cerebrais.[11] Falaremos mais sobre isso adiante.

UM CÉREBRO EM CHAMAS

Tendemos a pensar que nosso cérebro não é afetado pelo que acontece no resto do corpo, mas os problemas associados à inflamação não ficam abaixo do pescoço. Talvez não pensemos muito sobre a inflamação no cérebro porque ela é invisível – não é algo que podemos sentir com completa certeza, como podemos sentir em um joelho com artrite ou quando temos uma dor de estômago, por exemplo. Mas aqui está a verdade nua e crua: nossos cérebros ficam a favor do vento do sistema imunológico ativado.

Doença de Alzheimer, Parkinson, demência vascular, esclerose múltipla, até a "névoa cerebral" e síndrome de fadiga crônica – todas essas doenças podem ser de alguma forma comparadas a incêndios florestais no cérebro, frequentemente causados por uma faísca em outra parte do corpo. Mas mesmo antes que a doença se instale a inflamação pode roubar nosso potencial cognitivo. Se o raciocínio claro é como deixar o carro descer livremente uma rodovia de várias faixas sem tráfego e todas as faixas abertas, a inflamação cria o fechamento de faixas e gargalos no tráfego.

Tendo evoluído ao longo de milênios, um sistema imunológico competente e altamente adaptável é vital para nossa sobrevivência – sem ele, a menor infecção pode levar à morte. O sistema imunológico combate essas infecções e também é o mecanismo que inunda as partes feridas do corpo com sangue para ajudá-las a se curar – uma torção no tornozelo, por exemplo. O calor e a vermelhidão resultantes (a chama na inflamação) são perfeitamente saudáveis – até mesmo desejáveis – nas condições que acabei de descrever. Infelizmente, nosso sistema imunológico hoje está em constante estado de ativação, não devido à ameaças infecciosas, mas sim ao que comemos.

Enquanto as gorduras ômega-3, como DHA e EPA, são anti-inflamatórias, as gorduras ômega-6 são as matérias-primas usadas nas vias de inflamação do nosso corpo – as mesmas vias que são ativadas quando o corpo está sob ataque de infecção. Embora se especule que nossas dietas ancestrais incluíam esses ácidos graxos essenciais numa proporção de aproximadamente um para um, hoje consumimos gorduras ômega-6 e ômega-3 em uma proporção de 25 para 1.[12] Ou seja, cada grama de gordura ômega-3 que consumimos está sendo regada com incríveis 25 gramas (ou mais) de ômega-6. Isso acelera o processo de envelhecimento, aumentando os processos degenerativos que estão por trás de muitas das doenças crônicas que afetam a sociedade hoje, e fazendo com que você se sinta péssimo o tempo todo.

Como você pode usar a gordura a seu favor? Além de eliminar óleos polinsaturados da dieta (como óleo de semente de uva, frequentemente escondido em molhos para salada, que tem uma proporção de ômega-6 para ômega-3 de 700 para 1!), aumente o consumo de alimentos que são naturalmente ricos em ômega-3. Isso pode ser conseguido optando por peixes selvagens, ovos e carnes de animais alimentados com capim ou criados em pasto, que têm mais ômega-3 e menos ômega-6. Se você não gosta de peixe ou não consegue consumi-lo de duas a três vezes por semana, considere suplementar com óleo de peixe de alta qualidade (darei dicas para escolher um no Capítulo 12, mas aqui vai uma: óleo de peixe é a única coisa em que você não deve economizar). Um estudo da Universidade

Estadual de Ohio descobriu que, simplesmente tomando um suplemento diário de óleo de peixe que continha 2.085 miligramas de EPA anti-inflamatório por dia, os alunos conseguiam uma redução de 14% em um marcador específico de inflamação. (Isso coincidiu com uma redução de 20% na ansiedade deles.).[13]

SAYŌNARA... PARA O ALZHEIMER?

O padrão alimentar japonês é conhecido por incluir muitos alimentos de origem vegetal e grandes quantidades de peixes, sendo este último uma fonte rica em ômega-3, DHA e EPA. O país também tem baixos índices de doença de Alzheimer.

No entanto, quando os japoneses se mudam para os Estados Unidos e adotam a dieta ocidental inflamatória e rica em óleos polinsaturados, carnes de criação industrial e carboidratos refinados, essa proteção parece desaparecer: os índices de Alzheimer entre japoneses que vivem nos Estados Unidos são mais semelhantes aos dos norte-americanos do que aos de seus parentes no Japão.[14]

SAUDÁVEL NA MEMBRANA

Quer você esteja examinando uma apresentação, pagando seus impostos ou decidindo o que assistir na Netflix, seus pensamentos são o resultado final de inúmeras reações químicas (e elétricas), que ocorrem por meio dos quatrilhões de conexões que os neurônios fazem uns com os outros em seu cérebro. E o sucesso desses processos pode se resumir a um herói vital e desconhecido da nossa função cognitiva: a membrana celular.

Além de formar barreiras protetoras, as membranas também fornecem os "ouvidos" dos neurônios, aninhando receptores para vários neurotransmissores. Os neurotransmissores são mensageiros químicos, e há dezenas deles no cérebro (você deve ter ouvido falar dos mais conhecidos, como a serotonina e dopamina, associados ao humor positivo e recompensa). Na maior parte do tempo, os receptores desses mensageiros ficarão sob a superfície da membrana, aguardando o sinal certo antes de subir à superfície como "boias" na água.

Um neurônio funcionando adequadamente deve ter a capacidade de aumentar ou diminuir sua sensibilidade a sinais externos, e isso aumenta e diminui o número de "boias" permitidas na superfície.

Para que isto ocorra, a membrana celular deve possuir a propriedade de fluidez. Isso é verdade para a maioria das células do corpo, mas é especialmente importante para os neurônios. Se a membrana da célula nervosa for muito rígida, a disponibilidade do receptor é prejudicada e pode resultar em sinalização disfuncional, influenciando, assim nosso humor, comportamento e memórias.

A boa notícia é que, assim como ocorre com a inflamação, sua dieta afeta diretamente a fluidez da membrana neuronal. As membranas são formadas por substâncias chamadas fosfolipídios, que são essencialmente as estruturas químicas que mantêm blocos de construção importantes como o DHA em seu lugar na membrana celular. Quando essas estruturas são ricas em DHA (de peixes gordurosos, por exemplo), as membranas se comportam com mais fluidez, permitindo aos vários receptores a capacidade de surgir na superfície da membrana celular para "ouvir" as várias mensagens dos neurotransmissores. Infelizmente, as gorduras ômega-6 e ômega-3 são como times de futebol altamente competitivos, disputando o mesmo troféu — neste caso, o espaço limitado nas membranas celulares.

Em uma dieta em que ômega-3 e ômega-6 são consumidos em quantidades comparáveis, o equilíbrio estrutural ideal do cérebro seria alcançado. Mas hoje, como a maioria das pessoas consome gorduras ômega-6 em excesso, eliminamos as gorduras ômega-3 e enriquecemos essas estruturas fosfolipídicas com gorduras ômega-6. Isso promove uma membrana mais rígida, dificultando que esses importantes receptores de sinalização subam à superfície.[15] Quando isso acontece, nossa saúde mental — e aspectos de nossa inteligência — podem ser afetados.

BDNF:
O PRINCIPAL CONSTRUTOR DE CÉREBRO

As gorduras ômega-3 e particularmente o DHA sustentam diretamente o cérebro, aumentando seu suprimento de uma proteína chamada fator neurotrófico derivado do cérebro, ou BDNF na abreviatura em inglês. Apelidado de "adubo para o cérebro", o BDNF é conhecido não apenas por sua capacidade de promover a criação de novos neurônios no centro de memória do cérebro, mas também por ser um guarda-costas das células cerebrais existentes, ajudando a garantir sua sobrevivência. O poder surpreendente do BDNF pode ser visto quando a proteína é borrifada nos neurônios em uma placa de Petri — isso faz com que eles gerem dendritos, que são as estruturas espinhosas necessárias para o aprendizado.

Ter níveis mais elevados de BDNF reforça a memória, o humor e as funções executivas em curto prazo, é um poderoso promotor da plasticidade cerebral em longo prazo.[16] "Plasticidade" é o termo que os neurocientistas usam para descrever a capacidade de mudança do cérebro. Em condições onde essa característica é menor, incluindo Alzheimer e Parkinson, o BDNF também é reduzido. O cérebro com Alzheimer pode, na verdade, ter metade do BDNF de um cérebro saudável, e aumentá-lo pode retardar a progressão.[17] Até a depressão pode ser resultado de ter o BDNF reduzido, e aumentá-lo pode melhorar os sintomas.[18]

Embora os exercícios sejam uma das melhores formas de aumentar esse hormônio de crescimento altamente protetor, consumir gorduras ômega-3, e particularmente DHA, está entre os melhores meios dietéticos que conhecemos. O DHA é tão importante para a construção de um cérebro saudável que os pesquisadores acreditam que foi o acesso à essa gordura especial que permitiu que nossos primeiros cérebros hominídeos atingissem seu tamanho atual. Isso pode explicar por que o consumo de peixe, levando à níveis mais elevados de gorduras ômega-3 no sangue, incluindo DHA, está correlacionado a um maior volume cerebral total ao longo do tempo.[19] Mas não descarte o companheiro usual do DHA, o EPA: a inflamação é um conhecido ralo de BDNF no cérebro, e o EPA é um poderoso inibidor da inflamação.

DESBLOQUEANDO O CÉREBRO... COM GORDURA

Ao longo da minha infância, tive dificuldades que parecem queixas comuns hoje: eu me distraía facilmente e era difícil ficar sentado quieto e me concentrar nas aulas. Como resultado, tinha dificuldade para tirar boas notas. Em um ponto, a orientadora da minha escola até sugeriu aos meus pais que me enviassem para um psicólogo.

Olhe para mim agora, Sra. Capello! Queixas à parte, os problemas que tive recaem no domínio das funções executivas, um amplo conjunto de habilidades cognitivas que incluem planejamento, tomada de decisões, atenção e autocontrole. A função executiva é tão abrangente na vida cotidiana que alguns especialistas acham que é mais importante para o sucesso do que o QI ou mesmo o talento acadêmico inerente.[20] E, felizmente, a pesquisa destacou o papel da gordura dietética em otimizá-la.

Como todas as áreas da função cognitiva, a função executiva depende do funcionamento saudável dos neurotransmissores. Como tal, pode ser particularmente afetada por desequilíbrios de ômega-6 para ômega-3. Os pesquisadores observaram que crianças com menor ingestão de gorduras ômega-6 apresentam desempenho significativamente melhor em relação às suas habilidades executivas.[21] E para crianças com transtorno de *déficit* de atenção/hiperatividade (TDAH), que é frequentemente descrito como um problema de função executiva,[1] bem como para crianças com

---

1. O "problema" moderno do TDAH talvez seja mais uma consequência de cérebros programados para novidades e exploração colidindo com empregos rotineiros e educação única para todos, teoria que retomarei no Capítulo 8.

desenvolvimento típico, alguns estudos demonstraram que a atenção melhora com a suplementação de ômega-3.²² (Os óleos de margarina e grãos que eu comia quando jovem eram os responsáveis diretos pelos meus problemas? Nunca saberei com certeza — mas não seria difícil de acreditar.)

Quando se trata de mudar nossa ingestão de gordura para um estado mais saudável, qualquer hora é a certa — mesmo que isso signifique simplesmente adicionar um suplemento de óleo de peixe, de acordo com um ensaio do Hospital Charité de Berlim.²³ Nesse estudo, os adultos receberam suplementos diários de ômega-3 contendo 1.320 miligramas de EPA e 880 miligramas de DHA. Após 26 semanas, os pesquisadores descobriram que os indivíduos que tomaram os suplementos de ômega-3 exibiram função executiva 26% melhor que a do grupo do placebo, que, na verdade, tiveram um ligeiro declínio em sua cognição. Eles também mostraram um aumento no volume de matéria cinzenta e "integridade estrutural superior de matéria branca". Pense na matéria branca como o sistema de rodovias interestaduais do cérebro, permitindo que os dados sejam transportados entre diferentes regiões em velocidades de pista expressa. Neste estudo, a suplementação de ômega-3 pareceu agir como uma equipe de reforço de infraestrutura, suavizando os buracos na rodovia e até mesmo adicionando pistas extras.

Ajudar você a ter um melhor desempenho é uma coisa, mas adicionar ômega-3 à sua dieta ajudaria se você fosse uma das 450 milhões de pessoas em todo o mundo que sofrem de algum tipo de doença mental? Essa é a pergunta que os pesquisadores da Universidade de Melbourne fizeram quando deram uma dose diária de óleo de peixe para pessoas na adolescência e no início dos 20 anos de idade com histórico de sintomas psicóticos. (Usar óleo de peixe como abordagem preventiva ou terapêutica também é muito atraente porque não carrega um estigma como os antipsicóticos.)

Cada sujeito do estudo recebeu 700 miligramas de EPA e 480 miligramas de DHA por dia. Ao longo de 3 meses, os pesquisadores descobriram que, em comparação com o placebo, o grupo de óleo de peixe apresentou significativamente menos episódios psicóticos.²⁴ Ainda mais impressionante: a melhora nos sintomas parecia persistir quando os médicos avaliaram a saúde mental dos indivíduos 7 anos depois — apenas 10% reverteram a transtornos psicóticos completos, em comparação com 40% no grupo de placebo (uma redução de risco de quatro vezes). Os pacientes também apresentavam funcionamento significativamente melhor e precisavam de menos medicamentos para controlar os sintomas.²

O óleo de peixe é uma panaceia para a saúde mental? Não, infelizmente. Mas esta pesquisa fornece mais evidências de que nossas dietas se tornaram

---

2. Anteriormente, o ômega-3 mostrou resultados mistos em adultos com transtornos psicóticos, mas este estudo oferece evidências de que iniciar o tratamento mais cedo pode ser mais eficaz.

desarmônicas com as necessidades de nossos cérebros – e ao corrigir o desequilíbrio podemos colher benefícios significativos.

FURANOS – O AGENTE ADORMECEDOR DO CÉREBRO?

O falecido químico austríaco Gerhard Spiteller, primeiro cientista a dar o alarme sobre os perigos dos óleos polinsaturados processados, estava estudando os óleos de peixe quando fez uma observação fascinante. Ele notou que as fontes concentradas de ômega-3 eram sempre acompanhadas por um tipo de gordura chamado ácido graxo furano, ou ácido F. Feitos por algas e plantas, esses ácidos F são incorporados ao óleo de peixe quando os peixes comem algas. (Outra fonte conhecida de ácido F é a manteiga orgânica de gado alimentado com capim[25]). Uma vez consumidos por nós, eles viajam junto com ômega-3 e ômega-6 e outras gorduras em uma membrana celular, onde eliminam e neutralizam os radicais livres próximos gerados por gorduras poli-insaturadas ou outro estresse oxidativo.

Pesquisadores japoneses viram o poder dessas gorduras misteriosas quando estudaram os poderosos efeitos anti-inflamatórios do mexilhão de concha verde da Nova Zelândia. Curiosos sobre as taxas muito mais baixas de artrite na população maori costeira, que come mexilhões, em comparação com suas contrapartes do interior, os cientistas relacionaram o extrato de mexilhão contendo ácido F ao óleo de peixe rico em EPA e descobriram que era quase 100 vezes mais potente que o EPA na redução da inflamação!

Como os ácidos F conseguem isso? Eles contêm o que é chamado de estrutura de ressonância. Uma estrutura de ressonância pode soar como o cristal que ilumina um sabre de luz ou a armadura do Homem de Ferro, mas na verdade é ainda mais legal: esses bombeiros químicos eliminam os radicais livres e se estabilizam para encerrar a reação em cadeia destrutiva. Eles são tão bons nisso que os ácidos F podem ser as moléculas guardiãs silenciosas do seu cérebro, eliminando os radicais livres como um chefe, enquanto permite que os ômega-3 levem todo o crédito.

Vamos fazer uma pausa, no entanto, antes de tentarmos fazer do ácido F a próxima grande mania em suplementos. A descoberta desses benéficos combatentes dos radicais livres é um argumento contra a tentativa de quebrar o valor dos alimentos integrais em micronutrientes individuais. Nós evoluímos junto com nossa comida, e tentar otimizar nossos corpos infinitamente complexos escolhendo nutrientes pode ser o exercício definitivo de arrogância. Os ácidos F são o exemplo perfeito:

as empresas farmacêuticas têm tentado destilar e extrair concentrações cada vez mais puras de ômega-3 do EPA para criar óleo de peixe superpotente, mas nem sempre apresentam o benefício anti-inflamatório esperado. Será que isso acontece porque essas gorduras furânicas superdelicadas, porém poderosas, são destruídas na fabricação? É por isso que sempre somos a favor de alimentos integrais em vez de suplementos – até mesmo os suplementos que recomendamos!

ALA – O ÔMEGA-3 VEGETAL

Mencionei brevemente outro ômega-3 comum: o ácido alfa-linolênico, ou ALA, de base vegetal, encontrado em sementes como linhaça, chia e nozes. Em nossos corpos, o ALA precisa ser transformado em DHA e EPA para ser usado, mas esse é um processo muito ineficiente e a capacidade limitada que possuímos diminui ainda mais com a idade.[26]

Homens jovens saudáveis convertem cerca de 8% do ALA alimentar em EPA e 0 a 4% em DHA. Na verdade, a conversão de ALA em DHA é tão limitada nos homens que consumir mais ALA (de óleo de linhaça, por exemplo) pode não aumentar o DHA no cérebro. As mulheres, por outro lado, são aproximadamente 2,5 vezes mais eficientes na conversão de ALA, capacidade que se acredita ser facilitada pelo estrogênio para atender às necessidades de uma futura gravidez. Infelizmente, a capacidade de criar DHA a partir do ALA pode diminuir parcialmente em consequência da menopausa, talvez desempenhando um papel no risco maior que as mulheres enfrentam tanto de doença de Alzheimer quanto de depressão.[27]

Fatores diferentes do gênero influenciam a conversão de ALA baseado em plantas em DHA e EPA. Pessoas de origem europeia que possuem genes "mais novos" (eles simplesmente não os fazem como antigamente) podem ter habilidades de conversão reduzidas em comparação com as de ascendência africana – é possível que a capacidade de converter formas vegetais de ALA tenha sido relegada devido à crescente disponibilidade de fontes mais confiáveis de ômega-3 em carne, peixe e ovos.[28]

Ironicamente, e ampliando as consequências consideráveis do consumo de óleo polinsaturado, as enzimas que transformam ALA em EPA e DHA também convertem o ácido linoléico, a gordura ômega-6 predominante na dieta, em sua forma pró-inflamatória utilizável (chamada ácido araquidônico). Esses produtos químicos benéficos são indiferentes às nossas necessidades – eles apenas transformam o que lhes damos como alimento e, hoje, os alimentamos principalmente com ômega-6. No caso de pessoas que obtêm pouco EPA e DHA pré-formados e muito ômega-6 de suas dietas (veganos que consomem muitos alimentos processados, por exemplo), o cérebro pode realmente se tornar deficitário de ômega-3 por esse motivo.

GORDURAS FANTÁSTICAS E ÓLEOS PERIGOSOS

Para eliminar as conjecturas quando se trata de nutrir seu cérebro com EPA e DHA, sugiro o método "configure e esqueça": esteja atento para evitar óleos polinsaturados – milho, soja, canola e outros óleos de grãos e sementes – e certifique-se de que está obtendo EPA e DHA pré-formados de fontes de alimentos integrais, como peixes (salmão selvagem e sardinha são ótimas opções, com baixo teor de mercúrio), ovos de pasto ou ômega-3 e carne bovina de pasto. Nos dias em que você não consegue receber sua dose de EPA e DHA pré-formados, suplementos de peixe, *krill* ou óleo de alga vegetal podem ajudar. Depois de cobrir essas bases, o ALA de fontes de alimentos integrais como nozes, sementes de linhaça ou de chia é um ótimo complemento.

Gorduras monoinsaturadas:
Melhores amigas do cérebro

Assim como ocorre com as gorduras poli-insaturadas, o cérebro é rico em gorduras monoinsaturadas, que formam a bainha de mielina do cérebro. Esse é o revestimento protetor que isola os neurônios e permite a neurotransmissão rápida. No entanto, ao contrário das gorduras poli-insaturadas, as monoinsaturadas são quimicamente estáveis. Os óleos compostos principalmente por essas gorduras não são apenas seguros para consumo, como parecem ter vários efeitos positivos no corpo. Algumas fontes comuns de gordura monoinsaturada incluem abacates, óleo de abacate e nozes de macadâmia, e o teor de gordura do salmão selvagem e da carne bovina é quase 50% monoinsaturada. Mas talvez a fonte mais famosa de gordura monoinsaturada seja o azeite de oliva extravirgem.

Em países mediterrâneos como Grécia, sul da Itália e Espanha – onde as taxas de doenças neurodegenerativas como Parkinson e Alzheimer são mais baixas –, o azeite de oliva extravirgem é o molho definitivo, usado generosamente em bife, feijão, vegetais, pão, pizza, massa, frutos do mar, sopas e até em sobremesas. Meu amigo Nicholas Coleman, oleologista chefe no Eataly de Nova York, pintou o quadro para mim: "Eles não regam com azeite; eles o despejam". Os mediterrâneos até cozinham com ele – ao contrário da crença popular, o azeite extravirgem retém muito de seu valor nutricional mesmo em condições extremas.[29] (Dito isso, ainda é melhor economizar cozimento em alta temperatura para as gorduras saturadas, que são quimicamente mais estáveis – e que abordaremos a seguir.)

A chamada dieta mediterrânea é frequentemente citada por epidemiologistas (cientistas que estudam saúde e doença em grandes populações e fazem associações com base nos dados que coletam) como sendo o padrão alimentar em larga escala com maior proteção contra doenças cardiovasculares e neurodegeneração, e foi demonstrado que uma maior adesão ao estilo mediterrâneo de alimentação leva não apenas a melhores resultados de saúde em longo prazo (incluindo uma redução robusta do risco de desenvolver demência), mas também a cérebros maiores.[30] Mas, como já mencionei, a principal limitação dos estudos epidemiológicos é que eles se baseiam na observação, tornando impossível apontar quais aspectos da dieta estão causalmente envolvidos em tais benefícios. Para superar essa lacuna e examinar especificamente o efeito dos alimentos ricos em gordura monoinsaturada no desempenho cognitivo, cientistas de Barcelona começaram um estudo que opôs uma dieta com baixo teor de gordura (ainda amplamente recomendada) à duas versões da dieta mediterrânea com alto teor de gordura[31].

Uma das duas dietas experimentais do Mediterrâneo foi suplementada com amêndoas, avelãs e nozes — todas ótimas fontes de gordura monoinsaturada. A outra dieta experimental foi complementada com ainda mais azeite de oliva extravirgem. No grupo com alto teor de azeite, os participantes receberam um litro para consumir por semana. Só para colocar em perspectiva, um litro de azeite de oliva contém mais de 8 mil calorias — mais da metade de uma semana de calorias para um homem adulto! Ambos os grupos — aqueles que aderiram à dieta suplementada com nozes adicionais e aqueles suplementados com mais azeite de oliva — não apenas mantiveram, mas melhoraram sua função cognitiva após 6 anos, com o grupo do azeite saindo ligeiramente à frente. O grupo de controle com baixo teor de gordura apresentou um declínio constante.

Conheça o sabor relvado e apimentado de um bom azeite extravirgem (de preferência orgânico) empurrando-o para o fundo da garganta — e experimente-o com frequência! Abasteça sua cozinha com azeite de oliva extravirgem e use-o no cozimento em fogo baixo a médio, como molho sobre ovos, legumes e peixes, e em todas as saladas.

Gorduras saturadas:
Estáveis e capazes

As gorduras saturadas são essenciais para a vida — elas fornecem suporte para as membranas celulares e servem como precursores de uma variedade de hormônios e substâncias semelhantes a hormônios. A gordura saturada é o tipo de gordura mais abundante no leite materno — indiscutivelmente o alimento ideal da natureza para um recém-nascido.[32]

Geralmente sólida e em temperatura ambiente, a gordura saturada é mais comumente encontrada em laticínios integrais como queijo, manteiga e *ghee*, carnes como boi, porco e frango, e até mesmo em certas frutas como coco e azeitonas. (O azeite de oliva extravirgem tem quase 15% de gordura saturada.)

As gorduras saturadas tiveram muita má publicidade nos últimos anos, tendo sido vilipendiadas como a gordura que "obstrui as artérias". Literalmente, essas são as gorduras sobre as quais nossas mães nos alertaram. Mas, ao contrário das gorduras tóxicas pelas quais as trocamos (óleos de grãos e sementes como canola, milho e soja), as gorduras saturadas são as mais estáveis quimicamente e as mais adequadas para uso em cozimento em altas temperaturas. Ter gorduras saturadas como óleo de coco, manteiga de vacas criadas no pasto e *ghee* de volta na cozinha, é uma aplicação biologicamente relevante e real que pode trazer grande benefício para sua saúde.

GORDURA PROSCRITA?

Como nutriente, a gordura saturada não é inerentemente prejudicial ou benéfica à saúde. Seu papel na saúde depende de algumas questões, como: Você come muito açúcar? Sua dieta é rica em alimentos processados? Você considera o ketchup um vegetal? Isso ocorre porque a gordura saturada pode aumentar os efeitos deletérios de uma dieta rica em carboidratos e poucos nutrientes. (Há também uma questão de genes, que explorarei no Capítulo 5.)

Infelizmente, os alimentos de conveniência ultraprocessados tendem a ser ricos em açúcar, carboidratos refinados e costumam ser combinados com quantidades iguais de gordura saturada. Por exemplo, hambúrgueres em pães de farinha branca, pizzas com muito queijo, pratos de massa cremosa, *nacho*s de luxo, burritos, sorvete e até mesmo o *bagel* aparentemente inócuo com manteiga. Esses alimentos hoje representam 60% das calorias consumidas nos Estados Unidos e são altamente prejudiciais à saúde.[33]

Algumas pesquisas sugerem que a combinação de carboidratos e gordura em uma mesma refeição pode induzir um estado temporário de resistência à insulina, uma forma de disfunção metabólica que aumenta a inflamação e o armazenamento de gordura. (Descreverei exatamente como isso afeta o cérebro nos próximos capítulos.) O fato de nossos corpos ficarem confusos quando grandes quantidades de gordura saturada e carboidratos são consumidas juntas não deve causar surpresa. Afinal, você teria dificuldade em encontrar alimentos na natureza que contivessem gordura saturada e carboidratos. As frutas são principalmente carboidratos puros e fibras, e frutas com baixo teor de açúcar, como abacate e coco, contêm bastante gordura, mas muito pouco carboidrato. Os produtos de origem animal são geralmente gordura e proteína puras. E vegetais, sejam ricos em amido ou fibrosos, geralmente não têm gordura. Os laticínios seriam a única exceção em que gordura saturada e açúcares se combinam – o que pode ajudá-los a cumprir seu propósito evolutivo: ajudar um animal jovem a ganhar peso. Caso contrário, apenas os alimentos modernos regularmente misturam gordura saturada e carboidratos, geralmente combinados com a intenção de promover o consumo excessivo.

GORDURAS SATURADAS NO SANGUE

Os níveis de gordura saturada no sangue têm sido associados a um risco maior de demência. Para começar, como essas gorduras chegam lá[34]? "Acredita-se comumente que os ácidos graxos circulantes refletem a ingestão alimentar, mas as associações são fracas, especialmente para AGS (ácidos graxos saturados)", escreveram pesquisadores da Universidade Estadual de Ohio em PLOS ONE, procurando responder a essa mesma pergunta.[35] Eles descobriram que duas das gorduras saturadas associadas à demência – os ácidos esteárico e palmítico – não aumentavam no sangue, mesmo quando seus participantes as consumiam em quantidades de até 84 gramas por dia – o equivalente a quase 11 colheres de sopa de manteiga! Por outro lado, as gorduras saturadas mais circulantes foram medidas depois que os indivíduos consumiram uma dieta rica em carboidratos, enquanto ingerir menos carboidratos levava a níveis circulantes mais baixos. Acontece que a maior parte dos níveis circulantes de gorduras saturadas no corpo se originam no fígado, onde são produzidas em resposta aos carboidratos – processo chamado lipogênese, ou "criação de gordura". Outros estudos demonstraram resultados semelhantes, provando que nossos corpos são laboratórios de química dinâmica que nem sempre seguem uma lógica simples – um fato frequentemente usado para vender produtos alimentícios, medicamentos ou desinformação em geral.[36]

GORDURA SATURADA E O CÉREBRO: AMIGOS OU INIMIGOS?

Quando se trata do impacto que a gordura saturada tem no cérebro, pode ser complicado encontrar respostas verdadeiras. Um exame cuidadoso de muitos estudos com animais revela quase universalmente que o que é relatado como uma "dieta rica em gordura" para os animais é, na realidade, uma pasta tóxica de açúcar, banha e óleo de soja.[3] Isso pode remontar a um erro inadvertido de rotulagem – os fornecedores de ração para ratos de laboratório frequentemente rotulam dietas destinadas a imitar a Dieta Americana Padrão como simplesmente "alto teor de gordura".

Não me entendam mal: estudos com animais desse tipo são incrivelmente valiosos. Graças a esses estudos, temos algumas pistas de por que as pessoas que seguem mais de perto a Dieta Americana Padrão, com alto teor de açúcar e gordura, tendem a ter hipocampos menores – a estrutura do cérebro que processa nossas memórias.[37] Esses estudos também nos mostram que a combinação de açúcar e gordura saturada (comum em *fast food*) pode conduzir a inflamação e drenar o BDNF do cérebro.[38]

O problema é que essa nuance geralmente se perde quando a mídia relata essas descobertas, resultando em manchetes enganosas como "Dieta rica em gorduras pode prejudicar seu cérebro" – que foi o título de um artigo amplamente divulgado postado

---

3. Às vezes, dietas experimentais com alto teor de gordura podem até incluir gorduras trans. Esse descuido faz pouco sentido, considerando que as gorduras trans produzidas pelo homem são altamente tóxicas, possuindo claros efeitos prejudiciais à saúde cognitiva.

no site de uma editora conhecida.³⁹ (A comida usada no estudo com ratos que o artigo estava relatando era 55% de gordura saturada, 5% de óleo de soja e 20% de açúcar.) A menos que os leitores se esforcem para encontrar o estudo original, presumindo que teriam acesso a ele e não desanimassem com o jargão, eles poderiam facilmente interpretar isso como um golpe contra dietas altas em "gorduras saudáveis" — aquelas que são pobres em carboidratos processados e óleos polinsaturados e ricas em gorduras ômega-3, vegetais ricos em nutrientes e a quantidade relativamente pequena de gordura saturada encontrada em produtos de animais criados adequadamente.

A questão que permanece é: quanta gordura saturada deve ser consumida em uma dieta ideal para o cérebro? Embora as evidências que nos alertam para evitar a gordura saturada sejam, como sempre foram, frágeis na melhor das hipóteses, também há poucas evidências a sugerir que perseguir a gordura saturada tenha algum benefício para o cérebro (ao contrário, por exemplo, da gordura monoinsaturada, que é a principal gordura no azeite extravirgem). Embora os detalhes ainda estejam sendo decifrados, você pode ter certeza de que o que é bom para o seu corpo também é muito provavelmente bom para o seu cérebro. O que estamos começando a aprender é que dietas ocidentalizadas nutricionalmente pobres, ricas em óleos polinsaturados processados e carboidratos de digestão rápida são os verdadeiros culpados, não apenas pelas doenças cardiovasculares, mas também por obesidade e diabetes tipo 2 — e também, como pesquisas estão deixando claro, por doença cerebral.

Por essas razões, não coloco nenhuma restrição ao consumo de gorduras saturadas quando contidas em alimentos inteiros ou quando são usadas para cozinhar ocasionalmente em alta temperatura. (O óleo principal em sua dieta deve ser sempre o **Alimento para o Cérebro #1** — azeite de oliva extravirgem.)

Gordura trans:
Uma gordura a ser temida

As gorduras trans são gorduras insaturadas que se comportam de alguma maneira como gorduras saturadas. Uma gordura trans produzida naturalmente, o ácido linoleico conjugado (CLA), é encontrada no leite e em derivados de animais alimentados com pasto e é considerada muito saudável; pode ser associada a uma melhor saúde metabólica e vascular e redução do risco de câncer. Mas as gorduras trans naturais são relativamente raras na dieta humana moderna.

A maior parte das gorduras trans consumidas por humanos são o resultado de fabricação industrial. Essas gorduras trans feitas pelo homem não são apenas ruins; são o *Darth Vader* e *Lorde Voldemort* misturados. Elas começam a vida como óleos polinsaturados (que podem passar livremente pela barreira sangue-cérebro) e são bombeadas com hidrogênio. Você pode ver isso nas embalagens dos alimentos se procurar "óleos hidrogenados" ou "parcialmente hidrogenados". Esse processo faz com que se comportem mais como gorduras saturadas, tornando-se sólidas à temperatura ambiente. Os fabricantes de alimentos gostam disso por dois motivos: permite-lhes adicionar uma textura rica e amanteigada aos alimentos usando óleos baratos e aumenta a vida útil desses alimentos. Como tal, essas gorduras são comumente encontradas em alimentos embalados, bolos, margarina, pastas de nozes (onde evitam a separação do óleo) e até mesmo algumas pastas de "queijo" veganas com embalagens aparentemente saudáveis.

As gorduras trans artificiais são altamente inflamatórias, promovendo resistência à insulina e doenças cardíacas (elas podem aumentar o colesterol total enquanto diminuem o HDL protetor). Uma meta-análise recente (um estudo de estudos) descobriu que o consumo de gorduras trans foi associado a um risco 34% maior de mortalidade por todas as causas, ou seja, morte prematura por qualquer causa.

Em termos de cérebro, as gorduras trans podem ser particularmente prejudiciais. Você lembra que antes eu falei sobre o valor da fluidez da membrana? As gorduras trans podem se integrar às membranas neuronais e endurecê-las como um cadáver com rigor mortis. Isso torna muito mais difícil para os neurotransmissores fazerem seu trabalho e para as células receberem nutrientes e combustível. Estudos também relacionaram o consumo de gordura trans à redução do cérebro e ao aumento acentuado do risco de doença de Alzheimer — duas coisas que você certamente não quer.[40] Mas, mesmo em pessoas saudáveis, consumir gorduras trans foi associado a um desempenho de memória significativamente pior. Um estudo publicado em 2015 descobriu que para cada grama adicional de gordura trans que os participantes comiam, sua lembrança de palavras que foram solicitados a decorar caía em 0,76 palavra.[41] Aqueles que comeram mais gorduras trans lembraram 12 palavras a menos do que aqueles que não consumiram gorduras trans.

Acha que está seguro apenas evitando óleos hidrogenados? O mero processamento de gorduras poli-insaturadas cria gorduras trans — os pesquisadores encontraram pequenas quantidades delas escondidas nas garrafas de muitos óleos de cozinha comumente vendidos. Mesmo o óleo de canola orgânico de bagaço pressionado contém até 5% de gordura trans. Consumimos em média cerca de 20 gramas de óleo de canola ou outro vegetal por pessoa por dia. Isso já é 1 grama de gordura trans.

Ao evitar os óleos de milho, soja e canola (e produtos feitos com eles), como descrevi anteriormente neste capítulo, e qualquer óleo que tenha sido "hidrogenado" ou "parcialmente hidrogenado", você está se protegendo para que nenhum vestígio de gordura trans sintética entre em seu sistema.

Gordura: a barca de nutrientes

Um benefício final, mas incrivelmente importante, de adicionar gorduras boas à sua dieta (na forma de alimentos ricos em gordura, como ovos, abacate, peixe gordo e azeite de oliva extravirgem) é que as gorduras facilitam a absorção de nutrientes essenciais solúveis em gordura como as vitaminas A, E, D e K, bem como carotenoides importantes como o beta-caroteno. Esses nutrientes têm efeitos abrangentes no corpo, desde a proteção contra danos ao DNA e contra o envelhecimento das gorduras que já estão presentes em seu corpo e cérebro.

Os carotenoides – os pigmentos amarelos, laranja e vermelhos abundantes em cenouras, batatas-doces, ruibarbo e, particularmente, em folhas verde-escuras como couve e espinafre – foram identificados como potentes estimulantes do cérebro (você não pode vê-los em folhas verde-escuras porque eles estão disfarçados pelo pigmento verde da clorofila – mas eles estão lá).

Entre eles, a luteína e a zeaxantina, em particular, foram associadas a uma maior eficiência neural e "inteligência cristalizada", ou seja, a capacidade de usar as habilidades e o conhecimento adquiridos ao longo da vida.[42]

TURBOCARREGUE SEU CÉREBRO COM CAROTENOIDES

Há algum tempo se sabe que os carotenoides desempenham um papel importante na proteção dos olhos e do cérebro contra o envelhecimento, mas também podem acelerar o cérebro. Em um ensaio clínico, pesquisadores da Universidade da Geórgia deram a 69 jovens estudantes saudáveis, homens e mulheres, suplementos contendo luteína e zeaxantina – dois carotenoides abundantes em couve, espinafre e abacate – ou um placebo durante 4 meses. Os indivíduos que receberam a luteína e a zeaxantina tiveram um aumento de 20% na velocidade de processamento visual, medida pela reação automática da retina a um estímulo. A velocidade de processamento é importante porque é o ritmo com que você recebe as informações, dá sentido ao que está percebendo e começa a responder. O processamento visual mais rápido tende a se correlacionar com melhor desempenho esportivo, velocidade de leitura e função executiva, e a velocidade de processamento reduzida é uma característica central e inicial do declínio cognitivo. Os pesquisadores escreveram sobre esse aumento impressionante: "(Isso) é significativo, porque indivíduos jovens e saudáveis são normalmente considerados no pico da eficiência e espera-se que sejam mais resistentes a mudanças". Eles continuaram: "Em geral, pode-se observar que melhorar a dieta não é simplesmente evitar doenças adquiridas ou por deficiência, mas sim otimizar a função ao longo da vida". Estou totalmente de acordo!

Esses nutrientes exigem que a gordura seja carregada para a circulação do corpo, ao ponto de que quando uma salada é consumida a absorção de carotenoides é insignificante, a menos que consumida com uma fonte de gordura[43]. Um borrifo generoso de azeite de oliva extravirgem é uma escolha excelente, ou simplesmente adicione alguns ovos inteiros à salada. Em um estudo da Universidade Purdue, os participantes que acrescentaram três ovos inteiros à suas saladas aumentaram a absorção de carotenoides em três a oito vezes em comparação com quando nenhum ovo foi adicionado[44]. Se você não gosta de ovos, acrescente um pouco de abacate e saiba que, fazendo isso, você está colhendo os benefícios surpreendentes de nutrientes solúveis em gordura que aumentam a capacidade do cérebro, como os carotenoides.

Então aí está — uma sólida compreensão do papel da gordura em seu corpo. Muitas gerações de famílias foram enganadas em relação ao nosso nutriente mais importante, mas agora sabemos a importância das gorduras certas para o cérebro. Depois que aprendi isso, minha dieta mudou drasticamente, e alimentos saciantes, nutritivos e seguros que antes eram proibidos se tornaram insubstituíveis em minha dieta.

Mas ainda não estamos resolvidos. A catástrofe cognitiva (e a salvação) apenas começa com gordura. A seguir, o sinal definitivo da destruição do cérebro.

NOTAS DE CAMPO

- √ As gorduras poli-insaturadas, vulneráveis à oxidação, podem ser suas melhores amigas ou as piores inimigas. Evite óleos de grãos e sementes como milho e soja, bem como alimentos fritos que usam óleos vegetais reciclados.
- √ Faça seu próprio molho de salada. Você realmente não quer 200 calorias de gorduras poli-insaturadas suspeitas servidas com sua refeição mais saudável do dia. Molhos para salada comprados em lojas e até mesmo em restaurantes podem ser os piores criminosos. Os restaurantes rotineiramente trocam ou diluem azeite de oliva com óleo de canola ou pior – o misterioso "óleo vegetal"!
- √ A comida de restaurante é quase sempre uma incógnita, então, olhe nos olhos dos proprietários e pergunte-lhes com que óleos eles cozinham.
- √ Se você não conseguir comer mais de três porções de peixe gordo por semana (salmão selvagem e sardinha são fontes megaconcentradas de ômega-3), considere tomar um suplemento de óleo de peixe; ou, se você é vegano, opte por óleo de algas.

- ✓ O azeite de oliva extravirgem deve ser o principal óleo da sua dieta.
- ✓ A gordura saturada de fontes de alimentos integrais é saudável no contexto de uma dieta sem açúcar, pobre em carboidratos e rica em fibras, ômega-3 e nutrientes essenciais de alimentos vegetais.
- ✓ As gorduras trans são as inimigas da dieta. Evite qualquer alimento com óleo hidrogenado ou óleos polinsaturados processados, que são pelo menos 5% de gordura trans mesmo sem hidrogenação.
- ✓ Certos nutrientes nos vegetais não são absorvidos se não houver gordura – saladas e vegetais, portanto, devem sempre incluir uma fonte de gordura saudável.

ALIMENTO PARA O CÉREBRO #2

ABACATE

O abacate é um Alimento para o cérebro muito significativo, perfeito para proteger e aprimorar seu cérebro. Para começar, tem uma capacidade de proteção de gordura total maior que a de qualquer fruta ou vegetal. Esta é uma boa notícia para o cérebro, que não é apenas o órgão mais gordo do corpo, mas também um ímã para o estresse oxidativo (um dos principais fatores do envelhecimento) – uma consequência do fato de que 25% do oxigênio que você respira são usados para criar energia em seu cérebro! Os abacates também são ricos em diferentes tipos de vitamina E são um repertório potente dos carotenoides luteína e zeaxantina (uma característica que poucos suplementos podem reivindicar). Você deve se lembrar, do Capítulo 2, que esses pigmentos podem aumentar a velocidade de processamento do cérebro, mas dependem da gordura para ser absorvidos de forma adequada. Convenientemente, o abacate é uma fonte rica em gorduras saudáveis.

Atualmente existe uma epidemia de doença vascular, não apenas na forma de doença cardíaca, mas como demência vascular, que é a segunda forma mais comum de demência depois de Alzheimer. O potássio funciona com o sódio para regular a pressão sanguínea, além de ser essencial para a saúde vascular, mas hoje tendemos a consumir quantidades insuficientes de potássio.

Na verdade, os cientistas acreditam que nossos ancestrais caçadores-coletores consumiam quatro vezes mais potássio que nós atualmente, o que pode explicar por que hipertensão, derrame e demência vascular são agora tão comuns na sociedade. Ao fornecer o dobro do teor de potássio de uma banana, um abacate inteiro é o alimento perfeito para nutrir a microvasculatura do cérebro, estimada em quase 400 quilômetros.

Finalmente, quem precisa de suplementos de fibra (ou cereais matinais baratos produzidos industrialmente) quando você pode comer um abacate? Um abacate médio inteiro contém 12 gramas de fibra — alimento para as bactérias famintas que vivem em seu intestino, que acabarão por pagar o aluguel na forma de compostos que sustentam a vida e o cérebro, reduzem a inflamação, aumentam a sensibilidade à insulina e reforçam fatores de crescimento no cérebro.

Modo de usar: Eu tento comer meio abacate todos os dias. Você pode saborear abacates simplesmente polvilhados com um pouco de sal marinho e azeite extravirgem. Eles também podem ser fatiados e adicionados à saladas, ovos, purês ou à minha Tigela do Cérebro Melhor (veja a página 269).

Dica de profissional: Os abacates são conhecidos por levar muito tempo para amadurecer e apenas 1 ou 2 dias para estragar. A fim de evitar tal processo, coloque-os na geladeira quando estiverem maduros e retire-os na hora de comer.

CAPÍTULO 3

SUPERALIMENTADO, MAS COM FOME

"Um ser humano deve ser capaz de trocar uma fralda, planejar uma invasão, abater um porco, assaltar um navio, projetar um edifício, escrever um soneto, equilibrar contas, construir uma parede, consertar um osso, confortar os moribundos, receber ordens, dar ordens, cooperar, agir sozinho, resolver equações, analisar um novo problema, amontoar esterco, programar um computador, preparar uma refeição saborosa, lutar com eficiência e morrer galantemente. A especialização é para insetos."

— ROBERT A. HEINLEIN

Vamos pensar em um tempo antes dos aplicativos de entrega de comida e gurus da dieta, quando "Trader Joe" era o cara que guardava o único depósito de sal em um raio de cem quilômetros e "*biohacking*" era algo que você fazia com uma caça recém-morta com uma pedra afiada. Recomendações de dieta do governo (ou governos, nesse caso) só entrariam em cena milênios depois, então, você teria que se contentar como seus ancestrais fizeram, com intuição e disponibilidade. E sendo um coletor de alimentos, sua dieta consistiria em uma grande variedade de animais terrestres, peixes, vegetais e frutas silvestres. O principal contribuinte de calorias seria, em geral, a gordura, seguida pela proteína[1]. Você poderia consumir uma quantidade limitada de amido, na forma de tubérculos ricos em fibras, nozes e sementes, mas as fontes concentradas de carboidratos digestíveis eram muito limitadas, se é que você tinha acesso a elas.

As frutas silvestres, o único alimento doce disponível para nossos ancestrais, tinham aparência e sabor muito diferentes das frutas domesticadas que enchem as prateleiras dos supermercados hoje. Você provavelmente nem as reconheceria quando colocadas ao lado de suas contrapartes contemporâneas, um contraste quase tão forte quanto um cãozinho maltês ao lado de seu ancestral original, o lobo-cinzento. Essas frutas iniciais seriam pequenas, com sabor menos doce e disponíveis sazonalmente.

Então, aproximadamente 10 mil anos atrás, ocorreu uma virada repentina na evolução humana. Em um piscar de olhos, passamos de caçadores-coletores tribais, submetidos aos caprichos da estação, a colonos com plantações e criações de animais.

A invenção da agricultura trouxe para nossas famílias — e para o resto da humanidade — o que antes era uma noção inconcebível: a capacidade de produzir um excedente de alimentos além das necessidades imediatas da subsistência diária. Esta foi uma das principais "singularidades" da existência humana — uma mudança de paradigma marcando a entrada definitiva em uma nova realidade. E nessa nova realidade, embora obtivéssemos quantidades de alimentos que nutriram muitas pessoas por baixo custo e estimularam o crescimento da população global, a saúde individual declinou.

Durante centenas de milhares de anos antes, a dieta humana foi rica em uma variedade de nutrientes abrangendo diversos climas, mas essa diversidade geográfica e de micronutrientes desapareceu quando cada refeição passou a ser baseada em um punhado de espécies de plantas e animais que podíamos cultivar. A fome era uma ameaça menos imediata, mas ficamos dependentes de safras únicas, tornando as deficiências de nutrientes mais prevalentes. O drástico aumento na disponibilidade de amido e açúcar (de trigo e milho, por exemplo) criou cáries e obesidade, perda de altura e diminuição da densidade óssea. Ao domesticar animais e plantações, domesticamos a nós mesmos inadvertidamente.

O advento da agricultura alimentou uma espiral viciosa de demandas comportamentais que modificaram a própria natureza de nossos cérebros. Um caçador-coletor tinha que ser autossuficiente, mas o mundo pós-agrícola favorecia a especialização. Alguém para plantar o trigo, alguém para colhê-lo, alguém para moê-lo, alguém para cozinhá-lo, alguém para vendê-lo. Embora esse processo de hiperespecialização tenha levado à revolução industrial e a todas as suas conveniências como iPhones, Costco e Internet, esses adereços modernos vieram com um lado B. Encaixar um cérebro antigo em um ambiente moderno pode ser como encaixar um pino quadrado em um orifício redondo, conforme evidenciado pelos milhões de norte-americanos que tomam antidepressivos, estimulantes e drogas ilegais. Uma pessoa com TDAH, cujo cérebro se alimenta de novidades e exploração, pode ter sido o caçador-coletor ideal – mas hoje essa pessoa luta com um trabalho que exige repetição e rotina.

A confluência dessa mudança dietética com o rebaixamento de nossas obrigações cognitivas fez com que nosso cérebro perdesse o equivalente volumétrico a uma bola de tênis em meros 10 mil anos. Nossos ancestrais de 500 gerações atrás teriam lamentado nossas existências restritivas e, em seguida, pedido desculpas por engendrar nossa morte cognitiva. Esqueça sobre deixar a próxima geração com padrões de vida mais baixos, dívidas estudantis ou destruição ambiental – nossos ancestrais tiveram tanto sucesso que nos deixaram com cérebros menores.

Não sabíamos disso na época, mas de uma só vez viramos as costas à dieta e ao estilo de vida que criaram o cérebro humano e adotamos um que o encolheu.

Muita energia, poucos nutrientes

Dada a epidemia de obesidade e a quantidade de alimentos que os norte-americanos e outras populações em todo o mundo jogam fora rotineiramente (mesmo vegetais frescos ligeiramente deformados são descartados para que sua experiência de ir ao supermercado seja o mais esteticamente agradável possível), talvez você se surpreenda ao saber que nossos corpos ainda estão de alguma forma... morrendo de fome.

Você já se perguntou por que tantos produtos embalados agora precisam ser "fortificados" com vitaminas? Existem mais de 50 mil espécies de plantas comestíveis em todo o mundo – plantas que fornecem uma série de nutrientes únicos e benéficos que consumíamos como coletores. Mas hoje nossas dietas são dominadas por três culturas: trigo, arroz e milho, que juntos respondem por 60% da ingestão mundial de calorias. Esses cereais fornecem uma fonte de energia barata, mas são relativamente fracos em nutrição. Adicionar alguns centavos de vitaminas (geralmente sintéticas) é o equivalente dietético de passar batom em um porco.

MICRONUTRIENTES AUSENTES

Potássio	Ajuda na pressão sanguínea e sinais nervosos saudáveis;
Vitamina B	Ajuda na expressão de genes e isolamento de nervos;
Vitamina E	Protege estruturas gordurosas (como células cerebrais) contra inflamação;
Vitamina K2	Mantém o cálcio fora de tecidos moles como pele e artérias e nos ossos e dentes;
Magnésio	Cria energia e facilita o reparo do DNA;
Vitamina D	Anti-inflamatória, apoia um sistema imunológico saudável;
Selênio	Cria hormônios da tireoide e previne a toxicidade do mercúrio.

A lista acima cobre apenas alguns dos nutrientes essenciais perdidos na dieta moderna. No total, existem cerca de 40 minerais, vitaminas e outras substâncias químicas que foram identificados como essenciais para a nossa fisiologia e estão prontamente contidos nos alimentos integrais que não comemos.[2] Como resultado, 90% dos norte-americanos atualmente não conseguem obter quantidades adequadas de pelo menos uma vitamina ou mineral[3].

Para complicar as coisas, as diretrizes de ingestão de nutrientes são definidas apenas para evitar deficiências populacionais. Isso significa que, mesmo quando cumprimos todas as recomendações institucionais, ainda podemos estar prejudicando nossos corpos de forma séria. A ingestão diária recomendada (IDR) de vitamina D, por exemplo, serve apenas para prevenir o raquitismo. Mas a vitamina D (gerada quando nossa pele é exposta aos raios UVB do sol) é um hormônio esteroide que afeta o funcionamento de quase mil genes no corpo, muitos deles envolvidos na inflamação, envelhecimento e função cognitiva. Na verdade, uma análise recente da Universidade de Edimburgo descobriu que o baixo teor de vitamina D é o principal fator de incidência de demência entre os fatores de risco ambientais[4]. (Alguns pesquisadores argumentaram que a IDR de vitamina D deveria ser pelo menos dez vezes maior do que é atualmente para uma saúde ideal.[5])

Quando nossos corpos sentem baixa disponibilidade de nutrientes, o que está disponível geralmente será usado em processos que garantam nossa sobrevivência em curto prazo, enquanto a saúde em longo prazo fica em segundo plano. Essa é a teoria proposta inicialmente pelo famoso pesquisador do envelhecimento Bruce Ames. Chamada de "teoria da triagem" do envelhecimento, é como um governo pode decidir racionar alimentos e combustível durante a guerra. Nesses casos, necessidades mais imediatas, como comida e abrigo, podem ter prioridade, enquanto a educação pública se tornaria uma vítima. No caso de nossos corpos, projetos de reparo mais amplos podem se tornar uma reflexão secundária para os processos básicos de sobrevivência, ao mesmo tempo que os processos pró-inflamatórios se descontrolam.

Os efeitos posteriores da deficiência de magnésio talvez sejam o exemplo perfeito dessa redefinição de prioridades. Isso ocorre porque o magnésio é um mineral exigido por mais de 300 reações enzimáticas que ocorrem em nosso organismo, com funções que vão desde a geração de energia até o reparo do DNA. Se for constantemente usado em necessidades imediatas, o reparo do DNA fica para o segundo plano. Esse efeito é quase certamente ampliado quando consideramos que quase 50% da população não consomem quantidades adequadas de magnésio, perdendo apenas para as taxas de deficiência de vitamina D, apesar de ele ser facilmente encontrado no centro da clorofila, a molécula geradora de energia que dá a cor às folhas verdes escuras.[6]

Pesquisas confirmaram que a inflamação provocada pela falta de nutrientes está fortemente ligada ao envelhecimento cerebral acelerado e à função cognitiva prejudicada.[7] Robert Sapolsky, autor de Why Zebras Don't Get Ulcers, pode ter dito isso melhor ao descrever a reorganização de prioridades semelhantes que ocorrem durante o estresse: o corpo adia projetos de longo prazo até saber que haverá um longo prazo. Afinal, as principais consequências do DNA danificado

SUPERALIMENTADO, MAS COM FOME

— um tumor, por exemplo, ou demência — não atrapalharão seu caminho por anos ou mesmo décadas..., mas precisamos de energia hoje.

Açúcar e carboidratos – O básico

Pode-se argumentar que a principal mudança da pré-história para a modernidade foi promover as fontes concentradas de carboidratos de atores secundários em nossa dieta para os papéis principais. A fonte mais concentrada de carboidratos é o açúcar refinado, que hoje é adicionado a tudo — desde sucos aparentemente inócuos, biscoitos e condimentos até agressores mais flagrantes como refrigerantes. Mesmo quando tentamos ao máximo evitar essas fontes simples de carboidratos, eles podem ser ocultados de forma quase imperceptível. Um dos maiores acusadores do açúcar, o endocrinopediatra e pesquisador Robert Lustig, da Universidade da Califórnia, identificou 56 termos exclusivos que os fabricantes de alimentos usam para disfarçar o açúcar exclusivos que os fabricantes de alimentos usam para disfarçar o açúcar — tornando difícil, senão totalmente impossível, identificar o açúcar adicionado nas listas de ingredientes, a menos que você seja o mais hábil dos detetives. Aqui estão apenas alguns dos muitos nomes para o açúcar: suco de cana, frutose, malte, dextrose, mel, xarope de bordo, melaço, sacarose, açúcar de coco, xarope de arroz integral, suco de fruta, lactose, açúcar de tâmara, sólidos de glicose, xarope de agave, malte de cevada, maltodextrina e xarope de milho.

Mas não foram apenas as formas evidentes de açúcar que ganharam destaque na dieta moderna. Cereais como trigo, milho e arroz, tubérculos como batatas e frutas doces modernas são todos cultivados para a produção máxima de amido e açúcar. Embora esses amidos não tenham a aparência ou o gosto de açúcar, eles são simplesmente cadeias de glicose, armazenadas em tecido denso em energia nas sementes das plantas. (Neste ponto, você pode estar se perguntando se este livro vai banir essas formas de alimentos de sua vida para sempre, e a resposta é não. Nos próximos capítulos, vamos demonstrar como consumir alimentos ricos em amido com densidade de energia mais alta em uma forma que o beneficie, em vez de torná-lo gordo e doente.)

Os cientistas acreditam que, no passado pré-agrícola, consumíamos cerca de 150 gramas de fibra por dia. Hoje estamos comendo mais carboidratos concentrados do que nunca e obtendo meros 15 gramas de fibra — em um dia bom. Os críticos da dieta ancestral frequentemente apontam o provável consumo de grãos antigos na dieta pré-agrícola, mas, independentemente da porcentagem exata, eles eram claramente acompanhados por um grande conteúdo de fibra — um contraste drástico e criticamente importante com as fontes processadas e calóricas que temos hoje.

É importante estar ciente da facilidade com que nosso corpo pode quebrar um amido em suas moléculas de açúcar constituintes. Esse processo de conversão nem espera que você engula — começa na boca, graças a uma enzima da saliva chamada amilase (se você é como eu, aprendeu isso na aula de biologia na oitava série. Deixe que um amido permaneça na boca e você sentirá o sabor doce à medida que os amidos começam a se decompor em seus açúcares constituintes bem na sua língua). Na verdade, mesmo antes de dar a primeira mordida (ou gole) na comida, apenas olhar para o que você vai comer estimula a produção do hormônio de armazenamento insulina, de modo que se prepare para processar a grande quantidade de açúcar que se aproxima.

A principal função da insulina é transportar rapidamente as moléculas de açúcar do sangue para o tecido adiposo e muscular. No momento em que o açúcar faz uma rápida parada no estômago e embarca na viagem de 10 minutos até a corrente sanguínea, o sistema endócrino (hormônio) do seu corpo já está em modo de armazenamento de energia total. Mas o armazenamento de energia é apenas uma parte da história — esse processo também é responsável por controlar os danos causados pelo excesso de açúcar no sangue.

O corpo humano gosta de estabilidade. Ele faz um grande esforço para manter sua temperatura dentro de uma faixa estreita (oscilando em torno de 37° C) o tempo todo, e o mesmo pode ser dito sobre os níveis de açúcar no sangue. Todo o seu volume plasmático circulante (cerca de 5 litros de sangue) contém apenas uma única colher de chá de açúcar por vez. Isso pode fazer com que você olhe para a sua comida sob uma luz diferente, talvez, pensando duas vezes antes de pegar aquele copo de suco de laranja, que contém 6 vezes o açúcar no sangue circulante do seu corpo em um único copo. Ou aquele delicioso bolinho de morango chamando você da cozinha do escritório, contendo 17 vezes a quantidade de açúcar — despejado quase que instantaneamente em sua corrente sanguínea após o consumo.

Tudo bem, e daí? Coma açúcar, a insulina vai retirá-lo da corrente sanguínea — sem danos, sem problemas, certo? Errado.

A maré crescente de doçura pegajosa

O açúcar fica pegajoso assim que entra em seu corpo, semelhante à viscosidade do xarope de bordo em seus dedos — com a importante diferença de que, uma vez que o açúcar adere às suas entranhas, não pode ser lavado. Em um nível molecular, isso é chamado de glicação e ocorre quando uma molécula de glicose se liga a uma proteína próxima ou à superfície de uma célula, causando danos. As proteínas são necessárias para a estrutura e o funcionamento adequados de todos os órgãos e tecidos do corpo — do fígado à pele e o cérebro. Qualquer alimento que aumente o açúcar no sangue tem o potencial de aumentar a glicação, e qualquer proteína exposta à glicose é vulnerável.[8]

P.: Devo comer arroz integral ou arroz branco?

R.: A "salubridade" dos grãos geralmente é avaliada com uma métrica chamada índice glicêmico. Esta é uma medida de quão rapidamente o alimento afetará o açúcar no sangue, mas é uma medida minimamente útil da qualidade dos alimentos, uma vez que não reflete o tamanho de uma porção típica. Além disso, quando açúcares e amidos são misturados com outros alimentos, o índice glicêmico torna-se impreciso, pois a gordura, a proteína e a fibra retardam a absorção do açúcar na corrente sanguínea. Uma refeição mista de carboidratos, proteínas e gordura pode ser ainda mais difícil para seu corpo lidar do que o açúcar em sua forma isolada, por prolongar a elevação da insulina. Isso, com o tempo, pode levar a grandes problemas (falaremos mais sobre isso no próximo Capítulo).

A carga glicêmica total, que leva em consideração o tamanho da porção, pode ser uma medida melhor da qualidade da refeição do que o índice glicêmico de qualquer alimento. (Mais difícil de medir, mas possivelmente ainda melhor, seria a carga total de insulina, que leva em consideração a potencialização do armazenamento de gordura que vem com carboidratos mais gordura em alimentos processados.) Nem preciso dizer: *atenha-se aos carboidratos que ocorrem naturalmente nos alimentos ricos em fibras como vegetais, frutas com baixo teor de açúcar (listarei algumas nas próximas páginas), tubérculos, feijões e legumes, que têm baixo índice e carga glicêmicos.*

Quando se trata de arroz, escolha o que preferir. Embora o arroz integral contenha mais fibras e micronutrientes que o arroz branco, não é uma grande fonte de nenhum dos dois e pode ser difícil de digerir para algumas pessoas. Dados os índices glicêmicos e cargas virtualmente idênticos, quando ocasionalmente vamos ao restaurante japonês após uma sessão de exercícios intensos, eu opto pelo arroz integral, enquanto o Dr. Paul prefere o branco (e insiste durante uma hora que fez a escolha mais saborosa).

Agora que você sabe como os amidos podem ser facilmente convertidos em açúcar, você deve estar ciente de que se consumir um copo de suco, que leva a um aumento acentuado do açúcar no sangue, ou uma tigela de arroz integral, que contém fibras e açúcares ligados entre si em longas cadeias químicas que levam a uma inundação menor, mas prolongada, a quantidade de glicação que ocorre para uma determinada quantidade de carboidratos é praticamente a mesma.

Essa taxa pode ser reduzida a uma fórmula simples:

Glicação = Exposição à glicose × Tempo

Como a oxidação, algum grau de glicação irá ocorrer como parte inevitável da vida. Mas, a boa notícia é que assim como podemos diminuir a taxa de oxidação em nossos corpos evitando óleos oxidados (entre outras coisas), também podemos diminuir a taxa de glicação. E nossa arma mais poderosa contra a glicação talvez sejam apenas nossos garfos,[1] que podemos usar para selecionar alimentos que não contenham uma superabundância de açúcar (encadeados ou não) que podem grudar em nossas proteínas.

Ricos em açúcar	Pobres em açúcar
Trigo (integral e refinado)	Carne de boi (criado no pasto)
Aveia	Amêndoas
Batata	Abacate
Milho	Peixe gordo
Arroz (integral ou branco)	Aves
Refrigerantes	Couve
Cereais matinais	Espinafre
Suco de frutas	Ovos

Um dos aspectos mais prejudiciais da glicação é que ela leva à formação dos chamados produtos finais de glicação avançada, ou AGEs na sigla em inglês. Os AGEs são conhecidos como gerontotoxinas ou toxinas do envelhecimento (do grego *geros*, que significa "velhice") e são altamente reativos, como bandidos biológicos. Eles estão fortemente associados à inflamação e ao estresse oxidativo no corpo, e são gerados em todas as pessoas, em todas as idades e em diversos graus

---

1. Existe uma clara variação de pessoa para pessoa no impacto que uma refeição com carboidratos (digamos, um pão de grão integral) terá sobre o açúcar no sangue. Alguém com controle de glicose saudável pode comer uma batata assada e ver o açúcar no sangue retornar aos níveis basais logo em seguida, com danos mínimos causados. Por outro lado, uma pessoa com controle insuficiente da glicose (alguém com resistência à insulina, pré-diabetes ou diabetes tipo 2) pode ver seu açúcar no sangue permanecer elevado durante horas. Esses fatores são mediados por uma série de outros, incluindo inflamação, sono, genes, estresse e até mesmo a hora do dia.

— mas ditados em grande parte pela dieta.[9] Como a formação de AGEs é mais ou menos proporcional aos níveis de glicose no sangue, esse processo é drasticamente acelerado em diabéticos tipo 2, desempenhando um papel importante em sua tendência para o desenvolvimento ou agravamento de doenças degenerativas como aterosclerose e doença de Alzheimer.

Falando na doença de Alzheimer, um cérebro afetado pela doença é crivado por essas toxinas do envelhecimento, podendo obter três vezes a quantidade de AGEs de um cérebro normal.[10] (O neurobiologista holandês D.F. Swaab, em seu livro We Are Our Brains, de fato descreveu a doença como uma forma prematura, acelerada e grave de envelhecimento cerebral.) A glicação claramente desempenha um papel nesse processo, o que explica em parte por que o açúcar elevado no sangue aumenta o risco de demência, mesmo entre os não diabéticos.[11] Mas você não precisa ter demência para sofrer os efeitos dos AGEs em sua cognição. Adultos sem demência e sem diabetes tipo 2 com níveis mais elevados de AGEs pareceram apresentar uma perda acelerada da função cognitiva ao longo do tempo, aprendizagem e memória prejudicadas e expressão reduzida de genes que promovem a neuroplasticidade e longevidade.[12]

Para ter uma noção do ritmo em que os AGEs estão se formando em seu organismo, os médicos podem usar um teste normalmente usado para controlar o diabetes chamado hemoglobina A1C, que analisa a quantidade de açúcar preso aos glóbulos vermelhos. As células sanguíneas estão em circulação por uma média de 4 meses enfrentando uma exposição constante aos vários níveis de açúcar no sangue antes de serem enviadas para a aposentadoria no baço. O A1C, portanto, retrata a média de açúcar no sangue nos últimos 3 meses ou mais, e pode ser um poderoso marcador de risco de declínio cognitivo ou mesmo desempenho cognitivo diminuído.

No final de 2015, tive a oportunidade de visitar o Hospital Charité em Berlin, uma das instituições médicas mais intensivas em pesquisas da Alemanha e sede de um estudo que examinou a relação entre o açúcar no sangue e a função da memória. A autora principal do estudo, Dra. Agnes Flöel, examinou 141 pessoas com A1Cs que estavam dentro da faixa "normal". Ela descobriu que para cada aumento de 0,6% na hemoglobina A1C de um sujeito (novamente, uma medida do açúcar médio no sangue ao longo de 3 meses), duas palavras a menos eram lembradas em um teste de memória verbal. O fato de esses indivíduos não serem diabéticos, nem mesmo pré-diabéticos, é um achado surpreendente. Além do mais, pessoas com A1Cs mais altos também tinham menos volume no hipocampo, que é o preciso centro de processamento de memória do cérebro.[13] (Resultados publicados em *Neurology*, o jornal oficial da Academia Americana de Neurologia, também indicaram que níveis mais elevados de açúcar no sangue em jejum dentro da faixa "normal" eram mais propensos a prever uma perda de volume nessa região do cérebro.[14])

NOTA DO MÉDICO:
OS PROBLEMAS DO A1C

O A1C não é um teste perfeito, mas confirma como o açúcar pode ser prejudicial. Pesquisas mostraram que o açúcar elevado no sangue, na verdade, encurta a expectativa de vida das células sanguíneas, então, enquanto uma pessoa com açúcar no sangue normal pode ter células do sangue que vivem por 4 meses, alguém com níveis cronicamente elevados de açúcar no sangue pode ter células que vivem 3 meses ou menos.[15] Quanto mais tempo passa em circulação, mais açúcar uma célula do sangue pode acumular. Uma pessoa com açúcar no sangue verdadeiramente saudável pode, portanto, ter o "falso positivo" de um A1C elevado, enquanto um diabético pode, na verdade, ter açúcar no sangue ainda mais elevado do que o A1C revela.

Na minha clínica, às vezes uso um teste chamado frutosamina, que mede os compostos que resultam da glicação e é um reflexo do controle do açúcar no sangue nas últimas 2 a 3 semanas, em vez de 3 meses. Não afetado pela variação de expectativa de vida dos glóbulos vermelhos, este teste pode ser útil para analisar uma discrepância do A1C, ou seja, quando o açúcar médio no sangue muda rapidamente devido ao ajuste da dieta.

Infelizmente, o dano causado pela glicação não se limita ao cérebro. A glicação é conhecida por promover o envelhecimento da pele, do fígado, rins, coração e ossos.[16] Nenhuma parte de nós está imune. Em certo sentido, seu A1C (sendo um reflexo direto da liberação de insulina e da formação de AGEs) pode até indicar a taxa de envelhecimento.

Os olhos são uma janela para outro exemplo de envelhecimento causado pela glicação, pois contêm neurônios e outros tipos de células altamente vulneráveis à glicação. A catarata é uma turvação do cristalino; é a principal causa de cegueira em todo o mundo. Os cientistas sabem que a catarata pode ser criada em até 90 dias em animais de laboratório simplesmente mantendo o açúcar no sangue alto, acelerando a glicação.[17] Isso talvez explique por que os diabéticos, que têm taxas de glicação aumentadas, têm um risco cinco vezes maior de desenvolver catarata em comparação com pessoas com níveis normais de açúcar no sangue.[18]

Nem todos os AGEs são produzidos no corpo. Alguns vêm de nosso ambiente. A fumaça do cigarro, por exemplo, é um veículo para esses aceleradores do envelhecimento entrarem no corpo. A formação de AGEs também é uma reação química comum na preparação de alimentos, particularmente quando são usados métodos de cozimento em alta temperatura. Embora as pesquisas com AGEs ainda estejam engatinhando, estudos mostraram que a grande maioria dos AGEs é criada endogenamente – no corpo – e é o resultado de dietas ricas em carboidratos. Na verdade, foi relatado que vegetarianos têm mais AGEs circulantes do que pessoas que comem carne, e acredita-se que a razão disso seja sua maior dependência de carboidratos dietéticos e uma maior ingestão de frutas.[19]

TOXINAS ENVELHECIDAS EM NOSSO AMBIENTE

Se você já assou um bife na grelha e observou o desenvolvimento de uma crosta marrom, você viu a glicação em ação. O escurecimento indica a formação de AGEs exógenos (formados fora do corpo). Isso é conhecido como reação de Maillard. Na verdade, o processamento de alimentos de qualquer tipo cria AGEs, mas métodos de cozimento secos e em alta temperatura, como churrasco ou assados, são especialmente promotores da formação de AGEs, e carnes processadas (linguiças e salsichas, por exemplo) contêm uma quantidade maior do que suas formas mais naturais. O estilo de cozimento mais seguro envolve calor úmido, como refogar ou cozinhar a vapor. (Os vegetais contêm menos AGEs que a carne, independentemente da forma de cozimento.)

Isso pode fazer algumas pessoas se perguntarem se deveriam evitar a carne totalmente, mas seria um erro julgar a salubridade de um alimento estritamente por seu conteúdo de AGE. O salmão selvagem grelhado, por exemplo, contém uma quantidade considerável de AGEs e, ainda assim, o consumo de peixe selvagem foi associado ao envelhecimento cognitivo e cardiovascular saudável em muitos estudos e ensaios. Além disso, muitos antropólogos acreditam que não foi apenas o consumo de carne, mas o próprio ato de cozinhá-la, que ajudou nossos ancestrais a extrair mais calorias e nutrientes dos alimentos, permitindo que o cérebro atingisse seu robusto tamanho moderno. A maneira mais segura de incluir produtos de carne à sua dieta é consumir cortes orgânicos de gado alimentado com pasto (ou selvagens, em se tratando de peixes), o que garantirá maiores quantidades de antioxidantes, e usar o mínimo de calor possível (embora, é claro, você precise cozinhar os alimentos suficientemente bem para evitar doenças).

Também é importante ter em mente que apenas entre 10 e 30% dos AGEs exógenos são absorvidos pelo corpo. Nutrientes antioxidantes como polifenois e fibras, que são abundantes em alimentos vegetais, também podem neutralizar essas toxinas do envelhecimento antes que elas entrem em seu sistema.[20] Se você gostaria de se mimar com frango assado (uma fonte bastante rica de AGEs), por exemplo, um prato cheio de folhas verdes à parte pode ajudar a minimizar o impacto. Isso também ajuda a intermediar uma interação mais agradável entre esses AGEs e os trilhões de bactérias que residem em seu intestino – atores importantes no funcionamento do cérebro, como você verá.

Açúcar adicionado: a maldição do cérebro

O açúcar adicionado se tornou um dos piores males em nossa alimentação moderna. Destinado pela natureza a ser consumido em pequenas quantidades por meio de frutas, onde é embalado com fibras, água e nutrientes, o açúcar tornou-se a adição generalizada de incontáveis alimentos embalados e bebidas adoçadas. Agora, finalmente, os rótulos nutricionais nos Estados Unidos são obrigados a listar a quantidade de açúcar adicionada aos produtos – definitivamente não é uma cura para tudo, mas um movimento na direção certa. Quer o açúcar seja de cana-de-açúcar orgânico de origem única, xarope de arroz integral ou o queridinho da indústria, xarope de milho rico em frutose (HFCS), uma coisa é certa: o nível mais seguro de consumo de açúcar adicionado é *zero*.

Um dos perigos do consumo de açúcar é que ele pode sequestrar os centros de prazer do cérebro. Alimentos embalados com adição de açúcar geralmente têm um sabor "incrivelmente delicioso" e causam picos massivos de dopamina, um neurotransmissor envolvido na recompensa. Infelizmente, quanto mais consumimos, mais exigimos para atingir o mesmo limiar de prazer.

Para tomar emprestado um termo de Sigmund Freud, os roedores são todos *id* – o que significa que eles cedem aos seus desejos. Eles não têm responsabilidades (pelo menos no sentido humano) e, certamente, não precisam se preocupar em ficar bem de maiô. É por isso que os estudos com ratos são uma parte importante da compreensão de como os alimentos – especialmente o açúcar – afetam nosso comportamento. Com os ratos, aprendemos, por exemplo, que a frutose em particular pode promover seu próprio consumo.

Essas percepções são cruciais, porque tendemos a nos sentir culpados quando comemos um saco inteiro de batatas fritas (ou um litro de sorvete ou uma caixa de biscoitos). Entendeu? Eu sim. O que ninguém nos diz enquanto examinamos os corredores alinhados com sacos de prazer bombeados com ar é que esses alimentos são literalmente projetados para criar um consumo excessivo e insaciável, projetados em laboratórios de cientistas de alimentos bem pagos para ser ultra saborosos. Sal, açúcar, gordura e, muitas vezes, farinha de trigo são combinados para maximizar o prazer, levando o sistema de recompensa do cérebro a um "ponto de êxtase" artificial que simula as propriedades viciantes de substâncias controladas. Lembra-se do famoso *slogan* "Depois de estourar, você não consegue mais parar"? Agora é uma verdade com respaldo científico.

Alimentos projetados exclusivamente para confundir seu cérebro

Bagel	Pizza
Biscoito	*Pretzel*
Bolo	*Waffle*
Cereais	Panqueca
Chocolate ao leite	Pão branco
Chocolate Branco	*Milkshake*
Cookies	Iogurte Congelado
Barras energéticas	Sorvete
Bolacha salgada	Massa
Donuts	Molhos
Bolinhos	Compotas
Massas	Geleia
Pretzel	Salgadinho
Tortas	Batata frita
Barra de granola	Granola

Não fique "frutado" com frutose

Belzebu, Satanás, Abaddon, Lúcifer, o Maligno — assim como o Diabo, o açúcar assume muitas formas e tem muitos nomes. Sacarose, dextrose, glicose, maltose, lactose — qual é a diferença e por que você deve se importar? Eles podem aumentar o açúcar no sangue e interferir nos hormônios que controlam o apetite e o armazenamento de gordura. No entanto, um em particular ganhou atenção recentemente, e talvez por um bom motivo, ao se infiltrar silenciosamente em cada fenda de nosso ambiente alimentar: a frutose.

> **P:** Agora que meu refrigerante favorito é feito com açúcar real/orgânico/não OGM em vez de xarope de milho rico em frutose, isso significa que é mais saudável, certo?
> **R:** Não! O açúcar de mesa (orgânico ou não) e o xarope de milho com alto teor de frutose contêm cerca de 50% de glicose e 50% de frutose. Ambos são açúcar puro e podem causar os mesmos problemas: dependência, armazenamento de gordura e glicação acelerada.

A frutose é processada de forma diferente da glicose, ignorando sua corrente sanguínea e pulando no trem expresso para o fígado. O Dr. Lustig chama o efeito único da frutose em nossa biologia de "isocalórico, mas não isometabólico" (o prefixo iso significa "mesmo"). O que isso significa é que, embora tenha um número igual de calorias, grama por grama, como outros açúcares, a frutose parece se comportar de uma maneira bastante peculiar do ponto de vista do seu metabolismo. Não aumenta o açúcar no sangue e não causa um aumento da insulina – pelo menos não inicialmente. As empresas alimentícias geralmente exploram essa diferença para vender produtos adoçados com frutose para diabéticos e consumidores preocupados com a saúde.

Uma vez no fígado, a frutose induz à *lipogênese* – ou seja, a criação de gordura. Na verdade, todos os carboidratos quando consumidos em excesso são capazes de estimular a lipogênese, mas a frutose pode ser o mais eficiente nisso. Um estudo de curto prazo publicado na revista *Obesity* demonstrou quase o dobro do aumento na gordura do fígado quando humanos saudáveis em dietas hipercalóricas suplementavam com frutose, em comparação com a glicose (113% *versus* 59%, respectivamente)[21].

Depois que a frutose preenche seu fígado até sua capacidade máxima com gordura, ela se espalha na corrente sanguínea como triglicerídeos. O consumo de gordura também leva a um curto pico de triglicerídeos pós-refeição, mas a lipogênese, devido ao consumo de frutose pode despejar mais gordura em seu sangue até do que uma refeição com alto teor de gordura – após uma refeição rica em frutose, seu sangue pode realmente assumir a aparência de creme rosa por esse motivo. É também por isso que os níveis de triglicerídeos em jejum (um marcador usado para avaliar a saúde metabólica e o risco de doenças cardíacas) são quase universalmente influenciados pelo consumo de carboidratos e, em particular, pela frutose.

Embora a frutose tenha um efeito imediato insignificante sobre o açúcar no sangue, o consumo frequente acabará fazendo com que o açúcar no sangue aumente porque o estresse no fígado cria inflamação, prejudicando a capacidade das células de "sugar" a glicose do sangue. Isso pode ter sido uma adaptação para nos ajudar a armazenar mais gordura quando as frutas estavam na estação, mas agora explica por que o consumo de açúcar se encaixa com as taxas disparadas de diabetes tipo 2 (provavelmente é um bom momento para questionar se os adoçantes com predominância de frutose, como o xarope de agave — 90% de frutose — são realmente a escolha certa para indivíduos conscientes ou diabéticos.)

Os efeitos combinados da frutose podem aumentar a expressão genética alterada no cérebro. Em um estudo da UCLA, ratos receberam a quantidade de frutose equivalente a beber uma garrafa de um litro de refrigerante todos os dias.[22] Depois de seis semanas, começaram a apresentar distúrbios típicos: tinham níveis crescentes de açúcar no sangue, triglicerídeos e insulina, e sua cognição começou a falhar. Comparados com os ratos alimentados apenas com água, os que beberam frutose demoraram o dobro do tempo para encontrar a saída de um labirinto. Mas o que mais surpreendeu os pesquisadores foi que perto de mil genes no cérebro dos ratos alimentados com frutose foram alterados. Esses não eram genes para narizes rosados bonitos e bigodes felpudos — eram comparáveis aos genes de seres humanos ligados à doença de Parkinson, depressão, transtorno bipolar e outros. O grau de ruptura do gene foi tão profundo, comentou o principal pesquisador, Fernando Gomez-Pinilla, no comunicado da UCLA: "O alimento é como um composto farmacêutico" em termos de seu efeito no cérebro. Mas esse poder também oscila em outra direção, o impacto negativo que a frutose teve na cognição e na expressão genética foi atenuado alimentando os ratos com gordura ômega-3 DHA.

Evitar o estresse imposto ao cérebro pelo consumo excessivo de açúcar pode ser um ponto positivo para os 5,3 milhões de norte-americanos que sofrem de lesão cerebral traumática. Uma dieta rica em frutose prejudicou a plasticidade do cérebro dos ratos, diminuindo sua capacidade de cicatrização após traumatismo craniano. Embora os ratos não sejam pessoas, a lesão cerebral é uma condição razoavelmente orgânica que pode ser facilmente replicada em animais, ao contrário, digamos, de uma doença humana complexa que ratos e camundongos não desenvolvem naturalmente.

Foie gras humano

A frutose e o consumo de açúcar em geral são os principais fatores de doença hepática gordurosa não alcoólica, ou DHGNA. Atualmente afetando 70 milhões de adultos nos Estados Unidos (ou seja, 30% da população), as taxas de DHGNA devem explodir nos próximos anos, a menos que consigamos fazer algo sobre nosso desejo coletivo por doces. No ano de 2030, estima-se que 50% da população dos Estados Unidos terá DHGNA – e a resistência à insulina, problema que afeta um número impressionante de pessoas em todo o mundo, é diretamente proporcional à gravidade da doença. Mas não somos os únicos animais que enfrentam uma epidemia de fígado gorduroso.

De maneira semelhante aos humanos, mas em escala muito maior, os patos e gansos são capazes de armazenar um grande excesso de calorias em seus fígados em forma de gordura. Esta é uma adaptação que lhes permite voar longas distâncias sem parar para comer, e é explorada para criar *foie gras*, uma iguaria francesa que é apreciada por muitos em todo o mundo. *Foie gras* é um fígado engordado de pato ou ganso, e é reverenciado por sua textura rica e amanteigada – algo pelo qual esse tipo de fígado não é normalmente conhecido. Para fazer isso, tubos são inseridos na garganta de gansos e patos saudáveis e eles são alimentados à força com grãos (geralmente milho). Com os animais consumindo muito mais carboidratos do que em um ambiente natural, os fígados incham com gordura, crescendo até quase dez vezes seu tamanho normal. O inchaço pode ser tão grave que prejudica o fluxo sanguíneo e aumenta a pressão abdominal, prejudicando a capacidade de respiração do animal. Às vezes, o fígado e outros órgãos se rompem com o estresse. Cruel e desumano, fornece uma ilustração excelente, embora radical, do que exatamente estamos fazendo a nós mesmos em consequência do consumo crônico de açúcar: desenvolver fígados cheios de gordura e criar *foie gras* dentro de nossos próprios corpos.

Exceto por um jantar com Hannibal Lecter, é improvável que você seja caçado para patê – mas abrigar um fígado irritado pode produzir muitas consequências indesejáveis, já que o órgão é encarregado de centenas de funções importantes no corpo. A DHGNA tem sido associada a *déficits* cognitivos, que aumentam com a gravidade da doença. Em ratos que são superalimentados para desenvolver DHGNA, alterações cerebrais associadas à doença de Alzheimer começam a surgir, e ratos que já tinham anomalias relacionadas ao Alzheimer (não é um modelo perfeito de Alzheimer humano, mas de todo modo interessante) exibem sinais exacerbados de doença e maior inflamação quando alimentados com frutose concentrada.[23]

Enquanto de 70 a 80% dos indivíduos obesos têm DHGNA, o mesmo ocorre com 10 a 15% dos indivíduos com peso normal, "alimentados" pela onipresença de açúcar e frutose. Como você pode ver, ser magro não o torna imune aos efeitos metabólicos e cognitivos de uma dieta ruim.

Terrorista do cérebro-intestino

Sem surpresa, o marco zero para muitos dos problemas associados ao açúcar é o intestino. A frutose, em particular, seja proveniente de alimentos açucarados processados ou do excesso de açúcar em frutas, prejudica sua própria absorção quando consumida em grande quantidade. Embora isso possa parecer vagamente positivo, o excesso de frutose que permanece no intestino pode criar muitos sintomas desagradáveis, desde inchaço e cólicas até diarreia e sintomas da síndrome do intestino irritável (SII). Por mais estranho que pareça, a alta concentração de frutose intestinal também pode interferir na absorção de triptofano.[24] O triptofano é um aminoácido essencial que devemos obter em nossas dietas, além de ser o precursor direto do neurotransmissor serotonina, que é importante para o humor saudável e função executiva. Talvez seja por isso que a má absorção de frutose está associada a sintomas de depressão.[25]

O revestimento do intestino é a matriz preciosa por meio da qual absorvemos os nutrientes dos alimentos. Também ajuda a manter as bactérias intestinais no intestino, que é seu lugar. A última coisa que você gostaria de fazer é abrir buracos no intestino, mas é isso o que a frutose concentrada parece capaz de fazer. O termo técnico para isso é permeabilidade intestinal aumentada, que é quando o revestimento do intestino permite o vazamento de componentes bacterianos inflamatórios do intestino para a circulação. A infiltração desses componentes bacterianos no sangue é um fator importante de inflamação sistêmica, e pode induzir sintomas de depressão e ansiedade, ao colocar o sistema imunológico do cérebro e do corpo em estado de alerta máximo (esse fenômeno é abordado com mais detalhes no Capítulo 7).

Embora altas concentrações de frutose de alimentos processados tenham demonstrado contribuir para a permeabilidade intestinal, isso não parece acontecer quando pequenas quantidades de frutose são consumidas em frutas inteiras e frescas. Isso se deve em parte à matriz fibrosa em que os açúcares se ligam, à água e a outros fitonutrientes. O consumo de frutas inteiras também é autolimitante, porque a fibra o torna mais saciante. Por exemplo, seria muito difícil comer cinco maçãs, mas é fácil beber o açúcar contido em cinco maçãs espremidas.

PLACA NOS DENTES (E NO CÉREBRO)

Uma dieta rica em açúcar pode não apenas criar placa bacteriana nos dentes – também pode depositá-la no cérebro. Em uma tentativa de descobrir se o açúcar no sangue pode aumentar a produção de placa amiloide (uma característica central da doença de Alzheimer), os pesquisadores deram infusões de glicose a camundongos que foram geneticamente modificados para desenvolver sintomas semelhantes aos do Alzheimer. As infusões de glicose fornecem portas que permitem aos cientistas aumentar ou diminuir os níveis de açúcar no sangue em animais acordados que se movem livremente, para ver o efeito de tais ajustes em seus corpos, cérebros e comportamento. Os pesquisadores, então, mediram os níveis de proteína precursora da placa amiloide no fluido espinhal dos animais.

Os pesquisadores descobriram algo fascinante: apenas por aumentar temporariamente a quantidade de açúcar no sangue dos ratos, a produção de amiloide aumentou drasticamente.[26] Ratos jovens que tiveram o açúcar no sangue dobrado durante um "desafio" de 4 horas (o equivalente a comer uma refeição rica em carboidratos por uma pessoa com controle de glicose deficiente) teve um aumento de 25% na produção de beta-amiloide, medida em seu fluido espinhal. Os ratos mais velhos foram particularmente vulneráveis, tendo um aumento de 40% no mesmo desafio de açúcar no sangue.

Os pesquisadores observaram que os picos repetidos de açúcar no sangue, como o que é comum no diabetes tipo 2, "podem iniciar e acelerar o acúmulo de placa". Eles concluíram que as placas no hipocampo "são provavelmente moduladas pelos níveis de glicose no sangue". A distinção importante, claro, é que o que acontece em modelos de doenças em roedores nem sempre acontece em humanos. Apesar de tudo, estudos como este são peças importantes no quebra-cabeça para descobrir por que níveis mais altos de glicose estão fortemente associados ao aumento do risco de demência, mesmo em pessoas sem diabetes.[27]

A verdade amarga sobre frutas doces

Por que um açúcar encontrado naturalmente nas frutas seria tão mal tolerado pelo ser humano moderno? Não faz sentido intuitivo, até que consideremos a escassez e a sazonalidade das frutas até poucas décadas atrás.

Como o cassino de um grande hotel em Las Vegas, nosso moderno complexo alimentar perdeu toda noção de tempo, lugar e estação. Em uma única geração, ganhamos acesso sem precedentes a frutas doces. Um abacaxi dos trópicos, frutas silvestres cultivadas no México e tâmaras do Marrocos são transportados de avião para nossas cidades para que abasteça nossos supermercados o ano todo. Essas frutas são criadas para serem maiores e conterem mais açúcar do que nunca na história.

Frequentemente, somos informados de que é normal – até benéfico – consumir frutas "ilimitadamente", mas vistas por uma lente evolucionária as frutas (e particularmente as atuais versões cultivadas e com alto teor de açúcar) podem ser especialmente aptas a enganar o metabolismo de nossos corpos.[28] Acredita-se que esta seja uma qualidade adaptativa e temporária que nos ajudou a estocar a gordura para que pudéssemos sobreviver ao inverno. Na verdade, acredita-se que nossos ancestrais desenvolveram a visão das cores vermelho-verde com o único propósito de distinguir uma fruta vermelha madura de um fundo verde, um testemunho evolucionário do valor vital da fruta para um coletor faminto. Atualmente, 365 dias de consumo de frutas com alto teor de açúcar estão preparando nossos corpos para um inverno que parece nunca chegar.

Que consequências comer uvas e outras frutas doces poderia ter para o nosso cérebro? Alguns grandes estudos ajudaram a lançar alguma luz. Em um deles, a maior ingestão de frutas em adultos mais velhos e cognitivamente saudáveis foi associada a menor volume do hipocampo.[29] Essa conclusão foi incomum, uma vez que as pessoas que comem mais frutas geralmente apresentam os benefícios associados a uma dieta saudável. Neste estudo, no entanto, os pesquisadores isolaram vários componentes da dieta dos sujeitos e descobriram que as frutas não pareciam estar ajudando seus centros de memória. Outro estudo da Clínica Mayo viu uma relação inversa semelhante entre a ingestão de frutas e o volume do córtex, a grande camada externa do cérebro.[30] Os pesquisadores do último estudo observaram que o consumo excessivo de frutas com alto teor de açúcar (como figos, tâmaras, manga, banana e abacaxi) podem induzir distúrbios metabólicos e cognitivos semelhantes aos dos carboidratos processados.

NOTA DO MÉDICO:
Quando você realmente precisa restringir as frutas

As pessoas têm uma ampla tolerância para carboidratos, mas para diabéticos é bastante evidente que o açúcar, mesmo de frutas, precisa ser drasticamente restrito. Geralmente, sugiro que meus pacientes diabéticos consumam frutas em meias porções – até mesmo uma única laranja pode elevar o açúcar no sangue a níveis inaceitáveis durante horas depois de comê-la. Mas não desespere! Depois que a sensibilidade à insulina é restaurada, os exercícios se tornam um hábito e o sistema tem tempo para restaurar o equilíbrio energético e a flexibilidade metabólica, fontes de carboidratos não processados podem ser reintroduzidas.

As frutas, entretanto, contêm vários nutrientes importantes. Felizmente, frutas com baixo teor de açúcar estão entre as fontes mais concentradas desses nutrientes. Alguns exemplos incluem coco, abacate, azeitonas e cacau (não, isso não significa que o chocolate seja uma fruta — mas o chocolate amargo tem uma miríade de benefícios para o cérebro e é um dos nossos Alimentos para o cérebro). As frutas vermelhas também são ótimas porque não só têm baixo teor de frutose, como também são particularmente ricas em certos antioxidantes que demonstraram ter um efeito de aumento da memória e antienvelhecimento. O Nurses' Health Study (Estudo de Saúde dos Enfermeiros), uma pesquisa dietética de longa duração com 120 mil enfermeiros(as), descobriu que os que comiam mais frutas silvestres tinham cérebros que pareciam 2,5 anos mais jovens nos exames.[31] Na verdade, embora uma análise recente da literatura não tenha encontrado associação entre ingestão geral de frutas e menor risco de demência, o consumo de frutas silvestres foi a única exceção.[32]

Um apelo à ação

Todos os anos, bilhões de dólares são gastos para vender alimentos industrializados ou *junk food* besteira, para a população norte-americana. Porém, mais do que simplesmente comprar espaço publicitário em revistas ou na TV, essas empresas gigantescas financiam regularmente estudos para minimizar o papel desses alimentos na crise de obesidade pública. O jornal *The New York Times* expôs recentemente os cientistas envolvidos na iniciativa de um importante gigante dos refrigerantes para mudar o foco da obesidade global e da epidemia de diabetes tipo 2 para o da dieta da preguiça e da falta.[33] Um executivo do grupo foi citado como tendo dito:

> *"A maior parte do enfoque da mídia popular e da imprensa científica é: "Oh, eles estão comendo demais, comendo demais, comendo demais" — culpando o fast food, culpando as bebidas açucaradas e assim por diante. E não há praticamente nenhuma evidência convincente de que essa seja, de fato, a causa."*

Embora os exercícios sejam vitais para a saúde do cérebro e do corpo, diversos estudos mostraram que eles têm um impacto mínimo no peso em comparação com o que as pessoas ingerem. Os entusiastas do *fitness* sabem que "abdominais são feitos na cozinha", mas para muitos daqueles que estão acima do peso e obesos uma afirmação como a citada acima apenas perpetua a confusão. Isso cria uma armadilha para os mais vulneráveis da sociedade, abrindo caminho para a disfunção cognitiva e a morte prematura. Não é exagero: pela primeira vez, nossos hábitos alimentares estão matando mais norte-americanos do que o hábito de fumar. Na verdade, os números mais recentes, publicados na revista *Circulation*, sugerem que quase 200 mil pessoas morrem a cada ano de doenças causadas apenas por bebidas adoçadas com açúcar. Isso é sete vezes o número de pessoas mortas pelo terrorismo global em 2015.[34]

Por falar em fumar, vamos examinar por um segundo a consciência histórica da ligação entre os cigarros e o câncer de pulmão. Demorou décadas para que "provas" suficientes aparecessem na literatura médica convencendo os médicos de que os cigarros eram a principal causa das taxas crescentes de câncer de pulmão, embora a doença fosse "muito rara" antes da onipresença do fumo em meados século 20. E quem pode esquecer os anúncios ridículos dos anos 1940 (facilmente pesquisáveis no Google), apresentando médicos endossando cigarros descaradamente? Ainda na década de 1960, dois terços de todos os médicos norte-americanos acreditavam que a tese contra os cigarros ainda não havia sido estabelecida, apesar de o tabagismo ser reconhecido como uma das principais causas da epidemia de câncer de pulmão duas décadas antes.[35]

Devemos esperar pelo "estudo científico consensual" para repensar nosso consumo de algo voltado para o lucro – para o qual não há necessidade humana, como os dados indicam que quase certamente está nos prejudicando? Mantenha sua resposta em mente enquanto nos aventuramos em um dos grandes argumentos contrários de nosso tempo no próximo capítulo.

NOTAS DE CAMPO

- √ A ligação açúcar-proteína (glicação) pode ocorrer com qualquer proteína na presença de açúcar. Todos os carboidratos, com exceção das fibras, têm potencial para glicar.
- √ Embora os produtos finais da glicação, os AGEs, possam ser consumidos na alimentação, a grande maioria é formada no corpo como resultado do consumo crônico de carboidratos.
- √ A frutose isolada cria estresse no fígado, o que promove inflamação e resistência à insulina.
- √ O açúcar interage com os genes do cérebro, reduzindo a neuroplasticidade e prejudicando a função cognitiva.
- √ Certos alimentos são criados para ser hiperpalatáveis, levando à fome insaciável e ao consumo excessivo. Esses alimentos são essencialmente armadilhas da inflamação e da obesidade e devem ser evitados completamente.
- √ A indústria não se preocupa com sua saúde; não espere por "consenso científico" antes de banir substâncias desnecessárias e potencialmente prejudiciais de sua dieta.

ALIMENTO PARA O CÉREBRO #3

MIRTILOS

De todas as frutas e vegetais comumente consumidos, os mirtilos estão entre os mais ricos em capacidade antioxidante devido à abundância de compostos chamados flavonoides. Os flavonoides são uma classe de compostos polifenois encontrados em muitos dos **Alimentos para o Cérebro** (você deve se lembrar do *oleocanthal*, contido no azeite de oliva extravirgem, que é um tipo de fenol).

Os flavonoides mais abundantes nos mirtilos são as antocianinas, que comprovadamente cruzam a barreira hematoencefálica, aumentando a sinalização em partes do cérebro que controlam a memória.[1] Surpreendentemente, essas antocianinas benéficas se acumulam no hipocampo cerebral.

Meu amigo Robert Krikorian, diretor do Programa de Envelhecimento Cognitivo do Centro de Saúde Acadêmico da Universidade de Cincinnati, é um dos principais pesquisadores que investigam os efeitos dos mirtilos na função da memória em humanos. O Dr. Krikorian publicou pesquisas que mostram um sólido benefício para a função cognitiva com o consumo de mirtilo; em um exemplo, 12 semanas de suplementação de mirtilo melhoraram a função da memória e o humor e reduziram o açúcar no sangue em jejum em adultos idosos com risco de demência.[2]

A pesquisa observacional é igualmente convincente. Um estudo de 6 anos com 16.010 adultos idosos descobriu que o consumo de mirtilos (e morangos) estava associado a atrasos no envelhecimento cognitivo em até 2,5 anos.[3] E embora uma revisão recente não tenha encontrado associação entre a ingestão geral de frutas e o risco de demência em humanos, descobriu-se que as frutas silvestres estavam associadas: protegiam o cérebro contra a perda cognitiva.[4]

Como comprar e consumir: os mirtilos frescos são ótimos, mas não tenha medo de comprar os congelados, que muitas vezes são muito mais baratos (e mais facilmente encontrados) do que os frescos. Opte sempre pelo orgânico. Os mirtilos são ótimos em vitaminas e saladas ou comidos como lanche.

Dica de profissional: todas as frutas silvestres são provavelmente boas para o cérebro, embora variem em termos dos compostos benéficos específicos encontrados em cada uma.

Quando você quiser misturar as coisas, amoras, framboesas e morangos podem ser usados no lugar dos mirtilos.

CAPÍTULO 4

O INVERNO ESTÁ CHEGANDO (PARA O SEU CÉREBRO)

"É mais fácil enganar as pessoas do que convencê-las de que foram enganadas."
- DESCONHECIDO

Esta é a história de um amante abandonado. Depois de ler o último capítulo, talvez seja difícil para você saber que eu tive um caso de amor durante toda a vida com os carboidratos. Mas é verdade: se eu tivesse que fechar meus olhos e pensar nos maiores prazeres da vida, mastigar um *cupcake red velvet* recém assado estaria lá em cima. Mas vamos ser honestos: nem tudo o que amamos é bom para nós.

Não é necessário um diploma de nutricionista para perceber que os produtos de panificação e confeitaria são geralmente carregados de açúcar e farinha branca refinada. Até mesmo eu quando jovem sabia que deveria ficar longe dos "agressores conhecidos" e gravitar em torno de grãos "saudáveis" e mastigáveis, especialmente nozes e alimentos integrais. Apesar de ter crescido principalmente em meio à farinha branca na forma de *bagels*, macarrão e biscoitos preto e brancos (um favorito da infância), percebi desde cedo que os grãos, quanto menos processados, melhores seriam para mim. Ainda um pré-adolescente tornei-me um lobista dentro da minha família, defendendo produtos com o logotipo vermelho de "saudável para o coração" quando ajudava minha mãe a comprar mantimentos. Eles eram mais terrosos e tinham mais "coisas" neles — como farelo —, o que eu acreditava que lhes dava mais retorno pelo investimento nutricional. Eu até tinha um pão favorito quando cresci, chamado Health Nut, cujo nome me tranquilizou, como se cada fatia comida fosse mais um tijolo colocado no caminho para a saúde, para mim e minha família..

Levei esse apreço pelos grãos comigo até minha vida adulta e, à medida que me tornei mais proativo em relação à alimentação saudável, pensei, como muitos pensam: "Mais grãos significam mais saúde". Meu dia costumava ser assim: de manhã, eu comia uma grande tigela de granola com leite desnatado ou um *bagel* de trigo integral e um pedaço de fruta. Na hora do almoço, geralmente morrendo de fome, pegava um sanduíche ou um *wrap* (embrulhado) só de trigo integral, ou o meu favorito — uma tigela de arroz integral. Os "comas" após o almoço tornaram-se um fenômeno comum e, em consequência, eu precisava de alguns lanches para manter o açúcar no sangue alto entre o almoço e o jantar — geralmente um ou dois biscoitos, algumas bolachas de trigo integral ou frutas secas. (Eu não tinha a compreensão da dinâmica do açúcar no sangue que tenho hoje – e você terá em breve –, mas notei que os carboidratos tendem a aliviar a letargia que eu sentia.) Meu jantar, no geral, era composto por mais arroz integral, mas em algumas noites comia uma tigela grande de massa de trigo integral. Se havia uma regra que eu seguia, era que as refeições sempre tinham que incluir um cereal.

Embora meus níveis de energia e desejos por comida muitas vezes parecessem uma montanha-russa ao longo do dia, nunca pensei em questionar minha dieta. Por que deveria? Eu estava no "1%" dos consumidores de grãos, comendo-os quase que exclusivamente em seu estado integral, não adulterado. Mas aqui está a verdade devastadora: fui enganado sobre a qualidade dos grãos para a saúde, e você também foi.

Origens de um mito

Um dos padrões dietéticos mais conhecidos que comprovadamente conferem efeitos cardioprotetores e neuroprotetores é a dieta mediterrânea, popularizada pela primeira vez pelo renomado depreciador de gorduras Ancel Keys (você deve se lembrar dele em sucessos populares como o Capítulo 2). Keys gostava de passar férias na ilha grega de Creta, uma região de pessoas excepcionalmente longevas, e ele usou a dieta delas como base para seus estudos sobre nutrição humana. Se Keys tivesse visitado o Oriente, poderia talvez ter escolhido a dieta dos japoneses excepcionalmente saudáveis, rico em ovas de peixe, soja fermentada (um prato chamado *natto*) e macarrão de alga marinha. Mas a Grécia e a Itália eram destinos populares na época; eram mais próximos e mais quentes, e certamente tinham um vinho melhor.

Segundo ele, a população do Mediterrâneo desenvolveu sua dieta em torno de alimentos vegetais e frutos do mar – vegetais, legumes, peixes, azeite de oliva, grãos e nozes. Mas as pessoas nas ilhas gregas também amam carne, e cortes gordurosos de cordeiro são regularmente apreciados. Isso talvez tenha passado despercebido para Keys, que por acaso visitou Creta durante um período particularmente difícil, estacionando-se na ilha empobrecida logo após a Segunda Guerra Mundial e durante a Quaresma, quando o consumo de carne era particularmente limitado.

No entanto, as observações de Keys tornaram-se a base do padrão alimentar mediterrâneo "baseado em grãos", em última análise, informando o desenvolvimento da Pirâmide Alimentar altamente influente, que aconselhava os consumidores a comer menos gordura e consumir grãos – até 11 porções por dia. (O sucessor da Pirâmide Alimentar, o USDA MyPlate – Meu Prato, do Departamento de Agricultura dos EUA –, ainda aconselha os consumidores a incluírem grãos em todas as refeições.) Os fabricantes de alimentos não se opuseram, aproveitando-se dos fortes subsídios aos grãos.

Mas será que Keys atribuiu os efeitos da dieta mediterrânea sobre a saúde ao grupo alimentar errado?

Ao observar os dados populacionais, pode-se notar que a ingestão de grãos integrais certamente está associada a menos diabetes, câncer de cólon e doenças cardíacas e cerebrais. Pessoas que consomem principalmente arroz integral, pão de trigo integral e grãos prentenciosos como quinoa tendem a fazer melhores opções em outras partes de suas dietas.[1] Elas podem comer mais peixes selvagens (ricos em ômega-3), azeite de oliva extravirgem, vegetais e uma quantidade bem pequena de carboidratos refinados e óleos inventados característicos da dieta ocidental. Elas também vivem estilos de vida mais saudáveis em geral e tendem a se exercitar mais[2]. Mas, nessa visão panorâmica, é impossível isolar os efeitos dos grãos para a saúde em uma dieta comumente saudável. Mesmo assim, a ideia de que grãos integrais melhoram a saúde se tornou, por falta de termo melhor, integrada. (Eles até foram herdados como "derivados" modernos da dieta mediterrânea, como a dieta DASH endossada pelo governo dos EUA para reduzir a pressão alta.)

Neste capítulo, à medida que exploramos o papel de um hormônio ancestral chamado insulina no funcionamento do cérebro, gostaríamos que você fizesse o papel de cético (como qualquer bom cientista) e considerasse a dieta mediterrânea saudável não por causa dos grãos, mas apesar deles.

O problema dos "carboidratos crônicos"

Os grãos ou cereais são frequentemente considerados saudáveis devido às pequenas quantidades de vitaminas e fibras que contêm. Mas os grãos, em sua forma mais comumente consumida, aumentam o açúcar no sangue com a mesma eficácia que o açúcar de mesa. Isso ocorre porque o amido que eles contêm são simplesmente moléculas de glicose unidas em cadeias que começam a se desfazer assim que você as mastiga.

Um importante precursor de energia no corpo, a glicose, é usada para abastecer os músculos das pernas conforme subimos um lance de escadas, o cérebro ao fazermos um exame e o sistema imunológico ao lutarmos contra um resfriado. Mas as moléculas de glicose (de uma fatia de pão integral, por exemplo) não podem simplesmente entrar nas células — elas precisam de uma escolta.

Entra a insulina.

A insulina é um hormônio liberado na corrente sanguínea pelo pâncreas quando ele detecta que o açúcar no sangue aumentou. A insulina ativa os receptores nas superfícies das membranas celulares, que obedientemente estendem o equivalente a um tapete vermelho, recebendo as moléculas de açúcar em seu interior, onde podem ser armazenadas ou transformadas em energia.

Quando estamos saudáveis, as células musculares, gordurosas e hepáticas requerem pouca insulina para responder. Mas a estimulação repetida e prolongada dos receptores de insulina com o tempo forçará a célula a se dessensibilizar, reduzindo o número de receptores na superfície. Embora a tolerância na vida cotidiana seja uma virtude, a tolerância à insulina é bem diferente. Quando ela ocorre, o pâncreas precisa liberar mais insulina para obter o mesmo efeito final. Enquanto isso, o açúcar no sangue continua subindo e fica elevado durante mais tempo entre as refeições, acelerando o processo negativo de ligação açúcar-proteína, a glicação.

A tolerância — ou resistência — à insulina afeta um grande número de pessoas. Você pode ser uma delas. Cerca de uma em cada duas pessoas nos Estados Unidos tem problemas de controle de açúcar no sangue, incluindo pré-diabetes ou diabetes tipo 2. O primeiro afeta hoje impressionantes 86 milhões de pessoas só nos Estados Unidos. O diabetes tipo 2, estágio mais avançado da resistência à insulina, se desenvolve quando uma enxurrada de insulina é necessária para realizar o que antes exigiria uma quantidade relativamente pequena. Eventualmente, o pâncreas "cansa", incapaz de atender à demanda por mais insulina, e o açúcar no sangue permanece alto, apesar da liberação máxima de insulina.

Mas e a outra metade da população que não é pré-diabética nem diabética? Se o seu açúcar no sangue estiver normal, você está bem, certo? Infelizmente, mesmo entre pessoas com níveis normais de açúcar no sangue a resistência à insulina é surpreendentemente comum. Graças ao trabalho do patologista Joseph R. Kraft, hoje sabemos que o açúcar no sangue anormal é na verdade um marcador tardio de insulina cronicamente elevada. Acontece que a insulina cronicamente elevada pode escapar dos marcadores clínicos rotineiros (como o açúcar no sangue em jejum e o teste A1C descrito no capítulo anterior) durante anos — até décadas — antes da detecção, tudo isso prejudicava sua memória e preparava o cenário para futuros problemas no cérebro[3].

NOTA DO MÉDICO:
O LONGO CAMINHO PARA O DIABETES

Para dar uma ideia básica: um adulto saudável médio produz cerca de 25 unidades de insulina por dia para controlar o açúcar no sangue. Agora compare isso com alguns de meus pacientes diabéticos, que estão injetando mais de 100 a 150 unidades de insulina por dia, mais de cinco vezes a norma fisiológica. Isso significa que antes de seus diagnósticos seus pâncreas estiveram funcionando horas extras duplas e triplas durante muitos anos antes que o açúcar no sangue começasse a subir.

Prioridades para um tempo diferente

A insulina é o principal hormônio anabólico do corpo, o que significa que ela cria um ambiente em seu corpo favorável ao crescimento e ao armazenamento. Isso pode ser útil para transportar energia (na forma de açúcar) e aminoácidos para o tecido muscular após um dia de 12 horas capinando mato ou carregando água de um poço distante — mas, na maioria das vezes, esses recursos acabam em nossos quadris e cinturas.

Para suas células de gordura, a insulina elevada geralmente significa uma coisa: "É festa!" Isso foi útil — até um salva-vidas — em tempos mais austeros. Atualmente, está fazendo nossos corpos acumularem gordura em preparação para um período de fome que parece nunca chegar. Mas, embora o excesso de peso torne mais provável que a resistência à insulina se esconda abaixo da superfície, a insulina cronicamente elevada é comum entre pessoas magras. Isso costuma passar despercebido porque a maioria das pessoas presume que magreza é sinônimo de saúde metabólica — um grande erro. Existe até um termo médico para pacientes com peso normal com síndrome metabólica: metabolicamente obesos, peso normal (o termo não médico é gordura magra). Isso ilustra um ponto importante, mas frequentemente confuso: *a resistência à insulina e à obesidade são condições independentes*. Sim, é possível usar roupas de tamanho pequeno e ainda ser "obeso" por dentro.

Uma consequência da insulina elevada para os magros e com excesso de peso é que a liberação da gordura armazenada para combustível — um processo chamado lipólise — é bloqueada. Como? A insulina atua como uma válvula unilateral em suas células de gordura. Isso significa que quando a insulina está elevada as calorias podem entrar, mas não conseguem sair. Suas células de gordura tornam-se uma armadilha, uma forma de aumentar (e preservar) os combustíveis armazenados quando o corpo sente que o alimento é abundante.

Uma nova pesquisa mostrou que, ao contrário do que se acreditava anteriormente, a gordura pode ser usada como fonte de energia para os fotorreceptores dos olhos[4]. No trabalho, publicado em *Nature Medicine*, os pesquisadores demonstraram como a privação de ácidos graxos dessas células pode levar à degeneração macular relacionada à idade (DMRI), sugerindo que ela pode, de fato, ser uma forma de diabetes dos olhos! Diante do papel da insulina em suprimir a liberação de ácidos graxos, reduzir a ingestão de carboidratos (e, portanto, a secreção de insulina) poderia fornecer uma modificação significativa e segura no estilo de vida para uma população de risco substancial[5]. (DMRI continua sendo a principal causa de deficiência visual em ocidentais com mais de 50 anos de idade.) Até o cérebro pode usar a gordura como combustível, uma vez que a gordura é decomposta em substâncias químicas chamadas corpos cetônicos. Os corpos cetônicos, ou simplesmente cetonas, aumentam com períodos de jejum, dietas com muito baixo teor de carboidratos e com o consumo de certos alimentos produtores de cetonas. Eles também são produzidos durante exercício vigoroso, depois que as reservas de glicose se esgotam. Mas as cetonas não são apenas um combustível — elas também agem como uma molécula sinalizadora, acionando interruptores no cérebro que parecem ter uma gama de efeitos benéficos. Entre eles está a capacidade de aumentar o Fator Neurotrófico Derivado do Cérebro (BDNF), a principal proteína neuroprotetora do cérebro. No entanto, a insulina cronicamente elevada nos mantém metabolicamente inflexíveis ao bloquear a geração de cetonas. "A inibição do metabolismo de lipídios (gorduras) por dietas ricas em carboidratos talvez seja o aspecto mais prejudicial das dietas modernas", opinou Sam Henderson, conhecido pesquisador na área de cetonas e doença de Alzheimer. (Você aprenderá mais sobre as cetonas e todo o seu potencial terapêutico e de aumento de desempenho no Capítulo 6.)

A chave para permitir que esses ácidos graxos apareçam e atuem é reduzir a insulina, pura e simplesmente. O pesquisador italiano Cherubino Di Lorenzo (que na verdade estuda os efeitos das cetonas nas dores de cabeça da enxaqueca) talvez tenha dito melhor: "Você poderia pensar neste processo, de mobilização de gordura, como a lipoaspiração bioquímica do próprio corpo".

Você envelhece no ritmo em que produz insulina

Quase qualquer pessoa que faz dieta se beneficiará com um período inicial de restrição drástica de carboidratos. Na verdade, uma dieta com muito baixo teor de carboidratos irá, em média, reduzir pela metade a quantidade total de insulina secretada pelo pâncreas e aumentar a sensibilidade à insulina de uma pessoa após apenas um dia[6]. Embora esta seja sem dúvida uma boa notícia para nossa barriga de cerveja, peitos molengas e culotes, também pode ser a chave para retardar o processo de envelhecimento.

Além de contribuir para a adiposidade (a palavra científica para gordura), acredita-se que a insulina cronicamente elevada acelera os processos subjacentes de envelhecimento. O professor convidado do MIT e de Harvard Josh Mitteldorf não escondeu isso em seu livro *Cracking the Aging Code*: "Cada prato de macarrão envia uma mensagem ao corpo para acumular gordura corporal e acelerar o processo de envelhecimento". Durante um excedente calórico, facilmente habilitado com carboidratos muito saborosos, a imagem de longo prazo desaparece de vista e os projetos de reparo celular entram em suspensão[7]. Afinal, por que se esforçar para reparar células velhas quando você pode simplesmente criar novas com a abundante energia disponível?

Por outro lado, quando o corpo percebe que o alimento está em falta, as vias genéticas envolvidas na reparação e restauração tornam-se ativas para que o corpo ainda esteja saudável amanhã, quando a fome acabar. Essas vias são como pequenos "aplicativos" biológicos codificados em nosso genoma e que são ativados em um ambiente de baixa insulina.

Uma dessas vias de longevidade é o FOXO3, que, entre outras coisas, ajuda a manter as reservas de células-tronco no corpo à medida que envelhecemos[8]. As células-tronco são bacanas porque podem se diferenciar em vários tipos de células — incluindo neurônios — e ajudam a reparar os danos sofridos durante o envelhecimento[9]. Alguns cientistas acreditam que se pudéssemos "completar" ou pelo menos diminuir o esgotamento de nossas reservas de células-tronco decrescentes à medida que envelhecemos, poderíamos nos defender melhor das devastações do envelhecimento e prolongar nossos anos de juventude e saúde.

Ativar o FOXO3 pode ser uma das maneiras mais facilmente acessíveis de fazer isso. Na verdade, as pessoas com uma cópia de um gene que torna seu FOXO3 mais ativo têm o dobro de chances de viver até os 100 anos de idade. (Aquelas com duas cópias têm o triplo das chances![10])

A notícia animadora é que podemos imitar, em partes, muitos desses benefícios em parte mantendo o controle da produção de insulina de nosso corpo. Podemos fazer isso por meio de breves períodos de jejum (que apresentarei no Capítulo 6), evitando açúcares de digestão rápida e rebaixando os amidos (especialmente grãos processados) de pilares de nossa dieta para prazeres ocasionais.[11] (**O Alimento para o Cérebro #9** — salmão selvagem — também contém um composto que estimula o FOXO3.)

Estragando o organismo

Você já deve estar familiarizado com algumas das consequências cognitivas dos picos regulares de insulina — eu certamente estava. O sintoma mais óbvio talvez seja a letargia que sentimos logo após uma refeição rica em carboidratos. Isso acontece porque o pâncreas, órgão que secreta insulina, não é um instrumento de precisão; é mais como uma ferramenta cega e destinada a nos ajudar a armazenar gordura durante os períodos de abundância (quando as frutas de verão amadurecem nas árvores, por exemplo) para garantir nossa sobrevivência em períodos de escassez de alimentos (durante o inverno ou seca). Ele pode ser particularmente desleixado quando encarregado de retirar o "lixo carbônico" de nossa circulação, muitas vezes, baixando demais o açúcar no sangue e provocando fome, fadiga e confusão mental. A essa altura do dia, por diversas vezes procuramos mais carboidratos e lanches açucarados, que compensam nossa abstinência, fazendo-nos pensar que esses alimentos são nossos amigos.

Os problemas associados à insulina cronicamente elevada, porém, vão muito além da hora do almoço. A hiperinsulinemia está sendo agora considerada uma "teoria unificadora" das doenças crônicas por alguns pesquisadores, e seu impacto no cérebro é especialmente preocupante[12]. Isso talvez seja melhor ilustrado pelos efeitos da insulina em uma proteína misteriosa que produzimos em nossos cérebros chamada beta-amiloide.

Se essa proteína pegajosa soa familiar, é porque durante muitas décadas se pensou que causasse a doença de Alzheimer. Quando os cérebros de pacientes com Alzheimer foram examinados na autópsia, verificou-se que estavam crivados de placas compostas por aglomerados de proteína amiloide "mal dobrada". A ideia de que a remoção das placas poderia curar a doença de Alzheimer formou a base da chamada hipótese amiloide, mas até agora os medicamentos experimentais que reduziram a placa não tiveram sucesso em interromper a progressão da doença ou melhorar a cognição. Com a crescente suspeita de que a placa amiloide pode ser mais a consequência de uma disfunção subjacente do que a prova indiscutível (pelo menos inicialmente), os cientistas deram um passo atrás e perguntaram: *Como podemos evitar que nossos cérebros se tornem um aterro sanitário de amiloides?*

Quando a insulina está elevada (devido a refeições frequentes com alto teor de carboidratos ou ingestão excessiva de calorias), nossa capacidade de decompor a amiloide torna-se limitada. Isso se deve parcialmente a uma proteína chamada enzima degradadora de insulina (IDE). Como o nome sugere, a IDE decompõe o hormônio insulina, mas também tem uma função secundária (quem não tem atualmente?): faz parte da equipe de limpeza enzimática que também decompõe a beta-amiloide. Se o cérebro tivesse um suprimento interminável de IDE, realizaria ambas as tarefas com eficácia, mas, infelizmente, o suprimento de IDE é limitado e ele tem preferência por degradar insulina, em vez da amiloide. Na verdade, mesmo a presença de pequenas quantidades de insulina inibe completamente a degradação da amiloide por IDE[13].

Grande parte do trabalho de "zelador" do cérebro ocorre enquanto estamos na terra da fantasia. Graças ao sistema glinfático, recém-descoberto, seu cérebro se transforma essencialmente em uma máquina de lavar louça enquanto você dorme, lavando o líquido cefalorraquidiano e liberando a proteína amiloide e outros subprodutos. Como mencionei, a insulina interfere com as tarefas de manutenção do corpo, e isso inclui a faxina que acontece enquanto você dorme. Uma maneira de otimizar essa limpeza crítica do cérebro é parar de comer duas ou três horas antes de dormir para reduzir a insulina em circulação.

Se você já colocou uma tigela de aveia seca da véspera na máquina de lavar louça e descobriu que a aveia grudou como cola na tigela mesmo depois da lavagem, você entende a importância de um conceito químico básico: solubilidade. A amiloide é como a aveia no cérebro. Para que seja liberada, é necessário que a proteína permaneça solúvel, de modo que possa ser dissolvida no líquido cefalorraquidiano que pulsa por todo o cérebro. E o que torna a amiloide tão insolúvel quanto a aveia seca? Os efeitos deletérios do aumento do açúcar no sangue não têm limites.

O açúcar liga-se desenfreadamente às proteínas próximas, e o beta-amiloide não é exceção. Quando a amiloide é glicada, ela se torna mais pegajosa e menos solúvel, e, portanto, menos facilmente picada e lavada.[14] Isso pode explicar as conclusões de um estudo de 2015, publicado em *Alzheimer's & Dementia*, que mostrou que quanto mais grave é a resistência à insulina no corpo (sinalizando níveis cronicamente elevados de açúcar no sangue), maior o acúmulo de placas no cérebro de indivíduos cognitivamente normais.[15] O que é ainda mais surpreendente é que essa associação se manteve mesmo entre pessoas não diabéticas — o que significa que apenas uma leve resistência à insulina é suficiente para aumentar a deposição de amiloide.

A importância de uma sinalização de insulina bem regulada para manter o cérebro de maneira adequada destaca a necessidade crítica de equilíbrio entre alimentação e jejum. Nossos corpos são adaptados para realizar importantes tarefas de manutenção em cada um desses estados. Encontraríamos poucos argumentos de que a vida moderna inclina muito a balança em direção ao estado alimentado, que parece aumentar a carga da placa cerebral, ao mesmo tempo que impede que combustíveis importantes como as cetonas cheguem ao cérebro. E, embora a amiloide não tenha sido estabelecida como a força causadora da demência, apostamos que você, como o Dr. Paul e eu, quer fazer tudo o que puder para ter certeza de que há menos dela para estragar o seu organismo.

Diabetes cerebral

Antes do diagnóstico de minha mãe, a demência me parecia um conceito distante e vago, evocando imagens de moradores de asilos bonitinhos passando seus últimos dias arrastando os pés por um campo em tons pastel com iluminação fluorescente, jogando bridge e reclamando da comida. Minha descrença quando o diagnóstico de minha mãe chegou aos 50 anos de idade foi reforçada apenas pelo choque que descobri em minha pesquisa logo após: que, na realidade, o processo da doença começa 30 anos antes do primeiro sintoma (alguns dados sugerem que ainda mais cedo). Quando o médico estava me dando a má notícia sobre a doença dela, ele pode muito bem ter atribuído o mesmo destino a mim. Ainda assim, mesmo com a possibilidade de acabar com a monstruosidade mental que minha mãe desenvolveu, uma janela de 30 anos não é exatamente motivo de preocupação imediata, certo?

Não exatamente. Muito antes do início da doença, os mesmos fatores que podem levar à demência podem muito provavelmente afetar a mecânica da cognição.

Já expliquei que a insulina facilita a captação de glicose nas células musculares, adiposas e hepáticas. No cérebro, a insulina é usada como uma molécula de sinalização, influenciando a plasticidade sináptica, o armazenamento de memória de longo prazo e o funcionamento de neurotransmissores como a dopamina e a serotonina[16]. Ela também ajuda as células cerebrais a processar a glicose, particularmente, em regiões com fome de energia como o hipocampo.

Quando os sinais bioquímicos ficam muito altos, as células se protegem reduzindo a disponibilidade de receptores para ouvi-los. No cérebro, uma capacidade reduzida de "ouvir" a insulina pode afetar negativamente aspectos de sua cognição, incluindo as funções executivas e sua capacidade de armazenar memórias, concentrar-se, ter a sensação de recompensa e desfrutar um humor positivo.

Não é segredo na literatura médica que ter diabetes tipo 2 pode reduzir a função cognitiva, mas outra pesquisa mostrou que mesmo em uma pessoa não diabética a resistência à insulina está associada a uma pior função executiva e memória declarativa – que é o que a maioria de nós pensa quando evocamos imagens de uma pessoa com boa memória (e todos queremos ser essa pessoa).[17] Um estudo da Universidade Médica da Carolina do Sul que examinou a capacidade cerebral de indivíduos não diabéticos e cognitivamente "saudáveis" descobriu que os indivíduos com níveis mais elevados de insulina não tinham apenas pior desempenho cognitivo na linha de base (quando os laboratórios dos participantes foram traçados pela primeira vez), como exibiam maiores declínios em um acompanhamento seis anos depois.[18]

Como você pode medir sua sensibilidade (ou resistência) à insulina e, assim, controlar o desempenho do seu cérebro? Um dos números mais importantes a saber é o seu HOMA-IR. HOMA-IR, que significa avaliação de modelo homeostático de resistência à insulina, é uma maneira simples de responder à pergunta: quanta insulina meu pâncreas precisa bombear para manter meu açúcar no sangue em jejum no nível atual? Ele pode ser calculado usando dois testes simples que seu médico de atenção primária pode pedir: o açúcar no sangue em jejum e a insulina em jejum.

A fórmula para determinar seu HOMA-IR é a seguinte:

Glicose de jejum (Mg/Dl) × Insulina de jejum

Embora os valores de referência geralmente afirmem que qualquer valor abaixo de 2 é normal, quanto menor é melhor, e um HOMA-IR ideal é menor que 1. Qualquer coisa acima de 2,75 é considerada resistente à insulina. A pesquisa indica claramente que valores mais altos de HOMA-IR estão associados a um pior desempenho cognitivo no presente e no futuro.

A resistência à insulina também é extraordinariamente comum em pessoas com doença de Alzheimer: 80% das pessoas com a doença têm resistência à insulina, que pode ou não acompanhar o diabetes tipo 2 completo.[19] Estudos observacionais mostraram que ter diabetes tipo 2 equivale a um risco de duas a quatro vezes maior do que desenvolver a doença de Alzheimer. Ao todo, 40% dos casos de Alzheimer podem ser atribuídos apenas à hiperinsulinemia, e um coro crescente de pesquisadores e médicos hoje se refere ao Alzheimer como "diabetes tipo 3". Sem dúvida, o diabetes tipo 2 não causa a doença de Alzheimer — se causasse, todos com diabetes tipo 2 desenvolveriam Alzheimer e todos com Alzheimer seriam diabéticos, e isso não é verdade. No entanto, está cada vez mais claro que ambos são primos consanguíneos.

A conclusão aqui é que mesmo abaixo do nível de diabetes ou mesmo de pré-diabetes, a insulina cronicamente elevada pode estar causando estragos, prejudicando o desempenho do seu cérebro e preparando o terreno para uma disfunção neuronal generalizada que ocorrerá décadas à frente.

EXAME DE SANGUE PARA PREVER ALZHEIMER?

Uma proteína envolvida na sinalização da insulina é a IRS-1, ou substrato do receptor de insulina 1. Acredita-se que a IRS-1 seja um marcador altamente sensível de sensibilidade reduzida à insulina no cérebro. Pacientes com Alzheimer tendem a ter níveis mais altos da forma inativa dessa proteína (e níveis mais baixos da forma ativa) em seu sangue, então, pesquisadores do Instituto Nacional sobre o Envelhecimento questionaram se um simples exame de sangue pode ser usado para identificar aqueles em risco de desenvolver a doença de Alzheimer antes do aparecimento dos sintomas. O que eles descobriram foi impressionante: níveis mais altos da forma inativa de IRS-1 (significando sinalização deficiente de insulina no cérebro) previram o desenvolvimento da doença de Alzheimer em pacientes com 100% de precisão.[20] Ainda mais impressionante, a diferença nesses marcadores sanguíneos era evidente 10 anos antes do aparecimento dos sintomas. Isso sugere que manter a sensibilidade à insulina do cérebro ao longo da vida pode ser um passo importante para prevenir a doença.

Como podemos fazer isso? Comece com o corpo. As intervenções que parecem melhorar a saúde metabólica do corpo, quando iniciadas precocemente, parecem atrasar o início ou o agravamento dos sintomas de demência. E embora a saúde metabólica seja, em última análise, influenciada por inúmeros fatores — sono, estresse e deficiências nutricionais, para citar alguns — a dieta pobre em carboidratos foi agora validada como segura e eficaz para melhorar a saúde metabólica geral em dezenas de ensaios clínicos controlados aleatórios.

A mentira glicêmica

Se nosso objetivo é minimizar picos frequentes e prolongados de insulina ao longo do dia, devemos pensar em termos da quantidade total de carboidratos concentrados que consumimos. Isso inclui fontes mais evidentes de açúcar, como bebidas adoçadas com açúcar, alimentos processados, xaropes e doces. Mas a verdade é que mesmo as fontes de carboidratos de grãos integrais, comumente mencionadas como "de baixo índice glicêmico", como o arroz integral, são aceleradores rápidos e catastróficos do açúcar no sangue, que devem ser retirados da corrente sanguínea com a ajuda da insulina. Você talvez não goste de ouvir isto, mas o pão de trigo integral que foi um alimento básico para mim durante muitos anos tem um índice glicêmico mais alto (uma medida do impacto do açúcar no sangue) e carga glicêmica (que leva em conta o tamanho da porção) do que açúcar de mesa! Embora esses alimentos de grãos integrais sejam frequentemente descritos como "melhores para você" do que as versões de carboidratos refinados, uma maneira mais precisa de vê-los é "menos ruim" quando consumidos cronicamente.

P.: Isso significa que nunca mais poderei comer grãos/batata-doce/banana/meu carboidrato favorito?
R.: Não. Embora a base de sua dieta deva sempre ser alimentos ricos em nutrientes e com baixo teor de glicose, a sinalização da insulina é extremamente importante, e a insulina cronicamente reduzida pode ser tão problemática, embora por razões diferentes, quanto a insulina cronicamente elevada. Uma refeição ocasional com alto teor de carboidratos pode ser útil para otimizar vários hormônios além de melhorar o desempenho nos exercícios. A janela após o exercício é geralmente o momento mais seguro para o consumo de carboidratos (como batata-doce ou arroz). Por que pós-treino? Após um treino vigoroso, seus músculos puxam o açúcar do sangue.
Vamos examinar melhor a ideia de carboidratos pós-treino no Capítulo 6.

Outro problema é que o índice glicêmico se refere ao alimento ingerido isoladamente — e o impacto de uma fatia de pão, por exemplo, seria muito diferente quando comido sozinho ou com gordura e proteína em um sanduíche. Já em 1983, os cientistas sabiam que, embora adicionar gordura a uma refeição com carboidratos possa reduzir o pico de glicose, também aumenta a quantidade de insulina liberada.[21] Simplificando, a gordura pode fazer com que o pâncreas responda exageradamente, secretando mais insulina para a mesma quantidade de carboidratos! (Na realidade, a gordura apenas retarda a entrada de glicose no sangue, mas prolonga a elevação do açúcar no sangue.[22]) Isso torna equivocado o conselho frequentemente dado a quem procura reduzir o impacto dos alimentos sobre o açúcar no sangue — adicione gordura a uma refeição de carboidrato para diminuir o pico glicêmico.

Outras métricas, então, são necessárias para discutir os impactos hormonais e metabólicos da ingestão de carboidratos. Duas que estão atualmente em estudo são a carga glicêmica e a AUC da insulina (ou área sob a curva) de uma determinada refeição. A carga glicêmica leva em consideração, essencialmente, a quantidade de açúcar que uma porção típica de determinado alimento libera no sangue, enquanto a AUC da insulina é a quantidade total de insulina que um alimento (ou refeição) estimula. O impacto total de uma refeição no açúcar no sangue (e na capacidade do fígado de eliminá-lo) pode ser mais importante do que quão alto ou rápido o nível de glicose no sangue sobe após um único alimento. Algumas pesquisas até sugerem que carboidratos de liberação rápida — especialmente na ausência de gordura — podem ser tratados mais rapidamente pelo corpo, com um pico de insulina curto e rápido, em vez de ter insulina elevada por várias horas após uma refeição mista de, digamos, uma batata cozida com manteiga.

O QUE FAZ UM BOM "CARB" SER RUIM?

O debate entre baixo teor de carboidratos e baixo teor de gordura tem agitado a esfera da saúde na última década. Os fanáticos de ambos os lados reivindicam o monopólio da verdade, mas a verdade é que ambos os lados frequentemente descartam evidências que não se enquadram em sua visão de mundo. Existem populações inteiras que prosperam com dietas que contém alto teor de carboidratos e baixo teor de gorduras (como os moradores de Okinawa, no Japão) e aquelas que se desenvolvem com dietas com alto teor de gordura e baixo de carboidratos (como os massai, na África). Como podemos reconciliar os dois? A tolerância genética aos carboidratos é suficiente para explicar isso? Um bom modelo científico de nossa biologia deve ser capaz de explicar por que ambos podem ser saudáveis. O que sabemos é que, quando as populações indígenas do mundo todo são expostas a uma dieta "ocidental", a doença logo surge.

Então, o que torna uma dieta rica em carboidratos repentinamente tóxica? Ao examinar as diferenças entre uma dieta "saudável" com alto teor de amido e uma dieta ocidental tóxica, encontramos alguns pontos-chaves a considerar:

- √ As dietas tradicionais com alto teor de carboidratos ainda são pobres em açúcar.
- √ As dietas tradicionais incluem muito menos carboidratos "acelulares" — açúcar e amido que foram removidos das células em que estavam contidos. Pense em frutas inteiras *versus* suco de frutas, ou pão germinado

comparado ao pão "integral" pulverizado e em pó. Em um estudo recente, ratos foram alimentados com as mesmas quantidades do mesmo alimento, alguns em pó *versus* inteiros. Adivinhe qual grupo de ratos ganhou mais peso? Em pó. Processar alimentos – carboidratos, gordura, o que for – os torna instantaneamente mais tóxicos para o seu sistema.

É difícil descobrir o efeito prejudicial do açúcar *versus* açúcar e gordura combinados em alimentos processados viciantes. Pode ser que o açúcar, consumido isoladamente, não seja tóxico ou mesmo sujeito ao consumo excessivo, mas torna-se no contexto do processamento. Na verdade, é muito difícil para o seu corpo transformar pequenas quantidades de açúcar em gordura, mas quando o carboidrato está presente em seu sistema cada molécula de gordura consumida junto com ele será armazenada imediatamente até que os carboidratos sejam completamente usados por suas células. Para piorar as coisas, o pico gigante de insulina que se segue torna essa gordura inacessível ao corpo para obter energia entre as refeições. É assim que a fome aumenta e a perda de flexibilidade metabólica começa (mais sobre isso no Capítulo 6).

Antes de prosseguirmos é importante estar ciente dos inúmeros fatores além dos "carboidratos crônicos" que podem contribuir para a redução da sensibilidade à insulina, aumentando assim os níveis de insulina e prejudicando o controle do açúcar no sangue. Isso inclui privação de sono, genes, exposição a produtos químicos industriais tóxicos e inflamação causada pelo consumo de óleos polinsaturados. Pesquisas mostram que uma pessoa saudável que passa por uma única noite de privação de sono terá sensibilidade à insulina prejudicada no dia seguinte — essencialmente tornando-a temporariamente pré-diabética, antes mesmo de qualquer carboidrato ser ingerido! O estresse crônico é outro vilão, pois é capaz de desequilibrar seu sistema de insulina. Muitos fatores podem contribuir para isso, alguns óbvios e outros nem tanto. Mesmo algo tão inócuo como a poluição sonora se torna um grande problema no mundo desenvolvido e pode gerar estresse crônico e de baixo grau, que, por sua vez, pode afetar a saúde metabólica. Um estudo dinamarquês descobriu que para cada dez decibéis de aumento no ruído do tráfego próximo à residência de uma pessoa havia um aumento de 8% no risco de diabetes.[23] Essa associação subiu para 11% em um período de 5 anos. Vamos revisitar o sono e o estresse no Capítulo 9.

GLÚTEN E SEU METABOLISMO – AMIGOS OU INIMIGOS?

O glúten é a proteína pegajosa encontrada no trigo, cevada e centeio. Já presente na maioria dos pães, bolos, massas, pizza e cerveja, o glúten também é

O INVERNO ESTÁ CHEGANDO (PARA O SEU CÉREBRO) | 93

adicionado a uma ampla variedade de outros produtos por sua capacidade pegajosa, agradável na boca – mas a boca pode ser a única coisa que o glúten torna feliz. Pesquisas recentes sugerem que o glúten pode representar um problema inflamatório único, prejudicando a sensibilidade à insulina e predispondo ao ganho de peso, independentemente dos carboidratos com os quais está empacotado. Caso em questão: ratos que foram alimentados com dietas com glúten adicionado ganharam mais peso do que ratos alimentados com as mesmas dietas sem *glúten*.[24] Esses ratos tiveram atividade metabólica reduzida e marcadores aumentados de inflamação em comparação com os ratos de controle que consumiram exatamente o mesmo número de calorias, carboidratos e gordura – a única diferença era que eles estavam consumindo glúten. O fato de que este foi um estudo com ratos pode provocar uma certa hesitação, mas não o faça. "Em geral, o trato digestivo dos mamíferos é fortemente conservado com as principais diferenças entre as espécies provavelmente causadas pela dieta. Dada sua natureza onívora compartilhada, humanos e camundongos compartilham fortes semelhanças", escreveram pesquisadores abordando a questão da utilidade do modelo de camundongo em estudos sobre o intestino na revista *Disease Models & Mechanisms*.[25] Isso se soma ao crescente corpo de evidências que sugere que o impacto do glúten se estende muito além do trato digestivo – fato que explorarei em profundidade no Capítulo 7.

Fazendo mudanças que duram

Fazer uma mudança positiva, como reduzir a ingestão de grãos, eliminar o açúcar e procurar vegetais sem amido (como couve) ao invés de vegetais amiláceos e estimulantes da insulina (como batatas), muitas vezes pode parecer um simples ato de força de vontade. No entanto, a mudança dietética está entre as coisas mais difíceis de se fazer para a maioria das pessoas. Trazemos para cada refeição o acúmulo de anos de hábitos, pressão social e normas culturais, influenciando tanto o que nós desejamos, quanto o que o nosso corpo parece desejar.

Antes da epidemia de obesidade causada por esses tipos de alimentos, as pessoas mantinham um peso saudável sem contar calorias ou pagar altas taxas em academias. Com os seguintes princípios orientadores, que funcionaram tanto para o Dr. Paul quanto para mim, será possível evitar fontes densas de açúcar e carboidratos e até mesmo potencialmente atingir a perda de peso, sem contar calorias ou criar uma relação obsessiva com os alimentos. (O único momento em que a ingestão de alimentos e, portanto, as calorias, será temporariamente restringida é durante os períodos de jejum, chamados de jejum intermitente, que descreverei no Capítulo 6.)

DURMA E MEDITE QUANDO ESTIVER ESTRESSADO

O estresse e a perda de sono irão sabotar a força de vontade de um comedor excessivo, por isso, é importante levar isso em consideração ao decidir sua dieta. Abordaremos ambos com maior profundidade no Capítulo 9, no entanto lembre-se: *uma boa noite de sono lhe dá coragem para fazer mudanças duradouras na dieta, garantindo que seus hormônios não trabalhem contra você.*

Quando se trata de estresse, consumir grãos refinados e açúcar pode suprimir o cortisol do hormônio do estresse e as respostas ao estresse no cérebro.[26] Isso pode levar à desregulação do fluxo e refluxo do cortisol natural do corpo e destaca uma das muitas vias de dependência estimuladas por consumo de açúcar. Em vez disso, você deve procurar reduzir o cortisol naturalmente, e a exposição ao sol pela manhã, a meditação e os exercícios são apenas alguns métodos fáceis de implementar.

ORGANIZE O AMBIENTE ALIMENTAR

Se você tende a comer demais ou é viciado em açúcar, provavelmente perceberá que controlar suas escolhas alimentares é muito mais fácil quando você está sozinho no comando. O controle do que você come em casa pode ser feito ajustando suas compras de supermercado e abastecendo sua geladeira e despensa com alimentos integrais, saudáveis e com baixo teor de carboidratos. Lembre-se: *se está em seu carrinho de compras, é como se estivesse em seu corpo.*

Claro, não podemos controlar todas as situações. Entrar no escritório e ver bolinhos grátis confunde seu ambiente cuidadosamente construído e, provavelmente, é quando você mais precisará usar sua força de vontade.

Ajuda ser capaz de jogar um jogo mental, ou seja, imaginar o alimento em questão como o que ele é: um não alimento. Ou tente neutralizar a pressão social com positividade. Ao receber uma oferta de *junk food* de um amigo ou colega que atrapalhará sua dieta, uma estratégia é enquadrar sua rejeição em uma mensagem positiva. Simplesmente dizendo: "Estou bem!" e sorrir provavelmente será mais eficaz do que: "Eu adoraria comer isso, mas não posso" enquanto faz uma careta. A primeira envia a mensagem de que você já está "saciado" e não precisa consumir nada que não seja saudável. A última diz: "Estou lutando para fazer uma dieta, mas se você insistir posso simplesmente ceder". (Observação: esse truque também funciona contra outras formas de pressão social, como quando lhe oferecem bebidas alcoólicas se você preferir não beber.)

Ao comer fora, experimente olhar o cardápio com antecedência e escolher um restaurante que você sabe que oferece opções saudáveis. Outra dica profissional:

agradeça antecipadamente ao seu garçom por não trazer a cesta de pães. Quem precisa daquilo olhando para a sua cara?

CRIE UM "LIVRO DE REGRAS" INTERNO E ANOTE SEUS OBJETIVOS

Descobri que ao tornar minha vida saudável, parte da minha identidade, a autonegação, é fácil pular, consultando apenas meu livro de regras interno. Por exemplo, você pode decidir que não come produtos de trigo, eliminando, portanto, um grupo de alimentos não essenciais, pobres em nutrientes e rico em carboidratos estimuladores da insulina. Algumas outras regras excelentes para integrar em sua autodefinição podem ser que você "só comerá carne vermelha se vier de um animal tratado com bondade e que foi alimentado com o que realmente quer comer (que é capim) durante toda a vida", ou que você "nunca consumirá bebidas adoçadas com açúcar" ou que "sempre comprará produtos orgânicos quando puder pagá-los". Experimente anotar suas regras e pendurá-las na geladeira para ser lembrado sempre que for fazer um lanche. A pesquisa sugere que anotar metas específicas, chamadas de "autoria própria", aumenta significativamente as chances de que essas metas se tornem realidade.

ESQUEÇA "TUDO COM MODERAÇÃO" E ADOTE A COERÊNCIA

Muitas pessoas a quem disseram para "moderar" a ingestão de carboidratos reduziram para meio bolinho no café da manhã e uma porção menor de espaguete no jantar. Embora seja menos do que a Dieta Americana Padrão pode incluir, ainda são duas porções de glicose (e secreção de insulina subsequente) de que seu corpo provavelmente não precisava, para começar.

Ainda assim, a orientação de comer "tudo com moderação" é generalizada. Um estudo recente da Universidade do Texas que procurou avaliar essa infeliz prescrição descobriu que uma maior diversidade alimentar, definida pela menor semelhança entre os alimentos que as pessoas ingerem, estava ligada a menor qualidade da dieta e oferece danos à saúde metabólica.[27] Traduzindo: participantes que seguiram a regra "coma tudo com moderação" estavam comendo menos alimentos saudáveis, como vegetais, e mais alimentos não saudáveis como carnes alimentadas com cereais, sobremesas e refrigerantes. "Esses resultados sugerem que em dietas modernas comer 'tudo com moderação' é, na verdade, pior do que comer um número menor de alimentos saudáveis", comentou Dariush Mozaffarian, principal autor do estudo.

"Os norte-americanos com dietas mais saudáveis, na prática, comem uma variedade relativamente pequena de alimentos saudáveis", observou o Dr. Mozaffarian. O que isso significa para você? Compre os alimentos bons para o cérebro sempre. (Vou lhe dar mais alimentos para adicionar a essa lista no Capítulo 11).

TENHA UM "AMIGO RESPONSÁVEL" (REAL OU DIGITAL)

Para lembrar um dos meus programas favoritos (South Park), é sempre bom ter um amigo a quem se reportar quando estiver tentando alcançar novos objetivos. Enviem um ao outras fotos de refeições, mensagens de pânico quando sofrerem tentação e encorajamento positivo. Se você não tiver ninguém por perto para apoiá-lo, use as redes sociais. Alerte seus amigos e seguidores sobre o seu compromisso de "recuperar seu cérebro" e poste regularmente fotos de suas refeições para encorajamento. Crie sua própria *hashtag* ou sinta-se à vontade para usar #geniusfood, que uso na minha conta do Instagram (que é @maxlugavere — venha dizer oi!) para destacar refeições que incluem alimentos saudáveis e energizantes ao meu cérebro. Seus amigos querem que você tenha sucesso, e você pode até inspirá-los ao longo do caminho.

Uma última palavra

A ciência está sempre evoluindo, principalmente no que diz respeito ao cérebro. Como mencionei no primeiro capítulo, 90% do que sabemos hoje sobre a doença de Alzheimer, a forma mais comum de demência, foi descoberto apenas nos últimos 15 anos. A ciência da prevenção da demência (para não mencionar a otimização cognitiva) é nova; e certamente não é uma ciência estabelecida. No entanto, esperar que isso se torne realidade pode significar anos ou décadas de inação.

Há uma quantidade expressiva de dados salientando que o açúcar no sangue (e a insulina) em níveis cronicamente elevados podem estar comprometendo nossa saúde cognitiva. No entanto, a afirmação de que os grãos (mesmo os integrais "saudáveis") melhoram a saúde é feita repetidamente, com poucas evidências em seu apoio.28 É uma falsidade, na qual investimos profundamente e que está até representada na massa de terra plantada dos Estados Unidos: pelo menos 15% são dedicados ao trigo, enquanto mais da metade é dedicada ao cultivo de milho e soja. Apenas 5% são dedicados ao cultivo de vegetais, que realmente deveriam ocupar a metade de nossos pratos.

Embora a tolerância de todos os carboidratos varie, minha recomendação é preencher o seu prato com alimentos que são naturalmente pobres em carboidratos e ricos em micronutrientes e fibras, sendo estes últimos uma grande arma em nosso arsenal contra a inflamação crônica, que descreverei mais adiante no Capítulo 7. Exemplos de alimentos com baixo teor de carboidratos incluem abacate, aspargos, pimentão, brócolis, couve-de-bruxelas, repolho, couve-flor, aipo, pepino, couve, tomate e abobrinha. Para suas proteínas e outros nutrientes conte com alimentos como salmão selvagem, ovos, frango caipira e carne bovina de pasto. Se antigamente minha dieta era rica em grãos, hoje me esforço ao máximo para encher meu prato com as guloseimas mencionadas.

Fornecer esses preciosos nutrientes ao cérebro é o nome do jogo na próxima seção, começando com uma jornada na vibração vascular. Aperte o cinto!

NOTAS DE CAMPO

- √ Reduzir picos frequentes e prolongados de insulina, minimizando o consumo de carboidratos concentrados, é uma das principais formas de preservar e aumentar a sensibilidade à insulina, minimizando assim a inflamação e o armazenamento de gordura.
- √ A insulina é uma válvula unilateral em suas células de gordura, impedindo a liberação das calorias armazenadas para combustível. Muitos órgãos gostam de usar gordura como combustível, incluindo o cérebro (uma vez que a gordura é convertida em algo chamado cetonas).
- √ Ao todo, 40% dos casos de Alzheimer podem ser causados devido à insulina cronicamente elevada, que pode começar a prejudicar a função cognitiva décadas antes de um diagnóstico.
- √ Os grãos, incluindo o trigo, são estimulantes catastróficos do açúcar no sangue e da insulina, além de se mostrarem relativamente baixos em micronutrientes e são a principal fonte de calorias consumidas nos Estados Unidos. Não há requisitos biológicos humanos para grãos.

ALIMENTO PARA O CÉREBRO #4

CHOCOLATE AMARGO

Você sabia que os grãos de cacau eram tratados como moeda na região da Cidade do México até 1887? Esta fruta valiosa é tão historicamente reverenciada quanto saudável. Também está entre as mais ricas fontes alimentares naturais de magnésio, de acordo com meu amigo Tero Isokauppila, um finlandês especialista em coleta de alimentos, proprietário de cogumelos medicinais e um dos caras mais experientes em cacau que conheço.

Alguns dos benefícios mais impactantes de comer chocolate, um alimento fermentado naturalmente, vêm de sua abundância de flavonoides, um tipo de polifenol. Foi demonstrado que os flavonoides do cacau revertem os sinais de envelhecimento cognitivo, melhoram a sensibilidade à insulina, a função vascular, o fluxo sanguíneo para o cérebro e até mesmo o desempenho atlético.[1] De quase mil pessoas cognitivamente saudáveis com idades entre 23 e 98 anos, as que comiam chocolate pelo menos uma vez por semana tinham um desempenho cognitivo mais forte em memória visual-espacial e memória de trabalho e testes de raciocínio abstrato.[2] Mas como podemos ter certeza de que o cacau que estamos comprando é do tipo certo, dado o aparentemente interminável número de opções em nossos supermercados?

Para começar, verifique o rótulo para se certificar de que o cacau não *foi processado com álcali*, também conhecido como processamento holandês (geralmente aparece na lista de ingredientes, ao lado do cacau). Esse processamento degrada muito o conteúdo de fitonutrientes do cacau, pegando o que de outra forma seria benéfico e transformando-o em calorias vazias. A quantidade de açúcar contida no chocolate comprado em loja varia muito — você quer algo com o mínimo de açúcar e uma alta porcentagem de cacau, então procure chocolate com um teor de cacau acima de 80%. Qualquer coisa abaixo disso e o chocolate tende a cair em um território hiperpalatável. (Chocolate ao leite e chocolate branco são essencialmente apenas doces — puro açúcar.) Depois de encontrar uma boa barra de 85%, você notará que apenas um pedaço aqui e ali permite que você aprecie o chocolate sem criar um ciclo de *feedback* insaciável que perdura até que toda a barra desapareça.

Melhor ainda — faça seu próprio chocolate em casa para evitar qualquer açúcar e coma o quanto quiser! É surpreendentemente fácil — forneço uma ótima receita na página 270.

Modo de usar: Consumir uma barra de chocolate amargo 85% por semana. Prefira produtos orgânicos ou com certificação de comércio justo, que quase sempre são de origem ética.

PARTE 2

A INTERCONEXÃO DE TUDO (SEU CÉREBRO RESPONDE)

CAPÍTULO 5

CORAÇÃO SAUDÁVEL, CÉREBRO SAUDÁVEL

Lembro-me como se fosse ontem de quando comi minha primeira omelete. (O quê, você não lembra?) Estávamos na cozinha de nosso apartamento em Nova York quando minha mãe pegou um ovo para fazer uma omelete para mim. Eu tinha 7 ou 8 anos de idade. A minha mãe sempre teve medo de doenças cardíacas, pois seu pai morreu disso, o que provavelmente explica por que eu nunca a vi comer ovos quando eu era criança. Afinal de contas, as gemas ricas em colesterol, estiveram na berlinda nacional durante décadas como agente causador de doenças cardíacas. Uma noite, porém, ela se ofereceu para cozinhar um para mim como um prêmio.

Ela calibrou a chama sob sua amada frigideira de ferro fundido, presente de sua mãe, que havia sido temperada com o óleo de milho que sempre ficava ao lado do fogão.[1] Sentei-me na bancada para observá-la e, alguns momentos depois, peguei os talheres. Quando ela deslizou o prato para mim, minha empolgação pelo que seria minha primeira experiência de comer um ovo foi diminuído por um aviso repentino de minha mãe: "Você não pode comer isso com muita frequência. A gordura e o colesterol das gemas vão entupir suas pequenas artérias!" (Para seu crédito, ela também costumava me dizer que experimentar novos alimentos me tornaria um amante melhor para a futura Sra. Lugavere. Eu sempre fui meio chato para comer, e essa era a maneira de ela tentar me descontrair. Minha mãe sempre teve um senso de humor peculiar.

A promessa dela era verdadeira? Digamos que continuo sendo minucioso para comer. Alguns anos depois, estávamos de férias no sul da Flórida, onde muitos nova-iorquinos se refugiam para escapar do inverno frio. Foi lá que provei pela primeira vez outro alimento: coco. Imediatamente me apaixonei pela textura rica, a doçura sutil e o sabor tropical. Na idade avançada de 12 anos, entendi naquele momento por que os nova-iorquinos gostavam tanto da Flórida

---

1. Você se lembra daquelas gorduras poli-insaturadas delicadas e quimicamente reativas do Capítulo 2? Elas são ótimas para criar aquele revestimento antiaderente em sua frigideira, porque oxidam e se ligam ao ferro com muita facilidade – o processo exato que acontece no seu sangue! É quase impossível obter um revestimento antiaderente com azeite ou gorduras saturadas porque são quimicamente mais estáveis e não oxidam facilmente.

— os cocos! Mas esse caso também foi tragicamente interrompido quando minha mãe me disse que a polpa do coco não era saudável. "É rica em gordura saturada, que faz mal ao coração."

Neste capítulo, vamos dar um mergulho profundo em todos os aspectos relacionados à saúde vascular. Por que um capítulo inteiro dedicado aos vasos sanguíneos em um livro sobre o cérebro? Porque a saúde de suas veias e artérias afeta mais do que apenas o coração e seu potencial para doenças cardíacas. O cérebro é alimentado com nutrientes, energia e oxigênio por uma rede de aproximadamente 600 quilômetros de microvasculatura. Qualquer interrupção ao longo dessa rede (levando à redução do fluxo sanguíneo para o cérebro) não só contribui para o comprometimento cognitivo, aumentando o risco de doença de Alzheimer e demência vascular, como também pode produzir *déficits* mais sutis na função cognitiva que normalmente associamos ao envelhecimento.[1] E, realmente, quem quer isso?

A discussão dieta-coração

Presentemente estamos armados de uma compreensão muito mais profunda que antes da saúde vascular, mas, infelizmente, muitos médicos ainda oferecem prescrições desatualizadas. Não sabemos tudo, mas está cada vez mais claro que se existe um supervilão da dieta, não é a gordura saturada. Em 2010, o Dr. Ronald Krauss, importante especialista em nutrição nos Estados Unidos que esteve envolvido na coautoria de muitas das primeiras diretrizes dietéticas, concluiu em uma meta-análise que "não há evidências significativas para se concluir que a gordura saturada da alimentação esteja associada a um maior risco de DCC (doença cardíaca coronariana) ou DCV (doença cardiovascular).[2]"

Ainda assim, a "hipótese dieta-coração" —a ideia de que o colesterol por si só causa doenças cardíacas — persiste. Essa hipótese, também chamada de lipídica, teve origem em estudos iniciais sobre aterosclerose, doença na qual a placa se forma e cria um endurecimento e estreitamento das artérias. Nesses estudos, as placas de cadáveres dissecados estavam cheias de colesterol. Na verdade, essa é a base para a ideia cativante e frequentemente citada de que "comer alimentos gordurosos entope suas artérias", o que compara nossa biologia complexa ao que acontece quando você derrama gordura em um ralo frio. Como a gordura saturada aumenta o colesterol, e os alimentos ricos em colesterol, você sabe, contêm colesterol, a redução da ingestão de ambos se tornou o foco dos esforços para a prevenção e o tratamento de doenças cardiovasculares. Mas a biologia raramente é simples. Acontece que o colesterol costuma ser a testemunha inocente — presente na cena do crime, mas raramente o próprio vilão.

Muitos cientistas da nutrição, incluindo Ancel Keys, o pai da hipótese lipídica, tentam reduzir os alimentos integrais a seus "nutrientes" constituintes; e quem poderia culpá-los? A descoberta da vitamina C curou o escorbuto. A vitamina D previne o raquitismo. Essas foram grandes vitórias com soluções simples. Portanto, quando os cientistas voltaram seu foco para as doenças cardíacas, era sedutor acreditar no reducionismo simplista: o colesterol é encontrado nas artérias de vítimas de ataques cardíacos. Comer mais gordura saturada aumenta os níveis de colesterol no sangue. Portanto, a gordura saturada causa doenças cardíacas, aumentando os níveis de colesterol no sangue. Simples o suficiente para ser plausível para os médicos, e simples o suficiente para expor uma explicação bem contada ao público.

Mas, como os programadores de computador gostam de dizer: "entra lixo, sai lixo". A enorme complexidade e interação entre os alimentos e a biologia muitas vezes desafia nossa capacidade de modelá-los, quanto mais de mexer com eles, introduzindo alimentos purificados ou sintéticos. O estatístico Nassim Taleb, que se concentra em aleatoriedade, probabilidade e incerteza, e que previu a crise financeira de 2008, não esconde isso:

> *"Grande parte da pesquisa local em biologia experimental, apesar de seus atributos aparentemente 'científicos' e evidenciais, falha em um teste simples de rigor matemático. Isso significa que precisamos ter cuidado com as conclusões que podemos e não podemos tirar sobre o que vemos, não importa quão robusto pareça localmente. É impossível, por causa da maldição da dimensionalidade, produzir informações sobre um sistema complexo a partir da redução dos métodos experimentais convencionais da ciência. Impossível."*

Em outras palavras, dada a incrível complexidade de nossos corpos e nossas ferramentas científicas relativamente limitadas, devemos ser intensamente céticos em relação a qualquer mudança rápida e planejada em nosso suprimento alimentar. Quando o governo norte-americano interveio e limitou a gordura na dieta da população, nossos líderes caíram precisamente nessa armadilha: aplicar prematuramente observações científicas errôneas às políticas.

Na esperança de colocar o prego final no caixão da gordura saturada, Ancel Keys criou o que parecia ser um estudo padrão-ouro: um grande teste em longo prazo, duplo-cego, randomizado e controlado, chamado Pesquisa Coronariana de Minnesota. Se você se lembra do Capítulo 2, Keys era um epidemiologista – ele estudou associações entre saúde e doença em grandes grupos de pessoas. Esse experimento, que envolveu mais de 9 mil pacientes mentais institucionalizados, foi sua chance de provar que a ligação entre a gordura saturada e as doenças cardíacas era causal, com um sólido desenho de estudo.

Keys e seus colegas colocaram os participantes em uma de duas dietas. A dieta controle imitava a Dieta Americana Padrão, com 18% das calorias provenientes de gordura saturada. A dieta de "intervenção" continha apenas a metade disso – uma quantidade que estava de acordo com as recomendações nutricionais feitas pela Associação Cardíaca Americana e que mais tarde seria adotada pelo governo. Para compensar as calorias perdidas, os participantes receberam alimentos que foram cozidos ou feitos com óleo de milho polinsaturado, incluindo margarina, molhos para salada e até mesmo carne bovina "recheada" com óleo de milho, leite e queijos.

Ao longo de 5 anos, o estudo mostrou que o grupo do óleo de milho reduziu significativamente o colesterol, mas não mostrou nenhum benefício em termos de doenças cardíacas ou mortalidade em geral.[3] Essa falta de efeito era altamente contraditória com grande parte dos conselhos nutricionais que eram vendidos à população norte-americana. Prometiam-nos que a redução do colesterol no sangue por meio da menor ingestão de gordura saturada melhoraria os resultados de saúde, e não os paralisaria. Essa "verdade inconveniente" pode explicar por que os resultados do estudo foram curiosamente publicados em 1989, 16 anos após o fim do ensaio. Mas a história não termina aí.

Max Planck, físico ganhador do Prêmio Nobel, certa vez observou que "a ciência avança um funeral de cada vez", referindo-se à obstinação de personalidades científicas autoritárias e ferozmente territoriais. Isso foi confirmado quando, quase 30 anos após a data da publicação inicial da Pesquisa Coronariana de Minnesota, pesquisadores dos Institutos Nacionais de Saúde e da Universidade da Carolina do Norte descobriram dados não publicados empacotados em caixas no porão de um dos coautores, já falecido – um colega próximo de Ancel Keys.[4]

O que os pesquisadores encontraram nesses dados enterrados havia tanto tempo? Na reanálise, parecia que o óleo de milho teve um efeito sobre a saúde dos participantes, mas não foi bom: havia um risco geral de morte 22% maior para cada queda de 30 mg/dl no colesterol sérico. O grupo do óleo de milho também teve duas vezes mais infartos no período de 5 anos em comparação com o grupo da gordura saturada. Embora o óleo de milho baixasse o colesterol, eles estavam tendo resultados de saúde muito piores!

A conclusão desses dados chocantes é que o óleo de milho e outros óleos processados (e o açúcar) são provavelmente muito mais prejudiciais aos vasos sanguíneos do que a gordura saturada. Quão prejudiciais? Imagine-se levando um maçarico microscópico às artérias e você terá uma ideia. O resultado final da aterosclerose se parece exatamente com a pele de frango frito, como a médica Cate Shanahan descreve vividamente em seu livro *Deep Nutrition*. Você vai morrer, mas, ei — você terá menos colesterol.

Colesterol e o cérebro

É hora de fazer uma verificação da realidade. O colesterol é um nutriente vital para o corpo e, particularmente, para o cérebro, onde se encontram 25% do conteúdo total de colesterol do corpo. É um componente crítico de cada membrana celular, fornece suporte estrutural, garante a fluidez do transporte de nutrientes para dentro e para fora da célula e pode até servir como um antioxidante protetor. É essencial para o crescimento da mielina, a bainha isolante que envolve seus neurônios. (A mielina se torna uma vítima na esclerose múltipla, uma doença autoimune.) Também é importante para manter a plasticidade do cérebro e conduzir os impulsos nervosos, especialmente no nível da sinapse; a deficiência de colesterol nesse nível leva à degeneração sináptica e dendrítica da coluna.[5] As espinhas dendríticas, os pontos de contato semelhantes a galhos que facilitam a comunicação neurônio a neurônio, são consideradas a personificação física das memórias.

O Dr. Yeon-Kyun Shin, uma autoridade em colesterol e sua função no cérebro, publicou recentemente descobertas na revista *Proceedings of the National Academy of Sciences* alertando-nos para as consequências não intencionais do uso de medicamentos redutores de colesterol (neste caso, a classe onipresente de drogas chamadas estatinas). No comunicado de imprensa que o acompanhou, ele elaborou: "Se você priva o colesterol do cérebro, afeta diretamente o mecanismo que desencadeia a liberação de neurotransmissores. Os neurotransmissores afetam as funções de processamento de dados e memória. Em outras palavras — quão inteligente você é e quão bem você se lembra das coisas".

Estudos com grandes populações validaram os temores do Dr. Shin. No elogiado Estudo Cardíaco de Framingham, uma análise multigeracional em andamento do risco de doenças cardíacas em residentes dessa cidade em Massachusetts, 2 mil participantes dos sexos masculino e feminino foram submetidos a rigorosos testes cognitivos. Os pesquisadores descobriram que níveis mais elevados de colesterol total, mesmo acima da chamada faixa saudável, estavam associados a melhores pontuações em testes cognitivos envolvendo raciocínio abstrato, atenção e concentração, habilidades verbais e habilidades executivas.[6] Indivíduos com colesterol mais baixo apresentaram pior desempenho cognitivo. Outro estudo com 185 idosos sem demência descobriu que níveis mais elevados de colesterol total (combinando HDL e LDL), bem como de LDL sozinho (muitas vezes considerado o colesterol "ruim") estavam correlacionados com melhor desempenho de memória.⁷ Há até alguns dados sugerindo que o colesterol alto pode ser protetor contra a demência.⁸

Um estudo recente com 20 mil pessoas encontrou fortes evidências de que aquelas que usam medicamentos para baixar o colesterol chamados estatinas aumentam o risco de doença de Parkinson, a segunda doença neurodegenerativa mais comum, que afeta os movimentos. "Sabemos que o peso geral da literatura favorece que o colesterol mais alto está associado a resultados benéficos na doença de Parkinson, então é possível que as estatinas tirem essa proteção ao tratar o colesterol alto", disse Xuemei Huang, principal autor do estudo e vice-presidente de pesquisa da Faculdade de Medicina da Universidade Penn State em entrevista ao site Medscape. (Voltaremos às estatinas mais adiante neste capítulo.)

P.: Se o colesterol é tão bom para o cérebro, devo comer mais, certo?

R.: Sinta-se à vontade para comer alimentos que contenham colesterol; apenas saiba que não há necessidade de persegui-lo como nutriente. Isso ocorre porque o cérebro produz naturalmente todo o colesterol de que necessita. É mais importante garantir que o sistema de colesterol do corpo permaneça saudável e evitar (da melhor maneira possível) medicamentos como certas estatinas que podem interferir nessa síntese. Mais sobre isso adiante.

As funções do colesterol abaixo do pescoço também afetam o cérebro de maneiras importantes. Ele é necessário para criar ácidos biliares, que são essenciais para a absorção de gorduras que constroem o cérebro e nutrientes protetores solúveis em gordura. Usamos o colesterol para a síntese de muitos hormônios protetores do cérebro, como testosterona, estrogênio, progesterona e cortisol. Em conjunto com a exposição aos raios UVB do sol, o colesterol forma outro hormônio, a vitamina D, que está envolvido na expressão de quase mil genes no corpo, muitos dos quais participam diretamente da função cerebral saudável.

Então, neste ponto, você pode estar pensando: onde encontro essa coisa de colesterol? *Eu quero todo o colesterol possível!* Poderíamos realmente ter sido tão negligentes ao acusar injustamente um nutriente que tanto faz por nós?

A conexão colesterol-doença

Muitos alimentos de origem animal contêm colesterol e, durante muitos anos, fomos advertidos de que deveríamos limitar o consumo dessa substância gordurosa. Ainda assim, os alimentos com os quais nos preocupamos por tanto tempo, como gema de ovo, camarão e outros crustáceos, na verdade têm um efeito insignificante em nossos níveis circulantes de colesterol. Isso ocorre porque o corpo cria colesterol em quantidades muito maiores do que as encontradas nos alimentos. Só para lhe dar uma ideia, uma pessoa média cria colesterol equivalente a quatro gemas de ovo em seus corpos diariamente!

NOTA DO MÉDICO: HIPER-ABSORVENTES DE COLESTEROL

Se escrevêssemos isenções de responsabilidade aplicáveis antes de cada recomendação que fizemos neste livro, ele se tornaria completamente ilegível – apenas tenha em mente que tentamos enquadrar nossas palavras para serem aplicáveis à maioria das pessoas, na maior parte do tempo. Postulamos que a ingestão de colesterol na dieta, em geral, tem impacto mínimo sobre os níveis de colesterol no sangue. Como vilão da dieta, foi exonerado, pura e simplesmente. Mas, e sempre há um mas, há indivíduos específicos e variantes genéticas que são programados de forma diferente da maioria. A maioria das pessoas sintetiza seu próprio colesterol – mas algumas absorvem mais colesterol dos alimentos! Em casos específicos e especiais, especialmente ao lidar com marcadores de colesterol inexplicavelmente altos em torno de um evento cardíaco, podemos medir os marcadores sanguíneos de pessoas com produção interna de colesterol muito alta ou absorção anormalmente alta de colesterol dos alimentos. Isso pode orientar a terapia ao considerar por que uma estatina, que bloqueia a produção de colesterol, pode não estar funcionando para reduzir os níveis de colesterol no sangue em determinado paciente – essa pessoa pode estar absorvendo o colesterol dos alimentos! Os testes específicos estão além do escopo deste livro, mas para vocês, cidadãos-cientistas, aqueles com colesterol elevado tendem a ser superprodutores que respondem melhor às estatinas, enquanto as elevações no campesterol e beta-sitosterol, esteróis vegetais, indicam superabsorção na alimentação.

No entanto, há uma porcentagem nada trivial da população que ainda está sendo instruída a substituir gemas de ovo nutritivas por alternativas como cereais açucarados, aveia instantânea ou pior – a terrível omelete de clara de ovo! Uma recente pesquisa do Credit Suisse que examinou as percepções dos consumidores em relação à gordura descobriu que 40% dos nutricionistas e 70% dos clínicos gerais ainda acreditam que comer alimentos ricos em colesterol faz mal ao coração.[9] Os autores da pesquisa escreveram:

"A grande preocupação em relação à ingestão de alimentos ricos em colesterol (por exemplo, ovos) é completamente sem fundamento. Basicamente, não há ligação entre o colesterol que comemos e o nível de colesterol no sangue. Isso já era conhecido há 30 anos e foi confirmado várias vezes. Comer alimentos ricos em colesterol não tem efeito negativo na saúde em geral ou no risco de doenças cardiovasculares [DCV], em particular."

O colesterol dietético não é, e nunca foi, o problema para a maioria das pessoas. Agora, até mesmo a FDA (Agência de Alimentos e Drogas dos EUA) removeu o colesterol da lista de "nutrientes preocupantes" em sua última edição de Diretrizes Dietéticas para Americanos, colocando o prego final no caixão de um dos mitos dietéticos mais difundidos de nosso tempo.

Como mencionei, a grande maioria do colesterol circulante é produzida no corpo, onde uma parte é produzida em nosso cérebro, mas a maior parte por nosso fígado. Na verdade, ao ingerir menos colesterol, estamos enviando um sinal para que nosso fígado crie mais colesterol. Este é um fenômeno descrito pela primeira vez pelo crítico pioneiro da hipótese dieta-coração, Dr. Pete Ahrens, décadas atrás. Por outro lado, o colesterol que criamos em nossos corpos pode estar relacionado à doenças, se não mantivermos esse colesterol saudável.

Quando criamos colesterol em nosso fígado, a maior parte dele é transportado por todo o corpo em ônibus. Esses ônibus são suas partículas de LDL; LDL significa lipoproteína de baixa densidade (em inglês). O LDL costuma ser chamado de "colesterol ruim", mas essas partículas na verdade não são moléculas de colesterol e certamente não são ruins, pelo menos quando são produzidas. Em vez disso, são transportadoras à base de proteínas essenciais para ajudar as partículas solúveis em gordura, como o colesterol e os triglicerídeos, a se dissolverem ou se tornarem solventes no sangue. Como você provavelmente sabe, óleo e água não se misturam, e o sangue é 92% de água. Em outras palavras, as lipoproteínas são a solução da natureza para o problema da solvência.

O que descrevi é um modelo muito rudimentar para entender como o colesterol é produzido no corpo. Para começar a entender a ligação entre LDL e doença, você pode imaginar duas rodovias: Rodovia A e Rodovia B. As rodovias têm 100 pessoas em cada uma delas, todas se deslocando para o trabalho. Na Rodovia A, essas 100 pessoas estão em 100 carros diferentes. As 100 pessoas na Rodovia B se deslocam em cinco ônibus. A Rodovia A estará mais sujeita a acidentes, engarrafamentos e paralisação do trânsito – afinal, há 100 veículos nela. A Rodovia B só tem esses 5 veículos – os ônibus. Qual rodovia você prefere pegar para ir ao trabalho? A menos que você seja masoquista, sádico ou ambos, suponho que a Rodovia B.

INTERPRETANDO SEUS NÚMEROS

Seu teste de colesterol típico é semelhante a estimar as condições da estrada pesando todos os veículos em trânsito, mas um ônibus pode ter o mesmo peso de cinco carros, e o painel padrão não pode diferenciar entre os dois casos. A boa notícia é que agora temos um teste para medir o número total de veículos na estrada e o consideramos uma ferramenta inestimável. A má notícia é que a maioria dos médicos não sabe disso e nem todos os seguros-saúde o cobrem.

O número de partículas LDL, ou LDL-p, pode ser obtido com um teste denominado perfil lipídico de RMN (ressonância magnética nuclear). LDL-p representa o número total de partículas de LDL, ou veículos na estrada em nossa analogia com a rodovia, o que a pesquisa sugere ser um melhor previsor de risco. E, como em nossa analogia com a rodovia, no caso do LDL-p, se todo o resto for igual, um número menor é melhor.

Como mencionei, todos os passageiros com colesterol começam em ônibus, como no exemplo da Rodovia B. Esses ônibus são partículas de LDL que são "grandes e fofas" graças a seus muitos passageiros. Conforme as partículas largam passageiros, no entanto, elas encolhem para agir mais como carros, tornando-se "pequenas e densas". Agora, em um sistema saudável, essas partículas menores retornariam ao fígado para reciclagem em pouco tempo. No entanto, esse processo pode ser interrompido por dois cenários inadequados – levando assim a uma corrente sanguínea cheia de partículas pequenas e densas. Quando isso acontece, sua corrente sanguínea se parece mais com a Rodovia A, sinal de que seu corpo tem um problema de reciclagem.

No primeiro cenário inadequado, as partículas de LDL podem ser danificadas, devido à oxidação (uma função do tempo gasto na corrente sanguínea e exposição a subprodutos oxidantes) ou à ligação de moléculas de açúcar (esta é a glicação em funcionamento, abordada no Capítulo 3). Quando essas partículas sofrem danos, tanto os tecidos-alvo para entrega (sua gordura ou células musculares, por exemplo) como o centro de reciclagem no fígado têm dificuldade para reconhecer as partículas. É como tentar abrir uma fechadura com uma chave torta – o LDL não se encaixa mais.

Esse LDL danificado então fica preso na circulação e se acumula como uma colônia de leprosos errantes, eventualmente se estabelecendo na parede de uma artéria. Às vezes, isso significa que o colesterol total aumentará, mas se as partículas forem pequenas e densas o colesterol total pode não aumentar muito, quando aumenta. Isso talvez explique por que muitas pessoas que nunca tiveram colesterol alto (ou pessoas que tomam medicamentos, com colesterol reduzido artificialmente) ainda têm infartos.

O segundo cenário é que a própria fechadura pode ficar emperrada. Isso ocorre quando o fígado sofre estresse oxidativo e sobrecarga, devido ao consumo excessivo de carboidratos processados ou concentrados (entre outras coisas). Essencialmente, quando o fígado está digerindo carboidratos (ou carboidratos e gordura simultaneamente), álcool ou outras toxinas, ele não prioriza a reciclagem de lipoproteínas. Da mesma forma, quando um alvo, como uma célula muscular, já está "preenchido" com nutrientes, ele dirá "não, obrigado" quando a partícula de LDL passar. Qualquer dessas situações resulta em um tempo maior que uma partícula de LDL fica em circulação e na proximidade de subprodutos oxidantes – assim facilitando o dano e tornando mais provável que ela fique presa na parede do vaso. (Isso foi demonstrado em um estudo recente em que mulheres que fizeram uma dieta rica em carboidratos e baixa gordura viram seus níveis de colesterol oxidado aumentarem 27%, embora o colesterol total não tenha mudado.)[10]

"CÓDIGOS DE TRAPAÇA" DE RECICLAGEM DE LDL

Facilitar a carga de processamento no fígado pode levar a um perfil lipídico mais saudável, particularmente em certas populações genéticas que têm uma resposta diferente à dietas com muito alto teor de gordura ou alto teor de gordura saturada. Acredita-se que a variante do gene comum associado ao aumento do risco de doença de Alzheimer, ApoE4, promova uma reação exagerada dos lipídios do sangue à gordura saturada – ou seja, o aumento do LDL – em 25% da população que o possui.[11] Embora o mecanismo não seja totalmente compreendido, alguns pesquisadores suspeitam que seja devido à redução da reciclagem de LDL pelo fígado, que pode fazer com que o LDL fique mais tempo em circulação, diminuindo e causando problemas. Essas táticas provavelmente ajudarão a tornar seu fígado uma superestrela da reciclagem de LDL:

- ▶ **Recupere a sensibilidade à insulina.** Elimine grãos processados (mesmo o trigo integral), óleos inflamatórios e açúcares adicionados (especialmente em suco de frutas, xarope de agave e xarope de milho, rico em frutose) e reduza o consumo de frutas doces e vegetais ricos em amido.
- ▶ **Consuma mais azeite extravirgem.** Uma dieta rica em gorduras monoinsaturadas (comparada a uma dieta rica em carboidratos "saudáveis") reduziu a gordura hepática 4,5 vezes em um estudo com diabéticos que tinham excesso de gordura no

fígado. Abacates e óleo de abacate, nozes de macadâmia e azeite de oliva extravirgem são grandes fontes de gorduras monoinsaturadas.

- **Reduza o consumo de gorduras saturadas "adicionadas".** A gordura saturada reduz os receptores de LDL no fígado, aumentando o LDL.[12] Evite o excesso de manteiga, *ghee* e óleo de coco. Fontes de alimentos integrais (como carne de boi criado no pasto) são boas.
- **Abasteça-se de vegetais fibrosos.** Isso pode retardar a absorção de carboidratos e gordura, dando ao fígado mais tempo para processar uma refeição.
- **Reduza ou elimine o consumo de álcool.** Seis latinhas de cerveja podem causar esteatose hepática instantânea em jovens saudáveis – no decorrer de uma sessão!
- **Adote períodos de jejum intermitente, o que aumenta a reciclagem de LDL.** Mais sobre jejum no próximo capítulo.
- **Adote refeições pós-treino com alto teor de carboidratos e baixo teor de gordura, uma a duas vezes por semana.** Depois que a sensibilidade à insulina é recuperada, a insulina pode ser usada para "ligar" a máquina de reciclagem de LDL do fígado. Batata-doce ou arroz branco ou integral são boas opções com baixo teor de frutose para ajudar a acelerar o processo.

Assim que uma dessas partículas de LDL, agora tóxicas, penetra na parede do vaso, as moléculas de adesão são liberadas para marcar o local da lesão. Então, vários mensageiros pró-inflamatórios chamados citocinas são secretados, os quais alertam seu sistema imunológico sobre uma violação. Isso promove o acúmulo de células do sistema imunológico que aderem ao local da ação, formando o que é chamado de célula espumosa. Quando várias células espumosas se aglutinam, elas criam uma linha de gordura característica, marcando o início do que, com o tempo, pode se tornar uma placa, conforme outras células do sistema imunológico, plaquetas e a disfunção da parede arterial se combinam.

O processo de oxidação do LDL desempenha claramente um papel importante no desenvolvimento da aterosclerose. Curiosamente, a aterosclerose só é encontrada nas artérias, ao contrário das veias. Diferentemente destas, as artérias transportam sangue oxigenado em um ambiente de alta pressão, fornecendo um terreno fértil para que as partículas pequenas e densas de LDL sejam danificadas e colem na parede do vaso. E embora um infarto (devido ao acúmulo de placa nas artérias ao redor do coração) seja o que muitos considerariam o pior cenário, a aterosclerose pode acontecer em qualquer lugar, incluindo a microvasculatura que fornece oxigênio ao cérebro. Isso é demência vascular: muitos e muitos pequenos derrames no cérebro.[13] E é a segunda forma mais comum de demência depois de Alzheimer.

Mas e se você for jovem e saudável, a décadas de distância daquela doença cerebral que "só os velhos contraem"? Este elegante sistema de encanamento pode realmente afetar sua função cognitiva? Meu amigo e colega Dr. Richard Isaacson, que dirige a Clínica de Prevenção de Alzheimer na Weill Cornell Medicine e NewYork-Presbyterian, viu inúmeros pacientes cujos níveis elevados de partículas pequenas e densas de LDL se correlacionaram com funções executivas abaixo do esperado em testes cognitivos (isso inclui a habilidade de pensar claramente, concentrar-se e ser mentalmente flexível). Embora o mecanismo exato não seja claro, é plausível que os processos subjacentes descritos acima estejam contribuindo de alguma forma. O Dr. Isaacson está estudando rigorosamente essas associações, em um esforço para validar suas observações clínicas.

AUMENTANDO O FLUXO DE SANGUE NO CÉREBRO

Nossos cérebros são grandes consumidores de oxigênio. Vinte e cinco por cento de cada respiração que você faz vão atender diretamente às vorazes necessidades metabólicas do cérebro, e garantir que os lipídios do sangue estejam saudáveis é uma forma de manter seu suprimento de energia cognitiva sem interrupções. Felizmente, existem algumas outras maneiras de aumentar o fluxo sanguíneo saudável para o cérebro:

- √ **Coma chocolate amargo.** Foi demonstrado que os compostos do chocolate amargo (chamados polifenóis) aumentam a perfusão cerebral ou o fluxo sanguíneo para o cérebro. Como aprendemos com o Alimento Genial nº 4, escolha teor de cacau 80% ou superior (idealmente 85% ou mais – isso significa menos açúcar) e certifique-se de que o chocolate não foi processado com álcali, que degrada o teor de antioxidantes.
- √ **Elimine ou reduza grãos, açúcar e amido.** Permitir que seu cérebro funcione com gordura, ou mais especificamente com cetonas, pode aumentar o fluxo sanguíneo para o cérebro em até 39%.[14] Mais sobre isso no próximo capítulo.
- √ **Consuma mais potássio.** Alimentos com alto teor de potássio incluem abacate (um abacate inteiro tem o dobro de potássio que uma banana!), espinafre, couve, folhas de beterraba, acelga, cogumelos e, acredite ou não, salmão.
- √ **Delicie-se com alimentos ricos em nitratos.** O óxido nítrico dilata os vasos sanguíneos e expande as artérias, ao mesmo tempo que melhora o fluxo sanguíneo. Grama por grama, a rúcula tem mais nitratos que

qualquer outro vegetal. Os próximos incluem beterraba, folha de alface, espinafre, folhas de beterraba, brócolis e acelga. Uma única refeição rica em nitrato pode aumentar a função cognitiva.[15]

A doença cardíaca pode começar no intestino?

Um último modo pouco valorizado através do qual as partículas pequenas e densas de LDL podem se superexpressar no corpo é por meio de um intestino doentio.[16] No santuário de nossos intestinos reside uma impressionante população de bactérias. Na maioria das vezes, essas bactérias são amigáveis e melhoram nossas vidas de maneiras invisíveis. Mas, quando negligenciamos a manutenção de seu território, fragmentos bacterianos podem "sangrar" em nossa circulação, causando grandes problemas.

Um desses componentes bacterianos normais é o lipopolissacarídeo, ou LPS, também conhecido como endotoxina bacteriana (que significa "toxina interna"). Em circunstâncias normais, essa endotoxina é mantida com segurança em seus intestinos, assim como o ácido clorídrico altamente corrosivo que é mantido em seu estômago. Mas, ao contrário do estômago, o trato gastrointestinal (GI) inferior é um local de ativo transporte de nutrientes para a circulação. É um sistema bastante seletivo, mas, como resultado de nossas dietas e estilos de vida ocidentais, a barreira que controla essas transações pode se tornar inadequadamente porosa, permitindo que o LPS passe.

Uma maneira de nossos corpos fornecerem um meio de controle de danos é enviando portadores de colesterol LDL para resgatá-los, como bombeiros encarregados de apagar um incêndio. Acredita-se que as partículas de LDL têm uma finalidade antimicrobiana, contendo locais de encaixe chamados proteínas de ligação de LPS, que permitem que eles absorvam o LPS renegado.[17] Quando o fígado sente que o LPS entrou na circulação por meio da sinalização da inflamação, ele aumenta a produção de LDL para ligá-lo e neutralizá-lo. Um intestino "vazando" cronicamente pode, portanto, levar o LDL às alturas. Além disso, uma vez que o LDL se liga ao LPS, a endotoxina pode afetar a capacidade do fígado de descartar essas partículas portadoras de toxinas, criando um duplo problema. Um número pequeno, mas crescente de cardiologistas acredita que as doenças cardíacas se originam no intestino exatamente por esse motivo.[18] Aqui estão apenas algumas das maneiras de proteger seu intestino para promover níveis saudáveis de LDL:

- ▶ **Consuma muita fibra.** Folhas verde-escuras como espinafre e couve são excelentes fontes de fibra, assim como aspargos, tupinambos ou alcachofra de Jerusalém e *alliums* como alho, cebola, alho-poró e

chalota. Comece devagar e vá aumentando para evitar qualquer desconforto digestivo.
- **Duplique os alimentos crus que contêm probióticos.** Kimchi, chucrute e kombuchá – meu favorito – são ótimas opções.
- **Consiga muitos polifenóis.** Isso beneficia a você e seus micróbios intestinais diretamente. Boas fontes incluem azeite de oliva extravirgem, café, chocolate amargo e frutas vermelhas. Cebolas também são ótimas para apoiar a função de barreira intestinal.
- **Corte o açúcar de sua dieta, especialmente na forma de frutose adicionada.** A frutose, seja do açúcar orgânico de mesa (sacarose é 50% frutose, 50% glicose), xarope de agave (90% de frutose) ou xarope de milho rico em frutose (que na verdade é 55% frutose), não só aumenta a permeabilidade intestinal, mas facilita o vazamento de LPS para a circulação.[19] Frutas com baixo teor de açúcar são boas, porque são cheias de fibras e nutrientes que sustentam a própria resistência do intestino à permeabilidade. *Vive la résistance!*
- **Elimine trigo e alimentos processados da dieta.** Glúten (a proteína encontrada no trigo e adicionada a inúmeros alimentos processados) tem o potencial de expandir os "poros" do revestimento do intestino. Esse efeito pode ser ampliado por dietas com baixo teor de fibras e aditivos comuns em alimentos processados. Este tópico é explorado com mais detalhes no Capítulo 7.

NOTA DO MÉDICO:
HDL - O BOM, O RUIM E O FUGINDO

Antes da faculdade de medicina, quando um médico começou a me falar sobre "colesterol bom" e "colesterol ruim", meus olhos ficaram vidrados. Que dizer? Hoje, quando um médico me fala sobre "colesterol bom" e "colesterol ruim", meus olhos ainda ficam vidrados, mas por um motivo diferente – porque quando você entra na toca do coelho a analogia bom/ruim torna-se ridiculamente simplista.

A seção anterior enfoca a história do LDL porque, se tudo o mais se mantiver igual, mais partículas de LDL flutuando por mais tempo significam maior risco de doença.

As lipoproteínas de alta densidade, ou HDL, o "colesterol bom", por outro lado, são menos compreendidas – mas, assim como o LDL, a quantidade total de colesterol em seu teste de HDL pode ser menos importante do que o número de partículas funcionais saudáveis que você tem.

Acredita-se que as partículas de HDL beneficiem sua saúde porque são como os caminhões de limpeza. Eles pegam o colesterol em excesso nas partes remotas do corpo e o levam de volta ao fígado, onde é convertido em bile e eliminado. Na verdade, uma baixa proporção de LDL-HDL ou HDL-triglicerídeo é um indicador mais forte de risco de doença cardíaca do que alto "colesterol ruim". Curiosamente, a gordura saturada – embora aumente a quantidade de LDL no corpo – também aumenta o HDL, mantendo uma proporção de lipoproteínas favorável ao sistema cardiovascular.

Mas a quantidade de HDL que você tem não é tudo. Testes mais novos estão sendo desenvolvidos para examinar a funcionalidade do sistema de reciclagem de HDL. Chamamos isso de capacidade de efluxo: a eficiência com que seu HDL elimina o colesterol dos glóbulos brancos sobrecarregados em suas placas arteriais danificadas e o transporta de volta para o fígado.

Os outros aspectos do HDL funcional ainda estão sendo descobertos. Ele atua como um potente antioxidante e anti-inflamatório, auxilia na saúde dos vasos, promovendo a criação de óxido nítrico, um gás que mantém os vasos sanguíneos dinâmicos e abertos, podendo até ter um componente anticoagulante.

Ok, então você ama o HDL tanto quanto nós. Agora, como torná-lo mais funcional? Você adivinhou – uma dieta baixa em carboidratos. Adultos com síndrome metabólica (mais de um em cada dois adultos norte-americanos) geralmente têm HDL baixo, triglicerídeos altos e pressão arterial, açúcar no sangue e gordura abdominal elevados.

Uma dieta com baixo teor de carboidratos e rica em fibras reverte todos esses fatores e o devolve a um estado de saúde metabólica. Quando você considera que mesmo um nível de açúcar no sangue ligeiramente elevado aumenta em 15% o risco de infarto e derrame, isso fica óbvio.

Uma última coisa – as proteínas HDL provavelmente não são menos sensíveis ao "maçarico bioquímico" do estresse oxidativo de gorduras poli-insaturadas rançosas e açúcar do que as proteínas LDL, então você pode matar dois pássaros com uma cajadada reduzindo o consumo de óleos vegetais processados!

Estatinas: O ralo do cérebro

Uma consequência do medo generalizado do colesterol é o aumento meteórico das prescrições de um tipo de medicamento para reduzir o colesterol chamado estatinas. Se você ainda está a algumas décadas de receber uma prescrição, é provável que encontre um frasco no armário de remédios de seus pais. É claro o que elas são porque seus nomes químicos terminam em -*statina*. Estima-se que 20 milhões de norte-americanos tomem estatinas, o que as torna a classe de medicamento mais prescrita no mundo. A variante mais vendida é a rosuvastatina, que habitualmente fica em primeiro lugar na lista dos medicamentos mais vendidos nos Estados Unidos. Este é um grande negócio, que rendeu às empresas farmacêuticas US$ 35 bilhões em vendas em 2010.

Muito antes de minha mãe começar a mostrar sinais de declínio cognitivo, ela começou a tomar um desses medicamentos, quando um de seus médicos determinou que seu colesterol elevado precisava ser tratado. Apesar de ela nunca ter sofrido um infarto ou derrame, quando ela me disse por telefone que começou a tomar a droga (eu estava em Los Angeles na época), presumi que fosse segura e normal no processo de "envelhecimento". Além disso, um médico a havia prescrito. Como poderia não ser segura?

O problema é que as estatinas não são como cintos de segurança – muitas vezes têm efeitos colaterais indesejados, ou o que minha amiga psiquiatra Kelly Brogan chama simplesmente de "efeitos".

Como você aprendeu, o colesterol é importante para muitas coisas, incluindo imunidade, síntese hormonal e função cerebral saudável. As evidências sugerem que, embora as estatinas reduzam o LDL total, elas pouco fazem para reduzir a proporção de LDL pequeno, que é na verdade a variante de LDL que mais promove riscos e oxida facilmente. Isso ocorre porque as estatinas diminuem a quantidade de LDL criado pelo fígado, mas não resolvem o problema de reciclagem do LDL subjacente descrito anteriormente.

Na verdade, alguns estudos mostraram que as estatinas podem realmente aumentar a proporção de LDL pequeno e denso.[20] Muitos médicos, entretanto, não distinguem entre os padrões de LDL antes de pegar o receituário. (Para saber o tamanho de partícula dominante, junto com o número de partículas de LDL em seu sangue, peça a seu médico para fazer um perfil lipídico de RMN.) O Dr. Yeon-Kyun Shin, que mencionei anteriormente, está entre os cientistas que validam a noção que os medicamentos para baixar o colesterol também podem diminuir a produção de colesterol pelo cérebro. "Se você tentar baixar o colesterol tomando um remédio que ataca a máquina de síntese do colesterol no fígado, esse remédio vai para o cérebro também. E então reduz a síntese de colesterol necessária no cérebro", disse ele em um comunicado da Universidade Estadual de Iowa.

Como o cérebro é formado em grande parte por gordura, as estatinas com maior afinidade por gordura são capazes de penetrar mais facilmente no cérebro. Atorvastatina, lovastatina e sinvastatina são lipofílicas, ou amantes da gordura, e podem cruzar a barreira hematoencefálica com mais facilidade. Inúmeros relatos foram feitos dessas variantes lipofílicas que induzem efeitos colaterais cognitivos, imitando demência em casos extremos.[21] (A droga que minha mãe tomava no início de seus sintomas cognitivos era a lovastatina.) Por outro lado, pravastatina, rosuvastatina e fluvastatina são variantes mais hidrofílicas, ou que gostam de água, e podem ser opções um pouco "mais seguras".

As estatinas também reduzem os níveis de coenzima Q10 (CoQ10), um nutriente importante para o metabolismo cerebral. Como você aprenderá no próximo capítulo, o metabolismo do cérebro é de vital importância, e a diminuição do metabolismo foi considerada a primeira característica mensurável da doença de Alzheimer pré-clínica. CoQ10 também é um antioxidante solúvel em gordura e ajuda a manter o estresse oxidativo sob controle. Reduzi-la com estatinas pode ser uma má notícia para o cérebro rico em oxigênio e gorduras poli-insaturadas.[22]

NOTA DO MÉDICO: POR QUE NOS PREOCUPAMOS COM AS ESTATINAS

O paradigma sob o qual as estatinas foram originalmente estudadas e para o qual existem dados mais sólidos de apoio ao seu uso era a prevenção secundária – prevenir um infarto depois que você já teve um. A indicação para seu uso foi expandida para prevenção primária (prevenção de um evento cardiovascular em alguém que nunca teve) por meio de estudos financiados por empresas farmacêuticas, essencialmente rotulando milhões de norte-americanos que nunca tiveram um problema cardíaco como agora tendo a "doença" da hipercolesterolemia, ou colesterol alto. Mas isso é bom, certo? Estamos salvando vidas! O conceito-chave aqui, entretanto, é que a maioria das pessoas que tomam estatina para colesterol alto nunca teriam tido um infarto. Vou repetir: a maior proporção de pessoas que tomam estatinas são pessoas saudáveis. A estatina está ajudando alguém, mas para cada pessoa que ajuda, nós, como médicos, temos que administrá-la a centenas de pessoas potencialmente saudáveis, com os efeitos colaterais que a acompanham e nenhum benefício para a saúde.

Então, qual é o NNT para estatinas em adultos em risco sem doença cardíaca conhecida? Os estudos variam de 100 a 150 para prevenir um evento cardíaco (infarto ou acidente vascular cerebral), sem efeito na taxa de mortalidade. Em outras palavras, 99 de 100 indivíduos não teriam nenhum benefício com a estatina. Se isso fosse algo com custo mínimo e nenhum efeito colateral, como o cinto de segurança, poderíamos ser capazes de justificar dar à essas 99 pessoas esse medicamento extra.

Mas é aqui que entra o inverso de NNT – NNP, ou "número necessário para prejudicar". Para as estatinas, o NNP para desenvolver danos musculares (miopatia) é nove, ou cerca de um em dez pacientes, e o NNP para diabetes é 250. Não há resposta certa ou errada para "Devo tomar estatina?" Dito isso, você e seu médico devem ser capazes de ter essa conversa informada e chegar a uma decisão sobre o que você coloca em seu corpo e por quê. Infelizmente, a maioria dos médicos tem muito pouco tempo no clima atual dos seguros-saúde para ter uma conversa minuciosa com todos os pacientes, o que significa que eles são forçados a tomar atalhos e geralmente acabam tratando demais ou usando diretrizes padronizadas.

Como médico de atenção primária, prescrevo estatinas de forma muito seletiva, geralmente apenas no caso de prevenção secundária, ou seja, após um evento cardiovascular – e às vezes nem assim. Sempre faço parceria com meus pacientes para chegar a um plano global de redução de risco (incluindo muitas das recomendações deste livro!), no qual dieta e exercícios são os pilares.

Outro meio pelo qual as estatinas podem afetar o cérebro, tanto direta quanto indiretamente, é quase dobrando o risco de desenvolver diabetes tipo 2. Publicado em 2015, um estudo muito grande e de longo prazo envolvendo 3.982 usuários de estatina e 21.988 não usuários (todos com os mesmos fatores de risco para diabetes) descobriu que, embora todos os indivíduos tenham iniciado o estudo com saúde metabólica normal, o grupo da estatina teve o dobro da taxa de diabetes depois de 10 anos e outros acabaram com sobrepeso.[23] Lembre-se: ter diabetes tipo 2 aumenta o risco de doença de Alzheimer de duas a quatro vezes, junto com qualquer outra doença crônica, incluindo doenças cardíacas.[24]

A esta altura, você pode estar se perguntando: se as estatinas são tão amplamente prescritas, elas estão ajudando alguém além dos resultados financeiros das grandes farmacêuticas? Para pacientes que já têm doença cardiovascular, as estatinas fornecem um efeito anti-inflamatório, independentemente de seu efeito sobre o colesterol. Como já mencionei, a inflamação é o principal fator não só das doenças cardiovasculares, mas também do cérebro e, por esse motivo, as estatinas podem conferir algum benefício. Mas por que passar por todos os efeitos colaterais que acabei de mencionar, quando a inflamação pode ser modulada pela dieta e pelo estilo de vida?

O que eu espero que você tire desta seção, mesmo que você não esteja usando estatinas no momento, é uma noção de como os sistemas do corpo estão intrinsecamente conectados. Embora seu médico de atenção primária possa prescrever uma estatina com base em um relatório de "colesterol alto" e mandar você embora, os medicamentos não funcionam isoladamente. Nem, como você aprendeu, as substâncias fabricadas por nosso próprio corpo.

Portanto, reduza o consumo de carboidratos e gorduras poli-insaturadas – e coma todo o coco e omeletes que desejar – enquanto permite que o colesterol continue cumprindo com segurança suas muitas funções importantes no corpo. A seguir, como explorar a tecnologia de abastecimento híbrido mais avançada do universo – e não estou falando de um carro.

NOTAS DE CAMPO

- √ O colesterol é fundamental para o funcionamento ideal do cérebro e do corpo, mas seu meio de transporte, a partícula LDL, é altamente vulnerável aos insultos da dieta e do estilo de vida ocidentais.
- √ Evite açúcar, carboidratos refinados e possíveis insultos devastadores, como estresse crônico e dieta deficiente em fibras, que pegam uma coisa boa (suas partículas saudáveis de LDL) e a tornam ruim. O colesterol, o passageiro da partícula de LDL, costuma ser simplesmente um espectador inocente.
- √ Os óleos polinsaturados são facilmente oxidados e queimam o interior dos vasos sanguíneos.
- √ Danos no LDL são um produto de má reciclagem. Facilitar a carga de processamento no fígado o ajudará a reciclar o LDL de maneira mais eficaz, evitando que forme partículas pequenas e densas que podem se transformar em placas nas artérias.
- √ As estatinas são um ralo de cérebros – converse com seu médico antes de começar a usá-las ou interrompa o uso para prevenção primária (isto é, prevenir um problema cardíaco se você nunca teve um).

ALIMENTO PARA O CÉREBRO #5

OVO

As preocupações sobre o conteúdo "perigoso" de colesterol nas gemas de ovos foram descartadas. Grandes estudos recentes de longo prazo elucidaram que mesmo um alto grau de consumo de ovos não aumenta o risco de doenças cardiovasculares ou de Alzheimer – na verdade, os ovos aumentam a função cognitiva e os marcadores de saúde cardiovascular. Um estudo realizado em homens e mulheres com síndrome metabólica descobriu que com uma dieta reduzida em carboidratos, três ovos inteiros por dia reduziram a resistência à insulina, aumentaram o HDL e aumentaram o tamanho das partículas de LDL em um grau muito maior do que a suplementação equivalente com claras de ovos.[1]

Em um embrião, o sistema nervoso (que inclui o cérebro) está entre os primeiros sistemas a se desenvolver. Portanto, uma gema de ovo é perfeitamente projetada pela natureza para conter tudo o que é necessário para desenvolver um cérebro saudável e com desempenho ideal. Isso ajuda a fazer os ovos, especialmente as gemas, um dos alimentos mais nutritivos que você pode consumir. Eles contêm um pouco de quase todas as vitaminas e minerais exigidos pelo corpo humano, incluindo vitamina A, vitamina B12, vitamina E, selênio, zinco e outros. Eles também fornecem uma fonte abundante de colina, que é importante tanto para ter membranas celulares saudáveis e flexíveis quanto para um neurotransmissor de aprendizagem e memória chamado acetilcolina. E a gema do ovo contém luteína e zeaxantina, dois carotenoides que protegem o cérebro e aumentam a velocidade do processamento neural. Em um estudo da Universidade Tufts, a ingestão de apenas 1,3 gema de ovo por dia durante 4,5 semanas aumentou os níveis sanguíneos de zeaxantina em 114 a 142% e de luteína em 28 a 50% – uau![2]

Como usar: Desfrute do consumo liberal de ovos inteiros. Mexidos, pochés, fritos (em manteiga ou óleo de coco) ou cozidos com gema mole. Como as gemas contêm muitas gorduras e colesterol valiosos que são vulneráveis à oxidação, recomendo manter a gema escorrendo, ou mais como um creme, em vez de cozê-la (ovos duros, por exemplo). Para mexidos e omeletes, isso significa usar fogo baixo e manter os ovos cremosos ou macios, em vez de secos e duros.

Como comprar: Com tantas variedades de ovos disponíveis, pode ser difícil saber quais comprar – e muitas vezes isso depende do seu orçamento alimentar. Aqui está uma métrica simples para ajudar a orientar sua escolha:

CULTIVADO EM PASTO > ENRIQUECIDO COM ÔMEGA-3 > CRIADA LIVRE > CONVENCIONAL

Independentemente da variedade, os ovos são sempre uma escolha de baixo teor de carboidratos, barata e altamente nutritiva (mesmo ovos convencionais, se são o que seu orçamento permite). Eles são perfeitos para o café da manhã, mas podem ser ótimos em qualquer refeição – até mesmo o jantar. E, o mais importante, coma as gemas, pessoal!

CAPÍTULO 6

ABASTECENDO SEU CÉREBRO

Já vimos que a alimentação pode ajudá-lo a obter as membranas mais receptivas possíveis para seus 86 bilhões de células cerebrais. Discutimos como fornecer sangue e nutrientes saudáveis a essas células, e também por que devemos manter a sinalização da insulina bem regulada e o nível de açúcar no sangue baixo. Mas o que ainda temos que discutir são os motores dessas células, as organelas responsáveis por manter as luzes acesas: as mitocôndrias.

Neste exato momento, estamos em meio a uma crise energética global. Não é algo que você leia no jornal, não é o beneficiário de caros eventos para arrecadar fundos, bailes de gala ou bolsas científicas, e não é o assunto de uma dúzia de documentários da Netflix com atores famosos como produtores executivos. Ela pode, entretanto, ser responsável por fadiga mental, fome insaciável, névoa cerebral, esquecimento e decadência cognitiva generalizada.

Seu cérebro requer uma quantidade enorme de combustível para funcionar corretamente. Apesar de sua massa relativamente pequena – 2 a 3% do volume total do corpo –, é responsável por 20 a 25% da sua taxa metabólica em repouso. Isso significa que um quarto do oxigênio que você respira e dos alimentos que ingere está sendo usado para criar energia para abastecer os diversos processos cerebrais. Seja estudando para um teste, preparando-se para um discurso ou passando por seu aplicativo de namoro favorito, seu cérebro queima combustível na mesma velocidade que os músculos das pernas durante uma maratona.[1]

Nossa crise energética, contudo, não se deve à falta de combustível. Nossos cérebros, no mínimo, estão sobrecarregados. Pela primeira vez na história, há mais humanos acima do peso do que abaixo do peso caminhando pela Terra.[2] Então, o que explica o mal-estar cognitivo?

Punido na bomba

Em meados do século XX, a gasolina à base de petróleo se tornou o combustível usado pela grande maioria dos carros nas estradas. Só agora, décadas depois, percebemos que nosso vício em gasolina tem muitos efeitos colaterais de longo prazo e consequências imprevistas, não percebidas até que um estrago potencialmente irreversível foi causado no meio ambiente e em nossa saúde.

A glicose, uma das principais formas de combustível do cérebro, é em muitos aspectos semelhante à gasolina, e entra no sangue por meio dos carboidratos que consumimos. Um pãozinho quente? Glicose. Uma batata meio cozida? Glicose. Uma fatia de abacaxi doce altamente cultivado? Glicose (e frutose). Quando você a consome com frequência, a glicose fornece a principal fonte de energia para o cérebro. A partir desse açúcar, nossas mitocôndrias geram energia em nível celular por meio de uma forma de combustão complexa que envolve oxigênio. Esse processo é chamado de metabolismo aeróbico, e a vida, como a conhecemos, seria impossível sem ele. Mas, assim como a gasolina, o metabolismo tem um custo: exaustão.

Um dos subprodutos do metabolismo da glicose é a criação de compostos chamados espécies reativas de oxigênio, ou radicais livres. Essas moléculas zumbis danificadas são as mesmas descritas no Capítulo 2, e sua presença é um aspecto normal e inevitável da vida. Agora mesmo, enquanto você lê isto, as mitocôndrias por todo o seu corpo e cérebro estão convertendo glicose e oxigênio em energia e deixando para trás esses resíduos como resultado.

Os radicais livres não são todos ruins – durante o exercício, sua concentração é momentaneamente aumentada e eles se tornam poderosos mecanismos de sinalização, convencendo o corpo a se adaptar e desintoxicar de maneiras poderosas. (Vou cobrir isso com mais detalhes no Capítulo 10.) Em circunstâncias ideais, temos a capacidade de limpar esses compostos. Mas quando a produção excessiva de radicais livres é mantida, ela pode ultrapassar a capacidade do nosso corpo de limpar as coisas com eficácia, dando início a uma cascata de processos prejudiciais que levam ao envelhecimento e às condições associadas. Epilepsia, Alzheimer, Parkinson, esclerose múltipla (EM), autismo e até depressão são condições em que o estresse oxidativo corre solto no cérebro, propagando o processo da doença.[3]

É por isso que uma fonte alternativa de combustível para a glicose, o equivalente biológico de um combustível fóssil, pode ter valor, uma que queima de forma mais "limpa" e eficiente e pode ser sustentada por um período de tempo mais longo. Não precisamos ir muito longe. Os cientistas conhecem, desde meados dos anos 1960, uma poderosa fonte de combustível oculta em cada um de nós, descoberta ao se observar uma prática milenar.

Abrindo a mangueira cetônica

Quase todas as grandes religiões têm sua versão de um protocolo de jejum, desde o mês islâmico do Ramadã até o Dia da Expiação judaico, Yom Kippur. No livro de Atos, do Novo Testamento cristão, é dito que os crentes jejuariam antes de tomar decisões importantes. O que todas essas antigas tradições têm em comum é que reconheceram os efeitos psicológicos e fisiológicos do jejum muito antes de compreenderem a ciência por trás disso.

ABASTECENDO O SEU CÉREBRO

Depois que uma pessoa termina de digerir a última caloria de uma refeição, a primeira fonte de combustível de reserva que o cérebro usa é o fígado. O fígado desempenha centenas de funções incrivelmente importantes no corpo – você pode considerá-lo uma fábrica multifuncional de alta tecnologia, capaz de embalar, despachar, armazenar e descartar uma gama infinita de produtos químicos e combustíveis importantes. No capítulo anterior, você aprendeu sobre a função do fígado de reciclar os transportadores de colesterol como o LDL, mas outro papel importante é sua capacidade de fornecer um pequeno estoque de açúcar armazenado chamado glicogênio.

Quando os níveis de glicose no sangue começam a cair, o fígado libera glicose no sangue. A capacidade de armazenamento do fígado é bastante limitada, contendo apenas cerca de 100 gramas de glicogênio. Isso significa que essa fonte de reserva de açúcar tem vida curta, durando apenas cerca de 12 horas, mais ou menos, dependendo dos níveis de atividade.

Depois que o açúcar armazenado no fígado acaba, seu cérebro se torna a Audrey II da *Pequena Loja de Horrores*, que precisa ser alimentada. Isso é o que a maioria das pessoas sente quando experimenta a combinação de fome e raiva. Essa sensação se deve em parte a um cérebro que se tornou o equivalente a um alienígena comedor de gente vindo do espaço sideral. Sempre o servo obediente – e o Seymour em nossa analogia da Loja dos Horrores – o fígado dispara um processo chamado gliconeogênese, que se traduz em "nova criação de açúcar".

Como a melhor usina de reciclagem da natureza, o fígado mata dois problemas de uma vez – quando o corpo fica sem açúcar, o fígado pega proteínas desgastadas e disfuncionais de todo o corpo, desmonta-as em seus aminoácidos constituintes e as queima.[4] (Fígado picado? Na realidade, é o fígado quem corta as proteínas em cubos e as transforma em açúcar.) Cérebro alimentado, corpo limpo. Essa capacidade de nossos corpos de "limpar a casa" como meio de rejuvenescimento celular é chamada de autofagia e é atualmente uma área de foco estimulante para pesquisadores da longevidade.

Quando você experimenta períodos regulares de alimentação e jejum, a autofagia ocorre em uma base diária. Hoje, infelizmente, é raro a permitirmos, com a alavanca emperrada permanentemente no modo alimentação. Mesmo sendo um processo desejável, sem um sistema de controle e equilíbrio biológico ele pode sair do controle rapidamente. Seu músculo esquelético (como seu bíceps ou quadríceps, ou, Deus me livre, seus glúteos) pode se tornar um alvo para a gliconeogênese, visto que eles são essencialmente grandes "bancos" de proteínas.

Quebrar músculos não seria exatamente desejável para um caçador-coletor faminto. Durante os períodos de fome, isso também não compraria muito tempo – suportar as necessidades metabólicas do cérebro apenas com proteína levaria à morte em cerca de 10 dias.[5] Para evitar isso, um hormônio chamado hormônio do crescimento torna-se acentuadamente elevado quando o corpo está em jejum. O hormônio do crescimento desempenha muitas funções, mas sua principal função em adultos é preservar a massa magra em jejum – ou seja, interromper a quebra da proteína muscular para a obtenção de glicose. Depois de apenas 24 horas de jejum, o hormônio do crescimento pode atingir até 2.000% (mais sobre isso no Capítulo 9), enviando a nossos corpos um sinal para suspender a quebra muscular e acelerar o mecanismo de queima de gordura.

A gordura, por outro lado, está lá para ser queimada. É a lenha do corpo, contendo mais de 3 mil calorias de reserva de combustível para o cérebro em apenas meio quilo. Uma pessoa de peso médio anda com dezenas de milhares de calorias de reserva, enquanto uma pessoa obesa pode carregar centenas de milhares! Ao contrário do açúcar, o número de calorias que podemos armazenar como gordura é virtualmente ilimitado.

Quando o tecido adiposo – a gordura que fica embaixo da pele e ao redor da cintura – é quebrada durante os períodos de fome, ácidos graxos são liberados na corrente sanguínea para serem transformados pelo fígado em um combustível chamado corpos cetônicos, ou simplesmente cetonas. As cetonas são facilmente absorvidas pelas células do cérebro e podem fornecer até 60% das necessidades de energia do cérebro. Em um artigo publicado em 2004, o pesquisador pioneiro de cetonas Richard Veech escreveu: "Os corpos cetônicos merecem a designação de 'supercombustível'", e você está prestes a saber o porquê.

A solução para a poluição?

Ao contrário da glicose, as cetonas são consideradas uma fonte de combustível de "queima limpa", porque criam mais energia por unidade de oxigênio em menos etapas metabólicas, gerando menos moléculas zumbis (radicais livres) em sua conversão em energia.[6] Também foi demonstrado que elas aumentam drasticamente a disponibilidade de antioxidantes naturais como a glutationa, o neutralizador de radicais livres mais potente do corpo, tornando a utilização das cetonas um ótimo negócio contra o envelhecimento: "dois por um".[7]

Mas as virtudes das cetonas, que promovem a longevidade, não param por aí. Foi demonstrado que sua presença no cérebro ativa as vias genéticas que aumentam os níveis de BDNF (fator neurotrófico derivado do cérebro), o "hormônio do crescimento" que pode facilitar o humor, a aprendizagem e a plasticidade saudáveis, protegendo ainda mais nossos neurônios do desgaste da vida simples.[8] Como mencionei no capítulo anterior, eles também afetam positivamente o suprimento de sangue no cérebro, aumentando o fluxo sanguíneo em até 39%.[9]

GORDURA DE BEBÊ NÃO É SÓ FOFINHA – É UMA BATERIA

Você tem visto um bebê ultimamente? Estou falando de um recém-nascido, que acaba de sair do útero. Eles são gordinhos e fofos. Mas principalmente gordos. Repletos de energia armazenada antes do nascimento no terceiro trimestre; a gordura dos bebês humanos não tem precedentes no mundo dos mamíferos. Enquanto os recém-nascidos da maioria das espécies de mamíferos têm em média 2 a 3% do peso ao nascer como gordura corporal, os humanos nascem com uma porcentagem de gordura corporal de quase 15%, superando a gordura até mesmo de focas recém-nascidas. Por que é assim? Porque os humanos nascem malcozidos.

Quando um bebê humano saudável emerge do útero, ele nasce fisicamente indefeso e com um cérebro subdesenvolvido. Ao contrário da maioria dos animais ao nascer, um humano recém-nascido não está equipado com um "catálogo completo" de instintos pré-instalado. Estima-se que se um humano nascesse em um estágio de desenvolvimento cognitivo semelhante ao de um bebê chimpanzé a gestação teria pelo menos o dobro da duração (isso não parece divertido – certo, senhoras?). Por nascer "prematuramente", os cérebros humanos completam seu desenvolvimento não no útero, mas no mundo real, com olhos e ouvidos abertos – é provavelmente por isso que somos tão sociáveis e inteligentes! E é durante esse período de rápido crescimento do cérebro, que alguns chamam de "quarto trimestre", que nossa gordura serve como um importante reservatório de cetona para o cérebro, pois pode ser responsável por quase 90% do metabolismo do recém-nascido.[10] Agora você sabe: *a gordura do bebê não serve apenas para beliscar. Serve para o cérebro.*

No contexto de uma dieta ocidental "normal" rica em carboidratos, a produção significativa de cetonas é inibida na maior parte do tempo.[11] Isso ocorre porque os alimentos ricos em carboidratos provocam uma resposta insulínica no pâncreas e a cetose sofre uma parada brusca sempre que a insulina está elevada. A supressão da insulina, por outro lado, seja pelo jejum ou pela ingestão de uma dieta muito pobre em carboidratos estimula a cetogênese. Vamos explorar essas duas rotas para a criação de cetonas.

JEJUM INTERMITENTE

Atualmente, os humanos passam a maior parte do tempo se alimentando, com pouco tempo em jejum. Normalmente comemos desde o momento em que acordamos até o momento em que vamos dormir. Entretanto, isso não aconteceu durante a maior parte da história humana. Muito antes de os livros de religião ou dieta tornarem a privação de calorias uma opção cuidadosamente considerada, nossos ancestrais pré-agrícolas experimentavam regularmente o jejum em consequência do suprimento imprevisível de alimentos. Seus cérebros (e aqueles que herdamos) foram forjados nessa incerteza e são elegantemente adaptados para oscilar entre os estados de alimentação e jejum, como resultado.

Ao restringir periodicamente nossa ingestão de alimentos, forçamos a adaptação fisiológica e a produção de cetonas. Existem muitos protocolos de jejum diferentes que podemos escolher. Ao garantir um intervalo de 16 horas desde a última caloria ingerida, você está praticando o método comum de jejum "16:8" (que representa 16 horas de jejum e 8 de alimentação permitida). Isso pode ser feito diariamente e confere muitos dos benefícios do jejum, a saber: reduzir a insulina e promover a quebra das gorduras armazenadas. (Geralmente, recomendamos que as mulheres comecem com 12 a 14 horas em vez de 16. Os sistemas hormonais das mulheres podem ser mais sensíveis aos sinais de escassez de alimentos. Por exemplo, jejuns prolongados podem afetar negativamente a fertilidade.)

Uma maneira de atingir um jejum de 12 a 16 horas pode ser simplesmente pular o café da manhã, uma refeição não essencial, apesar do que dizem as empresas de cereais "matinais". Prorrogar o jejum que você suporta todas as noites enquanto dorme também faz uso do hormônio da vigília do corpo, o cortisol, que atinge o pico de 30 a 45 minutos depois de uma pessoa acordar. Esse hormônio ajuda a mobilizar ácidos graxos, glicose e proteínas do armazenamento para uso como combustível, o que pode fornecer um pequeno bônus adicional (mais sobre isso no Capítulo 9), em vez de pular o jantar.

Pular o café da manhã também funciona porque geralmente é mais fácil começar a comer mais tarde do que parar de comer mais cedo, já que o jantar tende a ser nossa refeição mais social. Mas se você não puder pular o café da manhã, jantar mais cedo é uma alternativa válida, como mostrado em um estudo recente da Universidade Estadual da Louisiana. Nesse estudo, indivíduos com sobrepeso consumiram todas as calorias entre 8 e 20h — o tempo médio de alimentação para a maioria das pessoas. Mas quando os pesquisadores disseram aos participantes para pularem o jantar e pararem de comer às 14h, a queima de gordura (isto é, cetonas), em oposição à glicose, aumentou. Os participantes também mostraram uma flexibilidade metabólica melhorada, que é a capacidade do corpo de alternar entre a queima de carboidratos e gorduras. Isso significa que fazer um jantar leve, comê-lo no início da noite ou pular a refeição uma ou duas vezes por semana pode ajudar a acender as chamas da queima de gordura. (Comer tarde também pode interromper a inclinação natural do corpo a relaxar à noite.) Outros protocolos de jejum em estudo incluem o jejum em dias alternados (que, como o método 16:8, é outro exemplo de "alimentação com horário restrito") e dietas de baixa caloria. A ideia por trás desta última é que o corpo reage a um *deficit* de energia liberando calorias armazenadas, independentemente de haver consumo de carboidratos.

Essas dietas que imitam o jejum (termo cunhado pelo pesquisador Valter Longo) podem conferir benefícios significativos, incluindo redução de fatores de risco e biomarcadores para envelhecimento, diabetes, câncer e doenças neurodegenerativas e cardiovasculares.[12]

Dentre as opções disponíveis, qual estilo de jejum você deve escolher? Henry David Thoreau fez a famosa observação de que "a vida é desperdiçada em detalhes". Quando se trata de escolher (e seguir) um protocolo, a maioria das pessoas, homens ou mulheres, se beneficiará de não comer durante 1 ou 2 horas (ou mais) após acordar e não comer durante 2 a 3 horas antes de dormir. Isso fará uso dos ritmos naturais do corpo para otimizar a criação de cetonas e entre outras coisas positivas.

CREATINA:
UM CONSTRUTOR DE MÚSCULO (E CÉREBRO)

No mar de alegações de marketing exageradas que apoiam uma indústria de suplementos de bilhões de dólares anuais, a creatina é considerada uma das poucas ferramentas marcadamente eficazes com um histórico de forte evidência e perfil de segurança.

É uma substância natural produzida no corpo e encontrada em carnes vermelhas e peixes (meio quilo de carne crua contém 2,5 gramas de creatina), e a suplementação com ela leva a um desempenho muscular substancialmente maior.

Adenosina Trifosfato (ATP) é a moeda de energia das células, usada durante a contração muscular. Uma vez que o ATP é usado por uma célula durante o exercício intenso, a creatina atua como uma reserva de energia, reciclando-se para criar um novo ATP. Nenhuma glicose ou oxigênio adicional é necessário, e a produção de ATP permanece constante. O consumo de creatina adicional leva ao aumento dos estoques de energia celular no músculo, o que permite maior reposição de energia.

Mas a creatina não é apenas para oferecer energia durante exercícios de ginástica pesados. É uma necessidade do cérebro, atuando como uma reserva de alta energia para ajudar a reciclar rapidamente o ATP. Enquanto o uso de ATP se mantém estável durante o esforço mental, os níveis de creatina caem em apoio às necessidades energéticas do cérebro, e os níveis mais elevados de creatina cerebral estão correlacionados com melhor desempenho da memória.[13]

Os vegetarianos e veganos, por não comerem carne vermelha ou peixe, carecem das principais fontes de creatina na dieta e, como resultado, têm níveis mais baixos dela no sangue do que os onívoros.[14] (Embora o corpo crie sua própria creatina, fazer isso é um estresse para o sistema – que pode aumentar os níveis de um aminoácido chamado homocisteína, que é um marcador de risco para doenças cardíacas e Alzheimer.)[15] Quando os vegetarianos receberam creatina suplementar (20 gramas por dia durante 5 dias), sua função cognitiva melhorou.[16] Isso foi replicado em outro estudo, onde a suplementação de apenas 5 gramas de creatina por dia durante 6 semanas melhorou a memória de trabalho, a velocidade de processamento e reduziu a fadiga mental em vegetarianos. De acordo com os pesquisadores, essas descobertas destacaram um "papel dinâmico e significativo da capacidade de energia do cérebro em influenciar o desempenho".

Nesses estudos, onívoros jovens e saudáveis não experimentaram um aumento cognitivo significativo, mas os vegetarianos sim. Por quê? O cérebro pode ter um ponto de saturação além do qual suplementar com creatina adicional é inútil e, simplesmente comendo carne, a pessoa chega a esse ponto. Por outro lado, nas pessoas que não consomem muita carne vermelha ou peixe, pode haver espaço para "completar" o suprimento do cérebro em benefício da função cognitiva. Mas as que comem pouca carne não são o único grupo que pode se beneficiar: a capacidade do corpo de produzir creatina e fornecê-la ao cérebro pode diminuir com a idade.[17] Um estudo surpreendente em onívoros idosos descobriu que a suplementação de creatina realmente aumentou a cognição.[18] E, finalmente, portadores do gene de risco de Alzheimer, o alelo ApoE4, têm níveis mais baixos de creatina no cérebro.[19] Eles, e aqueles que estão em risco ou já apresentam sintomas cognitivos, podem se beneficiar dos aspectos neuroprotetores e de sustentação de energia da creatina. (Certifique-se de verificar novamente com seu médico antes de tomar suplementos de creatina, especialmente se você tiver problemas renais.)

A DIETA CETOGÊNICA

A dieta cetogênica clássica é o meio padrão de aumentar drasticamente a produção de cetonas sem ter que se envolver em uma alimentação com horário restrito ou perder calorias. A dieta se concentra em minimizar a secreção de insulina com uma ingestão extremamente restrita de carboidratos, derivando de 60 a 80% das calorias da gordura, 15 a 35% das proteínas e 5% dos carboidratos.[20] Para alguém em uma dieta cetogênica, fontes concentradas de carboidratos, sejam frutas doces, grãos ou vegetais ricos em amido, como batatas, são proibidas.

PROTEÍNA NA DIETA CETOGÊNICA

Ao contrário da crença popular, as dietas cetogênicas não são ricas em proteínas. Isso ocorre porque o excesso de proteína (além da necessária para manter os músculos) pode ser transformada em glicose no corpo, um processo chamado gliconeogênese. A proteína dietética também estimula a insulina, embora em grau muito menor do que os carboidratos – a insulina ajuda a transportar aminoácidos da proteína para o tecido muscular esquelético para auxiliar no reparo (isso é útil no contexto do treinamento de resistência, por exemplo, em que promove a síntese de proteína muscular).

A dieta cetogênica tem sido usada clinicamente há mais de 80 anos como um poderoso tratamento para a epilepsia, quando pode reduzir drasticamente a incidência de convulsões e acalmar a inflamação no cérebro. Tem sido tão eficaz, e seu histórico de segurança tão robusto, que está sendo avaliada como uma opção terapêutica para várias outras doenças neurológicas. Enxaqueca, depressão, Alzheimer, Parkinson e até esclerose lateral amiotrófica, ou ELA, são todas condições associadas à inflamação excessiva do cérebro.[21] Qualquer uma dessas condições pode teoricamente se beneficiar das cetonas não apenas para tratamento, mas também para prevenção. (Foi descoberto que a dieta cetogênica melhora a função da memória em pacientes com comprometimento cognitivo leve – considerado pré-demência – e até mesmo doença de Alzheimer precoce.)[22]

As dietas cetogênicas também estão sendo estudadas como um tratamento potencial para certos tipos de câncer. As células desses cânceres prosperam em ambientes com alto teor de insulina e não possuem a "tecnologia híbrida" do resto do corpo, o que significa que não conseguem sobreviver sem corpos cetônicos. Se isso acontece em longo prazo ainda não se sabe, já que as células cancerosas são notórias por contornar, sofrer mutação e se adaptar até mesmo aos ambientes mais tóxicos. No final das contas, porém, a insulina e "peptídeos semelhantes à insulina" intimamente relacionados, chamados IGF1 e IGF2, são fatores de crescimento poderosos para qualquer célula, saudável ou cancerosa, que contenha receptores para eles.[23] Se usados para tratar problemas neurológicos, servir como uma redefinição metabólica para pessoas com diabetes tipo 2 (uma dieta cetogênica irá, em média, reduzir pela metade a quantidade de insulina circulante e melhorar o controle da glicose após apenas 1 dia), ou para as que procuram perder muita gordura, dietas cetogênicas oferecem muitas promessas.[24]

O plano alimento para o cérebro

O Plano Alimento para o cérebro (totalmente delineado no Capítulo 11) é, sem dúvida, uma variante da dieta cetogênica. Combina o jejum intermitente e com a baixa ingestão de carboidratos para aumentar a disponibilidade de cetonas para o cérebro. No entanto, ela difere da dieta cetogênica descrita na literatura neurológica em alguns aspectos importantes.

Por um lado, as dietas cetogênicas padrão não são projetadas para considerar a ciência florescente do microbioma, que abordaremos no capítulo seguinte. O microbioma nos recompensa quando consumimos uma ampla e diversificada variedade de vegetais fibrosos – vegetais que contêm carboidratos, mesmo que sejam poucos – e, portanto, o Plano Alimento para o cérebro inclui esses alimentos. (Esses vegetais também contêm vitaminas e minerais importantes que não queremos economizar.)

Outra diferença importante está nos tipos de gordura: a quantidade de gordura que deve ser consumida nas versões padrão da dieta cetogênica pode torná-la substancialmente mais difícil de fazer considerações importantes para a construção do cérebro, como garantir a proporção adequada de ômega-3 para ômega-6. A dieta cetogênica médica não faz tais estipulações e classicamente depende de alimentos como creme de leite e queijo para compor a maior parte das calorias (enquanto o Plano Alimento para o cérebro leva em conta a proporção de ômega-3 e ômega-6 e se ajusta de acordo).

O exercício é um aspecto importante de qualquer protocolo cerebral ideal, talvez o mais significativo, e aquele que você tem nas mãos não é diferente. As pessoas que sofrem de "cetose crônica", por causa de dietas cetogênicas de longo prazo, podem descobrir que seu desempenho no treino começa a cair, especialmente quando procuram ganhar músculos ou força com exercícios de alta intensidade. Preservar os músculos é essencial à medida que envelhecemos e, de fato, está diretamente relacionado com uma maior capacidade cerebral.[25] Uma refeição ocasional com alto teor de carboidratos pós-treino, embora não seja normalmente usada numa dieta cetogênica, é permitida no Plano Alimento para o cérebro (apenas quando a flexibilidade metabólica for recuperada) para garantir que a capacidade de treinamento, o metabolismo, hormônios e lipídios permaneçam em uma faixa ideal. Darei detalhes específicos sobre como abordar essas refeições na página 243.

CARBOIDRATOS PÓS-TREINO: UMA DROGA PARA AUMENTAR O DESEMPENHO?

Os carboidratos não são "ruins" – eles apenas são lamentavelmente mal utilizados hoje. Se você decidir consumi-los, é melhor cronometrá-los de modo que o estímulo anabólico sirva a um propósito funcional no corpo – melhorar seu desempenho, não o sobrecarregar. O melhor cenário? Reabastecer o tecido muscular com açúcar armazenado após uma sessão de exercícios vigorosos.

O treinamento de resistência é um dos meios mais conhecidos de melhorar a sensibilidade geral à insulina, mas o período pós-treino, em geral, tem o benefício adicional de transformar os músculos em uma esponja para o açúcar no sangue. Isso se deve ao receptor GLUT4, um canal para a glicose. Esses receptores se escondem sob a superfície das membranas das células musculares até que comecem a se contrair, momento em que emergem para a superfície. (Lembra-se dos receptores de neurotransmissores do Capítulo 2 e como eles sobem à superfície? Este é exatamente o mesmo mecanismo econômico, elegantemente readequado aos músculos. Seu DNA e genoma são como um jogo de construção – com partes modulares e intercambiáveis que podem ter diferentes funções usando os mesmos blocos de construção!)

Uma vez presente na superfície da célula, um receptor de GLUT4 (proteína) se transformará em uma "torneira" que permite que o açúcar flua para a célula como água através de uma represa aberta. Isso significa que para a mesma quantidade de carboidratos menos insulina é necessária para distribuí-los e descartá-los com segurança se consumidos após o treino.

O que isso significa para você? Os carboidratos são menos propensos a promover o armazenamento de gordura, e você mais cedo retornará ao estado de queima de gordura. Essencialmente, o momento mais seguro para consumir carboidratos complexos simples ou concentrados é depois de fazer exercícios. *Mereça seus carboidratos!*

Voltando para as "configurações de fábrica"

Pode ser assustador começar uma dieta com pouco carboidrato, para não falar no jejum intermitente – acredite, eu sei. Quando eu era criança, minha mãe tentava todos os anos (em vão) fazer com que eu jejuasse um dia em comemoração ao feriado judaico de Yom Kippur, o que eu considerava um masoquismo inútil. Preferia fazer uma visita ao meu dentista, o Dr. Moskowitz, para apertar meu aparelho a pular uma refeição. Hoje, porém, posso jejuar facilmente durante horas.

DEIXANDO OS CARBOIDRATOS? COMA SAL

Um fator frequentemente esquecido que às vezes faz com que as pessoas se sintam mal quando começam uma dieta baixa em carboidratos é que, reduzir a insulina (uma coisa boa), pode esgotar o sódio do corpo. Entre sua miríade de funções, o sódio ajuda a transportar vitamina C para o cérebro, onde é usado para criar neurotransmissores que podem afetar seu humor e a memória. O sódio também é fundamental para manter o desempenho nos exercícios quando você elimina os carboidratos.

De acordo com o cientista de pesquisa cardiovascular e especialista em sódio James DiNicolantonio, durante a primeira semana de restrição de carboidratos você pode precisar de até 2 gramas adicionais de sódio – cerca de uma colher de chá de sal por dia para se sentir bem – o que pode ser reduzido para 1 grama após a primeira semana. Lembre-se: a experimentação individual é fundamental. (Você pode assistir a uma entrevista de 30 minutos que fiz com James em http://maxl.ug/james dinicinterview para saber mais sobre este tópico fascinante.)

"Mas meu médico me mandou fazer uma dieta com baixo teor de sódio por causa da pressão arterial!". A insulina e o açúcar podem afetar a pressão arterial mais do que o sal. Eles estimulam a cascata de luta ou fuga do corpo, o que pode promover pressão alta e fazer o corpo reter mais sódio de qualquer maneira.

Quando negamos cronicamente ao nosso cérebro qualquer trégua da glicose, isso cria um vício, o que explica por que a retirada repentina de carboidratos pode causar dores de cabeça e fadiga. Foi o que eu experimentei como um pré-adolescente que come pizza e biscoito recheado. No entanto, quando você combina fases periódicas de baixo teor de carboidratos com jejum regular, você define o estágio fisiológico para devolver seu metabolismo à "configuração de fábrica". Ao reduzir a insulina e permitir que a "mangueira" de cetona seja ligada, você recupera a flexibilidade metabólica, treinando assim seu metabolismo para trabalhar para você, e não o contrário. Este é o Santo Graal da saúde metabólica.

Os sete passos seguintes para se tornar metabolicamente flexível envolvem adaptar seu cérebro para usar as cetonas da gordura como combustível, e eles imitam a cascata estabelecida pelo jejum. Teorizamos que a "fome-com-raiva" e as dores de cabeça que podem ocorrer durante este período de 3 a 7 dias corresponde à regulação das enzimas pelo cérebro necessária para processar as cetonas como combustível.

Esses tempos são aproximados, supondo um estado não adaptado às cetonas.

1. Esgotamento do último carboidrato consumido. (4 a 12 horas).
2. Esgotamento dos carboidratos armazenados no corpo. Lembre-se de que o fígado pode armazenar cerca de 100 gramas de carboidratos na forma de glicogênio, mais ou menos, dependendo do tamanho do corpo. (12 a 18 horas).
3. Diminuição da degradação de aminoácidos para preservar o músculo. (20 a 36 horas).
4. Decomposição dos aminoácidos para a gliconeogênese. (24 a 72 horas).

5. Aumento da produção e utilização de cetonas. (48 a 72+ horas).
6. Regulação positiva das enzimas que queimam cetonas no cérebro. Isso leva até 1 semana, mas pode ser reduzido esvaziando os estoques de carboidratos mais rapidamente com exercícios de alta intensidade, comendo uma dieta geral com menos carboidratos ou integrando triglicerídeos de cadeia média, discutidos à frente. (1 a 7 dias).
7. Entrar em um estado de flexibilidade metabólica. Aqui, uma refeição ocasional de carboidratos pode ser consumida sem interromper o estado de gordura adaptada, especialmente durante ou após um treino.

O segredo para experimentar a verdadeira liberdade dos alimentos está em cortar nossa dependência da glicose e restabelecer o tipo de flexibilidade metabólica que nossos ancestrais conheciam bem. Depois de alguns dias com uma dieta baixa em carboidratos, a sensação de fome e o desejo por mais alimentos ricos em carboidratos começará a diminuir e, por fim, desaparecerá. Aqui estão alguns sinais de que o fluxo de gordura do seu corpo está funcionando:

- ▶ Você consegue passar várias horas sem comer e não querer matar ninguém.
- ▶ Você não deseja lanches ricos em amido ou açucarados entre as refeições.
- ▶ Sua mente está afiada e clara, e seu humor e níveis de energia são estáveis.
- ▶ O exercício moderado não induz fome voraz ou fadiga.

NOTA DO MÉDICO: MULHERES E DIETAS SUPERBAIXAS EM CARBOIDRATOS

Embora geralmente defendamos uma dieta com baixo teor de carboidratos e não a dieta norte-americana padrão, deve-se notar que há diferenças genéticas e de gênero substanciais na tolerância aos carboidratos. Em particular, as mulheres em dietas ultrabaixas em carboidratos e cetogênicas podem apresentar perda de peso estagnada, problemas de humor e interrupção do ciclo menstrual. A quantidade ideal de carboidratos em uma base diária ou semanal geralmente deve variar conforme o nível de atividade física e pode ser entre 30 a 150 gramas por dia. Falaremos mais sobre a quantidade de carboidratos e tempo no Capítulo 11.

Cetonas:
Salva-vidas para o cérebro que envelhece?

Agora que você sabe entrar em um estado de cetose, deve estar ciente de que os benefícios de permitir que o cérebro "queime" cetonas em vez de glicose não terminam no fato de elas serem uma fonte de combustível de queima mais limpa. Um dos principais benefícios do fornecimento de cetonas ao cérebro, que ainda não mencionei, é que certos cérebros podem funcionar melhor quando têm a oportunidade de usar cetonas. Esses cérebros podem ser incapazes de processar a glicose eficazmente, mas recebem pouca ou nenhuma alternativa graças às nossas dietas "ceto-deficientes", termo cunhado pelo pesquisador de cetonas Sam Henderson.[26]

Um excelente exemplo podem ser os portadores do gene de risco de Alzheimer mais bem definido, o alelo ApoE4. Os portadores de uma ou duas cópias deste gene, que constituem mais de um quarto da população, demonstraram apresentar baixo metabolismo da glicose no cérebro.[27] Isso ocorre aparentemente em todo o espectro de idade, começando já na faixa dos 20 e 30 anos, o que é bem antes da idade em que os sintomas relacionados à memória costumam surgir.

Os portadores do alelo ApoE4 têm um risco de duas ou 12 vezes maior de desenvolver a doença, dependendo de herdarem uma ou duas cópias. Apesar do risco aumentado, no entanto, muitos portadores de ApoE4 nunca desenvolvem a doença de Alzheimer. Ainda mais estranho, um número significativo de pacientes com doença de Alzheimer não são portadores dessa variante do gene. E ainda, os não portadores que desenvolvem a doença de Alzheimer, em última análise, exibem o mesmo metabolismo reduzido de glicose em seus cérebros que os portadores de ApoE4, implicando que o metabolismo cerebral da glicose prejudicado é um possível fator causador da doença. Este paradoxo levanta a questão: a relação preocupante entre o ApoE4 e a doença de Alzheimer é mais um sintoma do padrão alimentar que fomos forçados a adotar?

O gene ApoE4 é considerado o gene "ancestral", estando no conjunto genético humano há mais tempo do que outras variantes. Em populações com exposição precoce à agricultura (ou seja, acesso a cereais e amidos), a frequência do gene é menor, sugerindo que nossas dietas modernas podem ter selecionado contraportadores desse gene.[28] Ainda hoje, quando olhamos para partes menos industrializadas do mundo, a teoria é válida. Veja o povo iorubá de Ibadan, na Nigéria, cujas dietas não foram industrializadas como a nossa. Entre eles, o gene ApoE4 é relativamente comum e, ainda assim, tem pouca ou nenhuma associação com a doença de Alzheimer quando comparado aos afro-americanos.[29] Os iorubás tendem a consumir menos de um terço do açúcar que os norte-americanos consomem *per capita*, e carboidratos de um índice glicêmico mais baixo em geral.[30]

O que isso significa para você? Se você carrega o gene do risco de Alzheimer (estatisticamente, um em cada quatro leitores deste livro o terá), seu cérebro pode ser particularmente inadequado para a dieta "pós-agrícola" rica em açúcar e carboidratos.

No momento em que uma pessoa é diagnosticada com doença de Alzheimer, o metabolismo da glicose no cérebro já está reduzido em 45% em comparação com pessoas saudáveis. Mas, como mencionei, qualquer cérebro pode enfrentar dificuldades para derivar energia da glicose, muito antes de surgirem problemas de memória. Além do alelo ApoE4, esta situação pode ser o resultado da mesma dieta e estilo de vida que estimulam o desenvolvimento de diabetes tipo 2.[31] Em um estudo revelador, a resistência à insulina no corpo era um previsor de metabolismo de glicose diminuído (chamado hipometabolismo) nos cérebros de adultos cognitivamente normais. "As marcas da doença de Alzheimer, como o hipometabolismo de glicose e a perda de tecido cerebral, estão fortemente associadas à resistência periférica à insulina", escreveram pesquisadores na revista *Physiological Reviews*.

A NOVA FRONTEIRA: TRATANDO ALZHEIMER COMO DOENÇA METABÓLICA

Quando se trata da forma mais comum de demência, é provável que haja muitas variáveis interativas que decidem o destino de uma pessoa. Como diz meu amigo Richard Isaacson, especialista em prevenção de Alzheimer: "Depois de ver um caso de doença de Alzheimer, você viu um caso de doença de Alzheimer". A complexidade da doença, associada ao fato de que começa no cérebro bem antes do aparecimento dos sintomas, pode explicar por que os testes com o medicamento para Alzheimer apresentam uma taxa de erro de 99,6%, e por que ninguém jamais se recuperou disso.

Recentemente, o Instituto Buck de Pesquisa sobre Envelhecimento relatou que era capaz de "reverter" os sintomas em nove entre dez pacientes com vários graus de comprometimento cognitivo, incluindo a doença de Alzheimer. O programa foi projetado para melhorar a saúde metabólica: os níveis de açúcar no sangue e de insulina eram reduzidos, e os pacientes eram instruídos a fazer dietas com "baixo teor de grãos" para estimular a produção de cetonas.[32] Ao mesmo tempo, foram abordados outros fatores conhecidos por desempenhar um papel na saúde metabólica, como deficiências de nutrientes, problemas de sono e estilos de vida sedentários. No total, 36 intervenções personalizadas foram "prescritas" para cada sujeito, muitas das quais estão de acordo com as recomendações feitas neste livro.

Ao final de 6 meses, a maioria dos pacientes relatou melhora em sua capacidade de pensar e lembrar, o que seus parceiros comprovaram. O teste cognitivo também revelou uma melhora. O relatório afirmou que alguns que não conseguiam trabalhar devido à gravidade de seu declínio cognitivo foram capazes de retomar seus empregos, e as varreduras cerebrais até mostraram que um paciente adicionou volume ao hipocampo vulnerável – um crescimento de quase 10%!

Isso significa que a doença de Alzheimer pode ser "reversível"? Embora seja tentador tirar grandes conclusões desses poucos casos, apenas um punhado de pacientes nesse ensaio tinha a doença de Alzheimer real. Portanto, para responder a essa pergunta, seriam necessários estudos controlados maiores e com metodologia científica mais rigorosa. No entanto, essa abordagem da "pia da cozinha" apresentou um ângulo novo e valioso a partir do qual lidar com o comprometimento cognitivo é lidar com um problema metabólico.

Tomados em conjunto, talvez não seja surpreendente, então, que um grupo de pesquisa da Universidade Brown (liderado pela neuropatologista Suzanne de la Monte) cunhou o termo "diabetes tipo 3" para descrever a doença de Alzheimer. Este conceito, que desde então tem sido amplamente referenciado na literatura médica, caracteriza diretamente a doença de Alzheimer como tendo origem metabólica.

Não se engane: *um cérebro privado de energia é uma má notícia.* Na verdade, o esquecimento que associamos ao envelhecimento típico pode ser um dos primeiros sinais de que o cérebro está tendo dificuldade para se abastecer. A boa notícia é que, além de ajudar a reduzir o estresse oxidativo e a inflamação, fornecer cetonas ao cérebro (com o Plano Alimento para o cérebro ou qualquer variante de uma dieta cetogênica) pode ajuda-lo a "manter as luzes acesas" até a velhice. Isso ocorre porque, ao contrário da glicose, a capacidade do cérebro de derivar energia das cetonas aparentemente não é afetada pela velhice, pelo gene ApoE4 ou pela doença de Alzheimer.[33]

Como bônus, as dietas cetogênicas até mesmo demonstraram aumentar o número de mitocôndrias cerebrais (as usinas de energia das células) – aumentando assim a eficiência metabólica, que de outra forma diminui com a idade e mais acentuadamente em condições neurológicas.[34]

Não posso simplesmente comer minhas cetonas?

Há outro meio de fornecer cetonas ao cérebro que mencionei brevemente: consumir alimentos especiais geradores de cetonas. Estes são alimentos que contêm uma fonte natural de uma gordura dietética relativamente rara, chamada triglicerídeo de cadeia média, ou TCM. Os TCMs são abundantes em óleo de coco, óleo de palma, leite de cabra e leite materno, e têm um efeito único e importante em nosso corpo.

Após o consumo, essas gorduras vão direto para o fígado[1] para ser transformadas em cetonas, uma propriedade surpreendente que pode elevar a quantidade de cetonas no sangue, dia ou noite, em jejum ou alimentado.[35] O pesquisador

---

1. A maioria das gorduras, como a gordura do azeite de oliva ou de um hambúrguer de boi alimentado no pasto, entra no sistema linfático durante o consumo, onde se espalha por todo o corpo.

Stephen Cunnane descobriu que em um estado não cetótico, sem jejum, o cérebro poderia potencialmente extrair de 5 a 10% de seu combustível dessas cetonas suplementares. Curiosamente, esse é o mesmo grau de perda de combustível no hipometabolismo visto em cérebros jovens com o alelo ApoE4.

Dos 14 gramas de gordura em uma colher de sopa típica de óleo de coco, de 62 a 70% são puro TCM, a maior parte do qual é ácido láurico. No leite materno, o ácido láurico também constitui a maior proporção dos TCMs. Além do ácido láurico, o óleo de coco contém outros ácidos graxos, incluindo ácido cáprico e ácido caprílico, que podem ser ainda mais cetogênicos — particularmente o último, que é o principal ácido graxo defendido para uso no tratamento de epilepsia resistente a medicamentos.[36] Frequentemente, esses ácidos graxos são isolados para criar formulações de óleo TCM puro, que são quase 100% de triglicerídeos de cadeia média produtores de cetona.

P.: Os suplementos de cetona e o óleo de TCM me ajudam a queimar mais gordura?

R.: Os suplementos de óleo de TCM e cetona podem fornecer benefícios cognitivos sérios, mas geralmente são comercializados como uma ajuda à perda de peso — para a qual não são ideais. As cetonas produzidas pelo seu corpo são o subproduto da gordura sendo queimada. Quando você adiciona cetonas exógenas, que ainda é uma forma de energia que precisa ser queimada, você está, na verdade, impedindo seu corpo de usar sua própria gordura. Para perda de peso achamos que é melhor e mais significativo fazer suas próprias cetonas do que as consumir de fontes externas.

Para pessoas com doença de Alzheimer ou outras condições neurodegenerativas, o óleo TCM pode ser particularmente útil. Na doença de Alzheimer, ocorre uma mudança na preferência alimentar quando os sofredores desenvolvem uma queda por doces.[37] Isso pode ser um chamado de socorro de seus cérebros metabolicamente enfermos, famintos por energia e para obter açúcar na forma de carboidratos de digestão rápida — exatamente os tipos de alimentos que aumentam a insulina, estimulam a inflamação e bloqueiam a produção de cetonas. O óleo de coco ou TCM suplementar teoricamente podem contornar esse problema específico, enquanto os carboidratos da dieta são reduzidos gradualmente. Quando essas cetonas dietéticas foram administradas em pessoas que sofriam perda de memória, a cognição melhorou em alguns estudos e pelo menos um relato de caso detalhou respostas positivas de um paciente com Alzheimer avançado que consumiu apenas duas colheres de sopa por dia.[38] Você pode até obter uma receita de um alimento medicinal feito de ácido caprílico, aprovado pela FDA para o tratamento da doença de Alzheimer. (Seu uso como estratégia preventiva para Alzheimer está sendo estudado atualmente.)

MARY NEWPORT:
UMA PIONEIRA DO ÓLEO DE COCO

Eu me familiarizei com o trabalho de Mary Newport com óleo de coco desde o início. Seu marido, Steve, foi diagnosticado com doença de Alzheimer e adquiriu dificuldades para realizar muitas atividades diárias, incluindo alguns de seus passatempos favoritos. Depois de tentar todas as opções farmacêuticas disponíveis sem muita sorte, Mary decidiu procurar algo melhor.

Ela topou com um comunicado à imprensa sobre um "alimento medicinal" que estava sendo desenvolvido, composto de ácido caprílico, um TCM. O comunicado à imprensa afirmava que, ao fornecer cetonas ao cérebro, melhorava a memória e a cognição em quase metade dos pacientes com Alzheimer testados. Com a doença há 7 anos devastando rapidamente o cérebro de seu marido, Mary estava desesperada para colocar as mãos nesse produto experimental, mas a aprovação da FDA só aconteceria 1 ano depois. Foi quando ela teve uma revelação.

Mary Newport é médica em neonatologia, uma subespecialidade da pediatria que consiste no atendimento médico de bebês recém-nascidos. Ela já estava familiarizada com os TCMs porque eles são um componente do leite materno e eram comumente usados nas décadas de 1970 e 1980 para ajudar recém-nascidos muito prematuros a ganhar peso. Desde então, o TCM e o óleo de coco foram adicionados a praticamente todas as fórmulas alimentícias infantis. O treinamento único de Mary lhe ensinou que ela poderia simplesmente dar óleo de coco ao marido, em vez de esperar que a formulação médica chegasse ao mercado.

Mary começou a dar a Steve pouco mais de duas colheres de sopa de óleo de coco por dia, calculada para a quantidade equivalente de TCMs em uma dose do alimento medicinal, e então, administrou um teste de desenho do relógio, que às vezes é usado para avaliar a função cognitiva (qualquer pessoa com um ente querido com demência deve conhecer esse teste). Depois de apenas duas semanas tomando doses diárias de óleo de coco, o desenho do relógio de Steve melhorou drasticamente. Logo, Mary começou a cozinhar com ele e a oferecê-lo a Steve sempre que possível. Na quinta semana, o relógio de Steve apresentava uma melhora superior à do primeiro dia. Veja na página a seguir[2].

---

2. Imagens cedidas por Mary Newport.

ABASTECENDO O SEU CÉREBRO

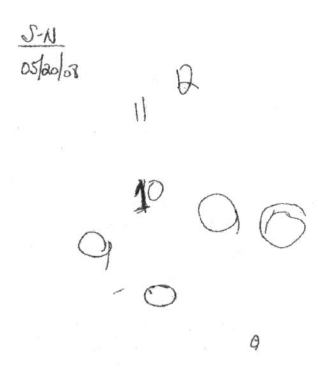

1 dia depois do consumo de óleo de coco

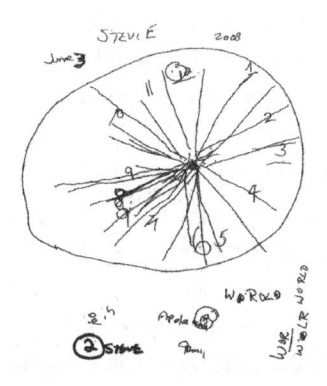

14 consumindo de óleo de coco.

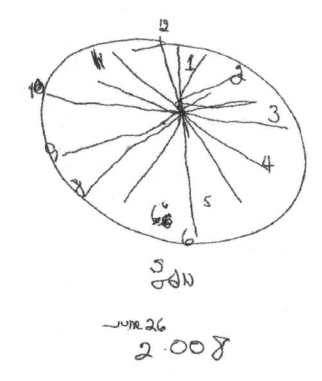

37 consumindo de óleo de coco.

No ano seguinte, Mary aumentou gradualmente a dose de Steve para 11 colheres de sopa de óleo de coco combinado com óleo de TCM por dia (aumentar a dosagem de óleo de TCM muito rapidamente pode causar diarreia). De acordo com os relatórios de Mary, a memória de Steve melhorou, assim como sua pontuação nos testes cognitivos. Ele recuperou muitas de suas habilidades para realizar tarefas diárias, "recuando pelo menos 2 a 3 anos em seu processo de doença", diz Mary. Em dois dias em que Steve perdeu a dose, ela se lembra de uma acentuada regressão em suas habilidades – um sinal de que o óleo de coco pode ter sido o responsável pela melhora de Steve. Ela continuou a dar óleo de coco a Steve durante quase 10 anos e implementou mudanças na dieta e no estilo de vida semelhantes às que recomendo neste livro.

Para aqueles que são cognitivamente saudáveis e acostumados a uma dieta rica em carboidratos, os óleos e gorduras TCM também podem ajudar a suplementar a energia do cérebro enquanto você reduz a carga de carboidratos – mas isso atualmente é apenas uma especulação informada. Para muitos que estão adotando uma dieta com baixo teor de carboidratos pela primeira vez, a "gripe de baixo teor de carbos" pode ser uma ocorrência comum nos primeiros dias, caracterizada por sentimentos de letargia, névoa cerebral e irritabilidade – portanto, qualquer coisa com potencial para ajudar a dar um impulso em seu cérebro durante esse período valeria a pena. Certamente, não há mal nenhum em tentar, e alguns dos benefícios cerebrais das cetonas ainda podem ser obtidos ao incluir esses óleos em sua dieta à medida que você reduz a dependência da glicose. Sinta-se à vontade para experimentar – apenas esteja ciente de que ainda não foi realmente testado. Embora você possa estar pensando que o óleo TCM seria a cobertura perfeita para uma porção de macarrão ou adicionado à sua tigela de cereal matinal (quem não gostaria de ter no seu bolo e comê-lo também?), forçar uma elevação de cetonas no contexto de uma dieta rica em carboidratos ignora muitos dos problemas subjacentes que levam à neurodegeneração e ao envelhecimento do cérebro, para começar, ou seja, o excesso de insulina. Igualmente importante, as cetonas transitórias de um suplemento nunca atingirão as concentrações alcançadas durante uma dieta cetogênica ou período de jejum. A suplementação com óleo de coco ou mesmo com óleo TCM puro disponível no mercado, sem jejum, é o equivalente a despejar água em um copo já cheio. Jejuar ou comer uma dieta baixa em carboidratos, permitindo assim que seu corpo gere suas próprias cetonas, é o mesmo que beber desse copo.

Lembre-se: a "lipoaspiração bioquímica" – que é quando seu corpo tem a capacidade de explorar suas próprias reservas de gordura e usá-las como energia – ocorre quando você reduz a insulina o suficiente, não porque adicionou gordura à dieta. Em adultos saudáveis, as cetonas são simplesmente um marcador de todos os outros processos maravilhosos que acompanham o jejum que já mencionamos. Quando você está queimando sua própria gordura, adicionar óleo contribui com calorias — o que é ótimo, mas tenha em mente que um grande excedente de calorias, seja de carboidratos, proteínas ou gordura, pode, eventualmente, fazer com que você ganhe peso. Nos tempos modernos, muitos de nós passamos a maior parte de nossas vidas sem que nossos cérebros se adaptassem ao uso de nossa própria gordura como combustível, pois estamos sempre comendo. Dê ao seu corpo e cérebro uma chance de queimar essa gordura, e a biologia o recompensará.

A seguir, um "órgão esquecido" escondido dentro de você — e seu poderoso papel no desempenho saudável do seu cérebro.

NOTAS DE CAMPO

As cetonas são consideradas um "supercombustível", capaz de reduzir o estresse oxidativo no cérebro e regular positivamente os genes envolvidos na neuroplasticidade.

- √ Certos cérebros são incapazes de usar a glicose com eficácia e as cetonas podem fornecer uma fonte alternativa de combustível.
- √ Um equívoco comum é que as cetonas são criadas como resultado da ingestão de mais gordura. Na verdade, as cetonas são geradas quando a insulina é reduzida, o que é resultado do jejum ou de uma dieta pobre em carboidratos.
- √ A flexibilidade metabólica é um objetivo maior do que a cetose crônica (a menos que seja para tratar uma condição neurológica em que a cetose médica pode ser justificada). Com a flexibilidade metabólica, podemos desfrutar de flertes com a cetose, ao mesmo tempo em que nutrimos a saúde intestinal e aproveitamos o "reabastecimento" ocasional de carboidratos para manter o desempenho físico. Isso não interromperá o estado de adaptação à gordura.
- √ Aumentar as cetonas com óleo TCM enquanto se consome carboidratos em excesso anula o propósito e ignora muitos dos problemas subjacentes que levam à neurodegeneração.

ALIMENTO PARA O CÉREBRO #6

CARNE DE BOI CRIADO EM PASTO

A indústria da carne, no estado atual, é cruel, insustentável e francamente indefensável. No caso da carne bovina, a indústria produz carne que não é saudável, de animais estressados que são cheios de antibióticos e alimentados com uma dieta altamente antinatural de cereais descartáveis e até mesmo doces.³ Mas não vamos misturar carne de criação industrial com a carne bovina que vem de animais saudáveis que puderam pastar na grama (sua dieta natural), experimentando — como seus fazendeiros gostam de dizer — apenas um dia ruim.

Grande parte do debate em torno do valor nutricional da carne gira em torno das proteínas, mas acredito que seja fundamental ampliar a conversa para outros nutrientes que desempenham um papel importante em nossa função cognitiva. Por exemplo, a carne de boi alimentado com pasto é uma fonte rica em minerais essenciais como ferro e zinco, onde são embalados de uma forma que o corpo pode utilizar facilmente. (É diferente, digamos, do ferro do espinafre ou do zinco das leguminosas.)³⁹ A carne de boi de pasto também é uma grande fonte de gorduras ômega-3, vitamina B12, vitamina E e até mesmo certos nutrientes como a creatina (abordado na página 129), que, embora não sejam essenciais, são altamente benéficos. Os pesquisadores acreditam que foi o acesso a esses mesmos nutrientes (junto com a explosão de energia calórica da carne cozida) que catalisou a evolução de nossos cérebros em supermáquinas cognitivas modernas. As deficiências de qualquer um desses micronutrientes estão associadas a distúrbios relacionados ao cérebro, incluindo baixo QI, autismo, depressão e demência.

Poucos conhecem a ligação entre dieta e saúde mental melhor que a Dra. Felice Jacka, diretora do Centro de Alimentação e Humor da Universidade Deakin, a quem tive o privilégio de entrevistar. Em 2017, ela publicou o primeiro ensaio de controle randomizado do mundo mostrando o efeito antidepressivo de alimentos saudáveis (detalho suas descobertas na página 176). Anteriormente, ela descobriu que as mulheres que não consumiam a recomendação nacional da Austrália, de três a quatro porções de carne de boi por semana, tinham duas vezes mais probabilidade de ficar deprimidas ou sofrer de ansiedade ou transtorno bipolar do que as que o faziam.⁴⁰ (Ela também descobriu que, embora um pouco fosse melhor que nada, mais não era necessariamente melhor — as mulheres que consumiam mais que a quantidade recomendada também corriam maior risco.) Na Austrália, os bois tendem a ser alimentados com pasto por padrão — um detalhe importante.

E quanto ao valor da carne para a função cognitiva de um grupo particularmente vulnerável: as crianças? Longe do alcance dos aplicativos de entrega de alimentos, a desnutrição ainda representa um problema de saúde pública em várias partes do mundo. Um desses lugares é o Quênia, onde Charlotte Neumann, pesquisadora da Escola Fielding de Saúde Pública da Universidade da Califórnia em Los Angeles, observou

---

3. Você leu corretamente. Animais em confinamento são rotineiramente alimentados com *junk food*, como doces, biscoitos e *marshmallows*, porque esses alimentos fornecem carboidratos baratos para engordá-los.

que as crianças que consomem mais carne tendem a ter um melhor desempenho físico, cognitivo e comportamental. Para ver que efeito, se houver, o consumo de carne pode ter no cérebro em desenvolvimento, a Dra. Neumann planejou um teste.

Ela dividiu crianças de 12 escolas quenianas em quatro grupos. Um grupo serviu como controle, enquanto as crianças dos outros três grupos receberam um mingau feito de milho, feijão e verduras todas as manhãs no café da manhã. Um grupo recebeu a mistura com um copo de leite, outro recebeu carne moída e o terceiro recebeu apenas a versão simples. Todas as versões foram balanceadas para conter o mesmo número de calorias e o estudo durou 2 anos.

Em comparação com os outros grupos, os alunos do grupo da carne ganharam mais massa muscular e tiveram menos problemas de saúde do que as crianças que consumiram mingau puro ou com leite.[41] Elas também demonstraram maior confiança no recreio – um sinal de melhora da saúde mental. O desempenho cognitivo também foi mais forte. Enquanto todos os grupos melhoraram, o grupo da carne mostrou a taxa mais acentuada de melhora nas disciplinas de matemática e linguagem. Neumann e seus colegas escreveram:

> *"A melhora do desempenho cognitivo e aumento da atividade física e dos comportamentos de liderança e iniciativa no grupo da carne podem estar ligados a uma maior ingestão de vitamina B12 e mais ferro e zinco disponíveis devido à presença de carne, o que aumenta o ferro e absorção de zinco de alimentos básicos ricos em fibras e fitatos. A carne, por meio de seu conteúdo intrínseco de micronutrientes e outros constituintes e proteínas de alta qualidade, pode facilitar mecanismos específicos, como a velocidade de processamento da informação, que estão envolvidos no aprendizado."*

Este estudo foi realizado com crianças, mas agora sabemos que nossos cérebros continuam a mudar ao longo da vida – fornecer-lhes os nutrientes de que precisam deve ser a prioridade máxima. Ainda assim, muitos vão descartar toda a carne como prejudicial à saúde, mas a isso eu digo (citando Carl Sagan): "Alegações extraordinárias requerem evidências extraordinárias". A carne e os nutrientes que ela contém foram uma parte essencial da evolução de nossos cérebros, com evidências de seu consumo pelos primeiros humanos datando de mais de 3 milhões de anos.[42] Atualmente, podemos nos dar ao luxo de escolher nossas refeições com base na ética, mas nossos antepassados não tiveram esse privilégio; eles não teriam perdido a oportunidade de obter os nutrientes que sustentam a vida contidos na carne fresca. A noção de que animais criados adequadamente, fornecendo uma série de nutrientes altamente biodisponíveis são, de alguma forma, ruins para nós, seria uma afirmação extraordinária e com poucas evidências boas para sustentá-la.

Nunca saberei se a abstinência de carne vermelha por minha mãe durante a vida toda teve algo a ver com sua perda de memória ou os ataques de depressão que ela sofria ocasionalmente durante minha infância, e é claro que isso também não a protegeu.

Como comprar: Procure carne bovina 100% alimentada com pasto, criada de maneira humana, idealmente orgânica e de fazendas locais. Observe que a carne orgânica, a menos que esteja claramente definido como "100% alimentado com pasto", geralmente é de animais alimentados com grãos orgânicos.

Dica profissional: A carne moída de gado alimentado com pasto tende a ser muito mais econômica do que costeletas.

Como cozinhar: Embora a carne de gado alimentado com pasto tenha o triplo da vitamina E da carne criada com grãos, o que ajuda a proteger suas gorduras polinsaturadas da oxidação, recomendo usar o fogo mais baixo possível. Considere cozinhar com marinadas à base de alho e cebola para reduzir a formação de compostos neurotóxicos, como aminas heterocíclicas.[43] Sempre combine com vegetais fibrosos, como couve, espinafre ou couve-de-Bruxelas, que ajudam a neutralizar produtos oxidantes no intestino, e evite consumir com vegetais ricos em amido, grãos e outros carboidratos concentrados.

Pontos de bônus: Coma carnes de vísceras e beba caldo de ossos! Ambos estão cheios de nutrientes importantes não contidos na carne do músculo, como o colágeno. O colágeno contém aminoácidos importantes, que também se perderam na dieta moderna. Um deles, a glicina, demonstrou melhorar a qualidade do sono e pode aumentar os níveis cerebrais de serotonina (importante para um humor e funções executivas saudáveis).[44]

CAPÍTULO 7

SIGA SUA INTUIÇÃO

"Se você quer ir rápido, vá sozinho. Se quer ir longe, vá acompanhado."
— **PROVÉRBIO AFRICANO**

"Nós, seres humanos, sabemos desde tempos imemoriais algo que a ciência só agora está descobrindo: nossa intuição é responsável em grande parte por como nos sentimos. Estamos 'cagando de medo' ou podemos 'nos cagar' de medo. Se não conseguirmos concluir um trabalho, não podemos colocar nossa 'bunda em movimento'. Nós 'engolimos' nossa decepção e precisamos de tempo para 'digerir' uma derrota. Um comentário desagradável deixa um 'gosto ruim na boca'. Quando nos apaixonamos, ficamos com 'frio na barriga'".
— **GIULIA ENDERS, GUT**

Se você for como a maioria das pessoas, a ideia de trilhões de células bacterianas vivendo dentro de você pode ser suficiente para fazê-lo querer correr para o chuveiro mais próximo. O "fator desagradável" implícito é agravado pelo fato de que vivemos em uma cultura que aproveita todas as oportunidades para nos vender sabonetes antibacterianos e desinfetantes. Mas a verdade é que nos vendem uma mentira sobre as bactérias: sem elas, não estaríamos aqui.

Agora você está familiarizado com as mitocôndrias, as organelas celulares responsáveis por combinar glicose (ou cetonas, um subproduto do metabolismo da gordura) com oxigênio para criar energia. Essas estruturas importantes nem sempre funcionaram para nós. De acordo com a teoria, elas já foram bactérias flutuando pelo mundo, quando uma mitocôndria foi engolfada por outra bactéria. Em vez de digeri-la, a célula hospedeira muito maior foi capaz de explorar as capacidades de produção de energia de seu novo amigo para sobreviver — uma vantagem séria há 1,5 bilhão de anos, quando o mundo estava se tornando cada vez mais oxigenado. Em troca, a mitocôndria teria proteção contra os elementos e um "bufê" à vontade — mas nunca, jamais, poderia sair. Foi, talvez, o caso mais antigo de síndrome de Estocolmo.

Com o tempo, a mitocôndria e sua célula hospedeira começaram a depender uma da outra, juntando-se às fileiras de parcerias famosas como Batman e Robin,

Han Solo e Chewbacca, Bert e Ernie (bem, talvez não exatamente como Bert e Ernie). Este foi o nascimento das células eucarióticas complexas que deram origem a organismos multicelulares como nós. Mesmo depois de todos esses anos, é impressionante perceber que nossas mitocôndrias ainda podem se multiplicar dentro de nossas células e manter seu próprio conjunto de DNA completamente separado – um retrocesso à suas vidas de solteiras.

Não estaríamos em lugar nenhum sem as bactérias. E embora nossa forma moderna seja muito mais complexa do que naqueles primeiros anos como organismos unicelulares, nossa comunhão com as bactérias hoje não é menos importante. Existem inúmeros micróbios em nossa pele, ao redor de nossas orelhas, em nossos cabelos, em nossas bocas, em nossos órgãos genitais e em nossas entranhas. Até mesmo partes de nós mesmos que antes eram consideradas estéreis, como os pulmões e as glândulas mamárias dos seios, agora são conhecidas como clubes de campo elegantes para micróbios.[1] Cada local tem sua própria população que vive em simbiose com seu ambiente único. A população de micróbios do intestino, por exemplo, que consiste principalmente de bactérias que vivem sem oxigênio, morreria instantaneamente se colocada ao lado dos micróbios em seu rosto, que se deleitam com a exposição ao ar fresco.

O termo geral que usamos para designar o conteúdo genético acumulativo de todos esses organismos simples e unicelulares é microbioma. Sua casa tem seu próprio microbioma, que representa o material genético carregado pelos micróbios que nela vivem. O seu microbioma pode diferir drasticamente do microbioma de outra pessoa, dependendo se você tem um cachorro ou um filho pequeno e se você mora na cidade ou no subúrbio. Mesmo cidades inteiras têm suas próprias assinaturas microbianas.[2] O microbioma de Los Angeles, por exemplo, é diferente do de Nova York. As bactérias da costa oeste preferem o trabalho diante das câmeras ao palco, onde os micróbios da costa leste brilham? Essas perguntas ainda precisam ser respondidas pela ciência.

Embora você tenha micróbios por todo o exterior de seu corpo, a grande maioria das células microbianas que você carrega reside em seu intestino. Este é o seu microbioma intestinal. Embora já tenhamos acreditado que elas superavam em número nossas próprias células humanas de dez para um, desde então, chegamos a uma estimativa mais precisa – cerca de 30 trilhões –, colocando sua população aproximadamente no mesmo número de células que contêm DNA humano. Não menos impressionante, porém, é que o peso dessas bactérias sozinho é igual ao peso do seu cérebro – algo entre um e dois quilos!

O QUE HÁ NO SEU COCÔ?

A amostra média de fezes é composta em mais da metade por bactérias, cada grama consistindo em 100 bilhões de micróbios. Isso é quase 14 vezes a população humana global em apenas um grama de cocô! A matéria fecal é tão densa de micróbios, na verdade, que cada vez que você vai ao banheiro excreta cerca de um terço do conteúdo bacteriano do cólon. Não se preocupe, entretanto, pois a contagem de bactérias colônicas se reconstrói ao longo do dia.[3] Esses micróbios contêm muitas informações, cada um deles carregando seu próprio material genético exclusivo. Se considerarmos a quantidade total de material genético representado por nossos amigos bacterianos – cujo comprimento de DNA é normalmente de um a dez megabases, que contém 1 milhão de *bytes* de informação – apenas um grama de fezes humanas tem uma capacidade de dados de cem mil *terabytes*! E você achou que seu chaveiro *pen drive* era legal.[4]

Assim como terceirizamos aspectos de nossa cognição para nossos celulares – a capacidade de lembrar números de telefone, por exemplo, liberando nossa capacidade intelectual para outras tarefas –, terceirizamos muitos serviços para nosso microbioma. Ele é capaz de fornecer esses serviços em parte porque representa material genético quase 100 vezes mais complexo do que o nosso genoma (relativamente rudimentar) de 23 mil genes. Isso torna o microbioma capaz de uma ampla gama de funções – desde manter nosso sistema imunológico saudável até extrair calorias dos alimentos e sintetizar substâncias químicas importantes, como vitaminas.

Pode não parecer óbvio, mas o intestino e o cérebro também têm uma relação muito próxima. Nosso microbioma está conectado ao nosso humor e comportamento, comunicando-se com o cérebro por meio do nervo vago, que fornece uma linha direta entre o cérebro e o intestino, bem como por meio dos vários produtos químicos que produz e libera em nossa corrente sanguínea. O aluguel pago por nossa população de imigrantes bacterianos é tão subestimado que não é de admirar que os cientistas agora estejam se referindo a essa massa contorcida de material genético como nosso "órgão esquecido".

Mansões de Famosos:
Edição microbioma

Embora preferíssemos não pensar em nós mesmos como elaborados tubos digestivos com pernas, isso é essencialmente o que somos. Quase todas as características de nosso ser evoluíram para nos ajudar a obter melhor energia na forma de alimento.

O intestino, esse tubo longo e ventoso também conhecido como canal alimentar, começa na boca e termina no ânus. A saúde e a função intestinal geralmente não são um assunto fácil de falar. Afinal, nosso intestino faz ruídos estranhos, é uma fonte de desconforto físico para muitos e excreta coisas nas quais aposto que a maioria prefere nem pensar. O intestino também medeia nosso relacionamento com a comida, que pode ficar distorcido e perturbado quando lidamos com problemas de peso.

Da mesma forma, o trato gastrointestinal tem um clima diferente quanto mais para baixo se viaja, e os micróbios sabem disso. O estômago é muito ácido para a microbiota residir (a menos que você tome regularmente um medicamento bloqueador de ácido como milhões de americanos, o que pode causar muitas consequências indesejáveis e imprevisíveis), e o intestino delgado, como um local ativo de absorção de nutrientes, também é volátil.

Ainda existem micróbios no início de nossa jornada – por grama de conteúdo no estômago e no intestino delgado, há cerca de 10^3 a 10^8 bactérias. Embora sejam inócuas nessas quantidades, podem surgir problemas quando as bactérias superpovoam o local. No intestino delgado, o SCBID, ou supercrescimento bacteriano no intestino delgado, pode causar inchaço, dor abdominal e até mesmo deficiência de nutrientes para o hospedeiro. Assim que chegarmos ao cólon, no entanto, ele fornecerá a atmosfera mais adequada para essas bactérias – e a concentração de micróbios ali dispara até 10^{11} bactérias por grama. É a Miami do trato GI.

Parte da razão pela qual essas bactérias são tão numerosas no intestino grosso é que é lá que suas "inquilinas" esperam encontrar uma fonte abundante de sustento. Veja, o microbioma intestinal é composto por um tipo de bactéria chamada comensal, que vem da palavra latina *commensalis*, que significa "compartilhar uma mesa". Elas ganharam esse nome porque toda vez que comemos elas esperam silenciosamente para ser alimentadas, como 30 trilhões de cães obedientes. Mas o que elas comem? Jogadas em um restaurante moderno, as bactérias comensais pulariam totalmente o menu e iriam diretamente para o bufê de saladas. É lá que essas criaturinhas encontrariam o alimento que adoram: fibras vegetais. Essas fibras fornecem uma forma de carboidrato que é inacessível para nós e passa pelo estômago e intestino delgado sem ser digerido. Quando essas fibras finalmente chegam ao intestino grosso, os micróbios experimentam o equivalente a um jantar de luxo!

A CARNE E O MICROBIOMA

Um estudo publicado há alguns anos causou temores em muitos comedores de carne preocupados com a saúde. Os pesquisadores que estudaram ratos descobriram que algumas espécies de bactérias intestinais consomem o aminoácido carnitina, encontrado na carne vermelha, que por sua vez eleva um composto chamado N-óxido de trimetilamina, ou TMAO.[5] Acredita-se que o TMAO contribua para a aterosclerose, o processo doentio que causa acúmulo de placas nas artérias. O medo que surgiu era de que a carne, independentemente de sua gordura saturada ou de qualquer outra alegação de saúde previamente lançada contra ela, pudesse agora promover doenças cardíacas por meio de um mecanismo inteiramente novo – a fermentação microbiana.

Um exame mais detalhado da pesquisa revela alguns detalhes importantes. Primeiro, os ratos foram alimentados com doses muito altas de carnitina suplementar. Isso causou uma mudança no microbioma e deu a essas bactérias produtoras de TMAO uma vantagem competitiva no intestino grosso. Em segundo lugar, as dietas veganas e vegetarianas com baixo teor de grãos parecem estar contra a flora intestinal que adora carnitina, fato destacado pelo pesquisador da microbiota Jeff Leach.[6] No braço humano do estudo, os pesquisadores foram capazes de convencer um vegano a consumir 240 gramas de carne para ver o que faria com seus níveis de TMAO, e eles não mudaram. Embora seja um pequeno experimento "n de 1", os resultados sugerem que, até certo ponto, a composição geral do microbioma é mais importante do que o alimento individual que está sendo consumido. Uma solução razoável? Não dê adeus à carne – apenas coma principalmente vegetais e pule os grãos.

Forçada a adotar a dieta moderna, a relação hospedeiro-micróbio pode ficar tensa. Como mencionei, eles gostam de consumir apenas uma coisa – fibra. Especificamente, uma forma de fibra chamada fibra prebiótica. Isso inclui fibra solúvel e uma forma de amido indigerível chamado amido resistente. Ofereça seu café da manhã americano padrão com panquecas de farinha refinada, bacon e ovos com queijo, e sua bactéria intestinal típica recusará educadamente.

Agora, você pode querer ignorar seus amigos micróbios por serem muito exigentes quando se trata de planos de refeições, mas tenha em mente que durante centenas de milhares de anos, os humanos comeram dietas ricas em fibras. Os cientistas calculam uma ingestão de aproximadamente 150 gramas de fibra por dia. Hoje consumimos em média apenas 15 gramas por dia.

Assim como nosso consumo inadequado de ômega-3 e outros nutrientes essenciais, as fibras prebióticas foram em grande parte retiradas de nosso padrão alimentar ocidental. O desaparecimento desses carboidratos acessíveis à microbiota (termo cunhado pelos proeminentes microbiologistas Justin e Erica Sonnenburg, da Universidade de Stanford) apresenta sérias consequências à saúde, como você aprenderá. Mas aumentar a presença desses carboidratos que ajudam no estômago é fácil, pois há muitos alimentos cheios de fibras probióticas. Estes incluem: frutas vermelhas, alho-poró, jicama (batata mexicana), couve, tupinambo, abacate, espinafre, rúcula, alho, cebola, café, raiz de chicória, banana verde, nozes cruas, erva-doce, quiabo, pimentão, brócolis, rabanete, chocolate amargo e couve.

Agora que você sabe onde encontrar essas fibras nutritivas, as próximas páginas fecharão o ciclo, vinculando-as definitivamente à melhora do humor, da cognição e da longevidade.

Uma fonte de juventude

A menos que você seja um *Turritopsis dohrnii*, envelhecer bem é provavelmente uma de suas preocupações. Se você é uma dessas medusas "imortais" recém-descobertas que vagam pelo Mar Mediterrâneo, você possui a capacidade de regredir aos estágios anteriores de desenvolvimento à vontade. Se você não for uma dessas criaturas sortudas, provavelmente desejará preservar a mente e o corpo pelo maior tempo possível.

Um resultado do consumo de fibra é que nossos amigos microbianos metabolizam a fibra e a transformam em produtos químicos chamados ácidos graxos de cadeia curta, ou AGCC.[7] Esta categoria de ácidos graxos inclui butirato, acetato e propionato, os quais têm sido associados a muitos efeitos de longevidade e promoção da saúde. Esses ácidos graxos são literalmente produtos residuais de bactérias e, no entanto, devemos muito a eles por isso.

O mais extensamente estudado dos AGCCs é chamado butirato. A carne bovina e os laticínios de vacas alimentadas com pasto contêm pequenas quantidades dessa gordura, mas uma quantidade muito maior de butirato é produzida por nossa microbiota quando simplesmente comemos mais fibras. Isso é desejável em parte porque o butirato demonstrou aumentar os níveis de BDNF (fator neurotrófico derivado do cérebro), que promove diretamente a neuroplasticidade e retarda os processos neurodegenerativos.[8]

Além de aumentar o BDNF, o elemento antienvelhecimento do cérebro, um dos efeitos mais benéficos do butirato é a redução de inflamações. De modo geral, quanto mais fibra você consome, mais sua microbiota começa a parecer uma fábrica de butirato anti-inflamatório.[9] Em termos de sua função cognitiva, menos inflamação significa que você pode pensar com mais clareza e se concentrar e lembrar melhor das coisas.[10] Mas enquanto tomar medidas para reduzir a inflamação é essencial para pensar e ter o melhor desempenho possível, fazer isso também pode protegê-lo contra a marcha do tempo.[11]

Quando se trata de longevidade, o importante é se concentrar na sua expectativa de saúde. Ao contrário da expectativa de vida, que descreve o número de anos em sua vida, a expectativa de saúde representa a quantidade de vida em seus anos. Ter uma vida mais longa significa menos incapacidade, melhor função cognitiva, melhor humor e estar livre de doenças crônicas pelo maior tempo possível. Idealmente, gostaríamos que as expectativas de vida longa e de saúde fossem iguais. Infelizmente, hoje, nossa expectativa de vida está aumentando (graças em parte às maravilhas da medicina moderna), mas nossa expectativa de saúde não. Estamos simplesmente vivendo doentes por mais tempo.[12]

Mas há algumas exceções: pessoas que parecem permanecer vibrantes e saudáveis até o fim da vida. Em um estudo que acompanhou mais de 1,6 mil adultos durante uma década inteira, aqueles que comeram mais fibras tinham 80% mais probabilidade de estar livres de hipertensão, diabetes, demência, depressão e deficiência do que os consumidores de baixo teor de fibras.[13] Na verdade, o consumo de fibras determinou o envelhecimento saudável mais que qualquer outra variável estudada, incluindo a ingestão de açúcar. Nada mal para um nutriente famoso por ajudar nossos avós a ir ao banheiro com mais facilidade — e isso não é tudo.

TRANSPLANTE DE MICROBIOTA FECAL (FMT)

Embora o transplante de material fecal de uma pessoa para outra possa não ser agradável de se pensar, imagine por um segundo que você teve uma infecção chamada *C. difficile*. Uma bactéria patogênica e resistente a antibióticos que causa diarreia profunda e inflamação intestinal, a *Clostridium difficile* resulta em 500 mil hospitalizações e 30 mil mortes anualmente, de acordo com as últimas estimativas dos Centros de Controle e Prevenção de Doenças (CDC). Altamente oportunista, a *C. difficile* é contagiosa e já está presente em 2 a 5% da população humana adulta. O uso de antibióticos é um importante fator de risco para *C. difficile* porque essas drogas dizimam as populações saudáveis do intestino, permitindo que o patógeno explore os pontos fracos da comunidade microbiana até que se torne uma infecção completa.

Em 2013, os cientistas queriam ver se o transplante do microbioma de uma pessoa saudável em outra com essa infecção poderia restabelecer a ordem e ajudar a derrotar a *C. difficile* naturalmente. Realizado por meio de transplante de microbiota fecal (FMT), quando as fezes ricas em bactérias de uma pessoa saudável são transplantadas para o trato gastrointestinal de uma pessoa doente, o procedimento foi considerado mais de 90% bem-sucedido – uma taxa de cura surpreendente e sem precedentes.

O procedimento geralmente requer colonoscopias invasivas e desconfortáveis, enemas e até tubos nasais para liberar as fezes saudáveis. No entanto, pesquisadores refinaram recentemente o método de entrega de pílulas congeladas e descobriram que são tão seguras e eficazes quanto as técnicas tradicionais de transplante. Oh, o doce cheiro do progresso!

O sintonizador imunológico

A autoimunidade – quando o sistema imunológico de uma pessoa ataca partes de seu próprio corpo – é a característica definidora de muitas doenças comuns, incluindo doença celíaca, esclerose múltipla, diabetes tipo 1 e doença de Hashimoto, para citar algumas. Por que se desenvolve a autoimunidade e por que aparentemente está aumentando? Devemos ter sistemas imunológicos que prejudicam nossos corpos e cérebros em atos de "fogo amigo", ou esse é mais um aspecto de nossa biologia sucumbindo às armadilhas da vida moderna? Para entender como nossas dietas e estilos de vida podem contribuir para um sistema imunológico confuso – e, portanto, para a autoimunidade – é útil entender como esse sistema dinâmico é "treinado" ao longo da vida.

Se você imaginar a seção transversal de um túnel, terá uma boa noção da anatomia do intestino grosso. O tecido mais interno é o epitélio. Essa barreira com a espessura de uma camada celular atua como a divisão entre o interior do cólon – conhecida como lúmen – e sua circulação. Como seu conteúdo não faz parte do corpo (semelhante ao ar que enche os pulmões), os cientistas consideram o lúmen uma parte do ambiente do hospedeiro. Na verdade, o intestino é sua maior interface com o meio ambiente – muito maior do que sua pele. Se você fosse remover todo o tubo digestivo do corpo, desenrolá-lo e estendê-lo no chão, ele ocuparia a metragem quadrada de um pequeno apartamento.

Por esse motivo, a grande maioria das células imunológicas do nosso corpo é preparada para se concentrar no que está acontecendo em nosso sistema digestivo. Embora isso possa parecer contraintuitivo, ou mesmo um mau uso de recursos no mundo atual de alimentos embalados e produtos triplamente lavados, faz sentido: para a grande maioria de nosso tempo na Terra, muito antes de qualquer aparência de um sistema alimentar moderno, nossa comida era suja. Não tínhamos supermercados cheios dos produtos mais frescos (e mais atraentes) à nossa conveniência, e certamente não coevoluímos com a abundância de sabonetes antibacterianos ou "lavagens vegetais" disponíveis hoje, prometendo esterilidade hospitalar até a última mordida.

SIGA SUA INTUIÇÃO

Para nossos ancestrais do Paleolítico, o potencial de engolir um patógeno — um micróbio que poderia nos infectar e possivelmente nos matar — era grande. Isso colocou uma pressão imensa sobre nossa espécie desde o início para garantir que pudéssemos montar uma resposta imunológica ágil e formidável caso tal confronto ocorresse. Mas nossos intestinos estão cheios de insetos externos — há uma guerra em nosso estômago que não conhecemos?

Não exatamente. Um sistema imunológico saudável deve funcionar como o pessoal de segurança altamente treinado em uma arena esportiva, examinando habilmente milhares de visitantes com ingressos sem demonstrar nervosismo. Esses guardas não questionam cada visitante de estádio de aparência peculiar que veem — quando são bem treinados, podem detectar sinais com bastante antecedência se uma pessoa tiver probabilidade de sair da linha. Assim como os frequentadores de um estádio, nossos residentes microbianos aprimoram as habilidades de nossos guardas, ajudando-os a se adaptarem ao ambiente em constante mudança — de modo que, quando um visitante hostil aparecer, ele possa ser facilmente localizado. Nosso intestino — e seus habitantes — serve, portanto, como uma espécie de "campo de treinamento" para o sistema imunológico do nosso corpo.

Quando nosso sistema imunológico não está à altura, ele não apenas se torna menos eficaz em detectar invasores, mas às vezes ataca por engano as próprias células do corpo. Isso ocorre porque uma população intestinal diversificada não somente ensina aos guardas do nosso sistema imunológico a quem devem estar atentos, como também os ensina a importância da tolerância. Em um intestino saudável, pode haver centenas ou milhares de espécies diferentes presentes a qualquer momento, e um sistema imunológico saudável se beneficia dessa pluralidade de vozes. Na verdade, é parcialmente assim que se acredita que os probióticos funcionam: eles consistem em espécies que normalmente não residem em nossos microbiomas, fluindo através de nós para garantir que nossos guardas não estejam cochilando no trabalho.

Problemas como alergias e autoimunidade surgem quando o sistema imunológico comete um erro e ataca seu próprio hospedeiro, e o microbioma se tornou um ponto focal para os cientistas que tentam descobrir por que isso acontece. Foi proposto que nosso sistema imunológico se tornou disfuncional por uma série de razões, incluindo nossas vidas excessivamente higiênicas, uso excessivo de antibióticos, baixa ingestão de fibras e práticas de parto que colocam o microbioma em desenvolvimento como uma reflexão tardia.

Qualquer um desses fatores, acredita-se, pode levar a guardas de estádio que não são tão bem treinados — e, portanto, a taxas mais altas de autoimunidade.

LIMPEZA DOENTIA?

Algo além do nosso suprimento alimentar mudou nas últimas décadas – ficamos mais estéreis. Mas em nossa preocupação para eliminar qualquer possibilidade de um vírus perdido ou bactéria patogênica, eliminamos, essencialmente, muitas das interações mais positivas que teríamos com bactérias nocivas. Essas interações ajudam a treinar o sistema imunológico adaptativo, que, afinal, foi moldado pela seleção natural exatamente nessas circunstâncias.

Pesquisas mostram que, embora a exposição a patógenos (e a taxa de infecções) tenha diminuído, as taxas de doenças autoimunes e alérgicas aumentaram. A ideia de que essas duas estatísticas estejam causalmente ligadas é a base para a "hipótese da higiene". A teoria é a seguinte: alguns agentes infecciosos – especialmente aqueles que coevoluíram conosco – nos protegem de doenças relacionadas ao sistema imunológico. Hoje, a ausência desses patógenos resulta em sistemas imunológicos enfraquecidos, deixando-os vulneráveis à confusão e preparando o terreno para diabetes tipo 1, esclerose múltipla, doença celíaca e outras.[14]

Com diabetes, obesidade e até mesmo doença de Alzheimer caracterizadas por inflamação crônica intensificada – ou seja, um sistema imunológico caótico –, não é demais sugerir que nossas vidas excessivamente estéreis podem ser as culpadas. Na verdade, pesquisas recentes exploraram a própria ligação entre a higiene da população e a incidência da doença de Alzheimer. Usando saneamento público e acesso a água potável como métricas, os pesquisadores revelaram uma relação marcante: países com maiores níveis de higiene tiveram aumento da incidência da doença de Alzheimer, em uma correlação linear perfeita.

O glúten fornece a ilustração perfeita de como um sistema imunológico confuso pode levar a uma resposta autoimune, como acontece com uma porção significativa da população. A gliadina, uma das principais proteínas do glúten, se parece muito com um micróbio das células do sistema imunológico. Quando está presente no intestino, nosso sistema imunológico envia anticorpos em uma caçada aos antígenos – atributos físicos que nossos "seguranças do estádio" são treinados para cuidar. O problema é que os antígenos em substâncias estranhas (como a gliadina) podem parecer desconfortavelmente semelhantes às marcações em nossas próprias células. Isso é chamado de mimetismo molecular e pode ser uma tentativa dos patógenos de se adaptarem melhor ao ambiente do hospedeiro

— porque até os patógenos têm um instinto de sobrevivência! Isso significa que quando o sistema imunológico do corpo cria anticorpos, para combater os antígenos, nossos próprios tecidos podem cair sob fogo amigo.

Muitas vezes isso pode ocorrer com uma família de enzimas chamadas de transglutaminases. Presentes em todo o corpo, as transglutaminases são importantes para nos manter saudáveis, e sua disfunção tem sido ligada à doença de Alzheimer, doença de Parkinson e ELA.[15] Elas também são encontradas em concentração particularmente alta na tireoide, que é atacada em doenças autoimunes como doença de Hashimoto e doença de Graves. Infelizmente, as enzimas transglutaminase têm marcações moleculares muito semelhantes aos antígenos de gliadina. Em uma pessoa suscetível, comer glúten pode levar o corpo a atacar não só a gliadina, mas também as enzimas transglutaminase.

Embora não se possa dizer que o glúten é a causa de um sistema imunológico amotinado para todas as pessoas, um estudo recente descobriu que a prevalência da doença celíaca em pacientes com doença autoimune da tireoide era de duas a cinco vezes maior em comparação com controles saudáveis.[16] Na verdade, outras doenças autoimunes (incluindo diabetes tipo 1 e esclerose múltipla) ocorrem junto com a doença celíaca com maior frequência do que com qualquer outra condição autoimune, sugerindo que um intestino insalubre é um mediador dessa ampla gama de doenças aparentemente não relacionadas. Qualquer uma dessas condições pode ser um sinal de que o cérebro está sob ameaça de ataque: pessoas com doenças autoimunes são mais propensas a desenvolver demência, mostram pesquisas recentes.[17]

Lembre-se de que essas doenças se manifestam após muitos meses ou anos, muitas vezes sem sintomas óbvios. E, para muitos pacientes com doença celíaca e tireoidiana sobreposta, os sintomas gastrointestinais estão ausentes, marcando um dos raros casos em que "seguir os instintos" pode levá-lo a erro.[18]

Prevenir ou interromper esse colapso imunológico não é conseguido simplesmente com uma dieta sem glúten. É importante adicionar algo à dieta que está faltando em nossos pratos modernos: *fibras*. A fibra nos protege diretamente contra a confusão imunológica, em parte porque os AGCCs como o butirato aumentam a produção e o desenvolvimento de células T reguladoras no cólon. Essas células, também chamadas de "T-regs", são um tipo de célula imunológica que ajuda a garantir uma resposta inflamatória saudável e adequada, suprimindo as respostas de outras células imunológicas, incluindo aquelas que promovem a inflamação.[19] Pense nelas como gerentes da força de segurança que mantém sob controle os guardas jovens mais belicosos. Elas são importantes para ajudar seu corpo a distinguir melhor entre ele mesmo e tudo o mais. Se essa capacidade crítica falhar, seu sistema imunológico pode acabar atacando seu próprio corpo e aí se desenvolve a *autoimunidade*.

Protegendo nosso cérebro do que está em nossas entranhas

Como mencionei antes, o cólon é onde reside a maioria das bactérias do trato gastrointestinal, dando às células que o revestem duas funções importantes: servir como bloqueio contra patógenos e bactérias que não pertencem à sua circulação e, ao mesmo tempo, permite a absorção de fluidos e quaisquer nutrientes restantes que não foram absorvidos pelo intestino delgado. Essa barreira física faz parte do sistema imunológico inato do corpo.

O sistema imunológico inato desempenha um papel importante na mediação da inflamação e autoimunidade. Ajuda a manter o microbioma e as células imunológicas (nosso sistema imunológico adaptativo) separadas umas das outras, regulando as interações hospedeiro-microbiana e mantendo a função imunológica apropriada em uma base constante. Em nossa metáfora de estádio, isso permite que o jogo prossiga conforme planejado, garantindo um bom dia para todos. Os guardas podem realizar seu trabalho com segurança, os torcedores podem comer seus cachorros-quentes e torcer por seus respectivos times, e os jogadores podem competir, o que lhes permite ganhar milhões de dólares em dinheiro de patrocínio. As barreiras físicas ajudam a tornar tudo isso possível.

As células do epitélio — o revestimento intestinal — são mantidas juntas por junções estreitas que podem abrir e fechar como a ponte levadiça de um castelo. Felizmente, elas estão fechadas na maioria das vezes. No entanto, a exposição a bactérias potencialmente perigosas, especialmente no intestino delgado, pode fazer com que as junções se soltem, puxando água e células do sistema imunológico para o lúmen intestinal. Isso geralmente resulta em diarreia para expulsar o causador de problemas — uma resposta de defesa crítica durante a infecção aguda.[20] Infelizmente, certos aspectos da vida moderna também podem fazer com que nossa barreira intestinal fique mais porosa e permita o transporte retrógrado ou o transporte de conteúdo intestinal profundamente no forro do intestino. Isso leva à consequências consideráveis e possivelmente inicia o "mimetismo molecular" que se acredita resultar em autoimunidade.

Um possível instigador de permeabilidade indevida do revestimento do intestino é o glúten, a proteína encontrada no trigo, centeio, cevada e muitos alimentos embalados. O glúten é a única entre as proteínas que consumimos porque, ao contrário, digamos, da proteína que obtemos ao comer um peito de frango, o glúten não é completamente digerido pelos humanos. A proteína da maioria das fontes se separa em seus aminoácidos constituintes durante a digestão, mas o glúten se decompõe apenas em grandes fragmentos chamados peptídeos. Descobriu-se que esses fragmentos estimulam um intestino mais permeável em humanos, desencadeando uma recepção do sistema imunológico inato mais semelhante ao de um invasor bacteriano do que à proteína da dieta normal.

No centro dessa reação está outra proteína chamada zonulina, que é produzida no intestino sempre que o glúten está presente.[21] A zonulina atua como uma espécie de porteiro celular, regulando a integridade das junções estreitas entre as células epiteliais. Onde há zonulina, há permeabilidade. (O Dr. Alessio Fasano, fundador do Centro de Pesquisa Celíaca do Mass General e especialista internacionalmente reconhecido em doença celíaca, é creditado por ter descoberto este importante mediador da permeabilidade intestinal.) Esta "hiperpermeabilidade" pode ocorrer em qualquer pessoa, mas é exagerada nas que têm doença celíaca. Para essa população, o glúten evoca uma resposta autoimune evidente, fazendo com que o revestimento do intestino delgado seja danificado com o tempo.

Um dos perigos de um intestino mais permeável é permitir que a endotoxina bacteriana (também conhecida como lipopolissacarídeo, ou LPS) passe para a circulação. Como mencionei nos capítulos anteriores, o LPS é uma molécula que faz parte da membrana de certas bactérias que normalmente vivem dentro do porto seguro do nosso intestino grosso. Quando vazada para a circulação, a endotoxina desencadeia uma resposta pró-inflamatória aguda, sinalizando uma invasão bacteriana sistêmica. A exposição ao LPS está diretamente relacionada à produção de citocinas pró-inflamatórias e a um aumento no estresse oxidativo, causando estragos em uma ampla gama de sistemas corporais – incluindo o cérebro.

Quando os animais estão inflamados, geralmente por infecção, eles exibem estranhas mudanças de comportamento, como sintomas de letargia, depressão, ansiedade e redução da higiene. Eles se retraem do rebanho e se tornam mais sedentários, um meio de reservar a energia do corpo para a cura e isolá-los dos saudáveis. Este não é um fenômeno exclusivo dos animais de fazenda – os humanos reagem de maneira semelhante. Eles ficam irritadiços, perdem o interesse pela comida e pela socialização e têm dificuldade de se concentrar e até mesmo lembrar de eventos recentes.[22] Esses são os chamados comportamentos doentios e são um fenômeno bem conhecido por fazendeiros, zeladores de zoológicos e cientistas. Os psicólogos acreditam que seja um estado motivacional – uma estratégia adaptativa por parte de nossa biologia para ajudar na sobrevivência.

A depressão grave pode ser uma forma extrema de comportamento doentio. A depressão é conhecida por ser mais comum em pessoas com doenças inflamatórias, como doenças cardíacas, artrite, diabetes e câncer. Superficialmente, essas condições não têm nada a ver com o cérebro, mas o volume dos marcadores inflamatórios no sangue e o risco de depressão estão correlacionados – quanto mais altos os níveis desses marcadores, mais grave é a depressão.[23] Essa nova visão da depressão, condição que afeta mais de 350 milhões de pessoas em todo o mundo, desafiou o paradigma preexistente para o tratamento e deu origem a uma teoria totalmente nova de sua origem: o modelo de citocinas inflamatórias da depressão.[24] E o que muitas vezes é injetado para induzir tal estado em animais de laboratório por cientistas que estudam depressão e outras consequências da inflamação? LPS bacteriana.

A zonulina, proteína que ativa o aumento da permeabilidade, também é capaz de alterar as junções estreitas na barreira hematoencefálica, que é outra camada de células epiteliais especializadas. Isso é significativo porque a quebra da barreira hematoencefálica foi envolvida desde cedo no desenvolvimento da doença de Alzheimer.

Não surpreendentemente, uma dieta sem glúten reduz os níveis de zonulina e a permeabilidade intestinal, e pode manter a barreira protetora do cérebro também.[25] Portanto, se você não tem doença celíaca ou alergia ao trigo, cortar o trigo de sua dieta pode ajudar seu cérebro a funcionar melhor? Pesquisadores da Universidade de Columbia recentemente fizeram essa mesma pergunta e estudaram pacientes que não tinham doença celíaca ou uma alergia tradicional ao trigo confirmada. No entanto, eles apresentavam sintomas como fadiga e dificuldades cognitivas depois de comer trigo. Os pesquisadores colocaram os indivíduos em uma dieta sem trigo, centeio e cevada e, após 6 meses, os sinais de ativação imunológica e danos às células intestinais desapareceram. Isso foi associado a uma melhora significativa nos sintomas gastrointestinais e na função cognitiva, conforme relatado pelos pacientes por meio de questionários detalhados.[26] Embora a comunidade médica tenha debatido e contestado a própria existência da sensibilidade ao trigo, esta pesquisa emocionante está entre as primeiras a validar a reatividade ao trigo entre não celíacos com medidas objetivas.

COMO FUNCIONAM OS PROBIÓTICOS?

Embora as bebidas probióticas, suplementos e até mesmo alimentos com infusão de probióticos pareçam estar na moda hoje, os probióticos não são de forma alguma um fenômeno novo. Temos fermentado alimentos e aproveitado o poder das bactérias vivas para preservar os perecíveis há milênios. O registro mais antigo de fermentação data de mais de 8 mil anos – e quase todas as civilizações, desde então, incluíram pelo menos um alimento fermentado em sua herança culinária. No Japão existe *natto*, na Coreia *kimchi*, a Alemanha adora seu *chucrute* (assim como eu), e o iogurte moderno, hoje onipresente, mantém seu nome original turco!

Embora muitos acreditem que os probióticos são úteis porque estabelecem "domicílio" no intestino, a verdade é que a grande maioria dos probióticos que consumimos são apenas visitantes transitórios, oferecendo comunicação amigável com nossos residentes mais permanentes e nossas células imunológicas.[27] O sistema imunológico funciona melhor em um estado de feliz harmonia com nossa microbiota, e os probióticos parecem fomentar essa conexão, essencialmente "sintonizando" o sistema imunológico em sua jornada para o sul. Os probióticos também podem reforçar a preciosa barreira intestinal, "engessando" quaisquer vazamentos nas junções estreitas entre as células epiteliais intestinais. Isso pode evitar que compostos como a endotoxina vazem para a circulação, um dos principais instigadores da inflamação sistêmica. Ambas as funções juntas ajudam a explicar os efeitos anti-inflamatórios demonstrados pelos probióticos. Os benefícios posteriores são inúmeros e sustentam a observação de que pessoas que consomem mais alimentos fermentados tendem a ter melhor saúde e qualidade de vida.

Apenas lembre-se: tomar um suplemento probiótico sozinho nunca vai consertar os danos causados por uma dieta pobre, mas os dados atuais mostram que o consumo de alimentos ricos em probióticos como *kimchi*, *kombucha* e *kefir* pode aumentar os efeitos de uma dieta rica em fibras e pobre em dieta de carboidratos conforme descrito neste livro. Embora a suplementação geralmente não seja necessária, ela não faz mal e pode ajudar. No Capítulo 12, explicarei como escolher um suplemento probiótico de alta qualidade, caso você opte por seguir esse caminho.

Antes de encerrarmos esta seção sobre nossa gloriosa barreira intestinal, é importante observar que o glúten não é o único instigador potencial de aumento da permeabilidade. Aqui estão outros fatores que podem levar a um intestino mais poroso:

- **Consumo de álcool**. Em não alcoólatras saudáveis, uma única bebedeira de vodca aumenta drasticamente a endotoxina e as citocinas pró-inflamatórias no sangue.[28] Isso porque o álcool pode inflamar e produzir um intestino mais permeável, explicando em parte o dano que o consumo crônico de álcool causa no fígado e em outros órgãos.[29]
- **Frutose**. Quando a frutose é removida da matriz de fibras e fitoquímicos que normalmente são encontrados em frutas inteiras, ela pode aumentar a permeabilidade intestinal. O xarope de milho com alto teor de frutose ou o xarope de agave, amplamente usados para adoçar bebidas comerciais, podem ser notícias particularmente ruins.
- **Estresse crônico**. Foi demonstrado que falar em público (um fator de estresse comum para muitos) induz momentaneamente a permeabilidade

intestinal em humanos, apontando para um novo mecanismo pelo qual o estresse crônico pode prejudicar nossa saúde.
- ▶ **Exercício excessivo.** Atletas de resistência podem experimentar permeabilidade intestinal devido ao estresse do treinamento aeróbico sustentado[30]. No Capítulo 10, compartilharei novas pesquisas sobre exercícios que tornam aquelas longas e cansativas sessões de cárdio totalmente desnecessárias.
- ▶ **Gordura, quando consumida junto com açúcar.** Em modelos animais, dietas ricas em gorduras (que muitas vezes incluem açúcar) induzem "intestino gotejante" e inflamação.[31]
- ▶ **Aditivos alimentares processados.** Mais sobre isso em um momento.

Qualquer um desses estímulos pode facilitar o vazamento de endotoxina para a circulação, mesmo que você esteja em uma dieta sem glúten. Por outro lado, vários compostos vegetais, como a quercetina (um polifenol encontrado em cebolas, alcaparras, mirtilos e chá), bem como o aminoácido L-glutamina, reduzem a permeabilidade intestinal e promovem um melhor funcionamento do revestimento intestinal.[32] E a fibra, aquele nutriente miraculoso e subestimado, pode ser o mais importante de todos, por seu efeito sobre uma estrutura importante, embora viscosa, chamada mucosa.

Nossa maravilhosa mucosa

Felizmente, a camada de células epiteliais não tem que se defender de nosso ataque diário constante de substâncias tóxicas de micróbios por conta própria. Entre o epitélio e os trilhões de células microbianas do microbioma, existe uma matriz dinâmica de muco conhecida como mucosa, que compreende uma forma de carboidrato chamada mucina. Esse muco é produzido pelas células do epitélio e é essencialmente onde a coisa fica séria para o microbioma — não só fornece uma rede macia na qual as bactérias proliferam, como o próprio muco age como uma "zona desmilitarizada" — uma camada de proteção para as células epiteliais.

Manter a camada de muco saudável e robusta é um mecanismo importante pelo qual podemos minimizar a inflamação no corpo e, provavelmente, no cérebro. Embora a ciência em torno disso seja nova e esteja em evolução, uma estratégia infalível é garantir um fluxo constante de fibra probiótica na dieta. Essa fibra alimenta os micróbios que fornecem butirato, que na verdade alimenta as células que criam o muco, reforçando assim suas habilidades protetoras.[33] Por outro lado, uma dieta com baixo teor de fibras deixa nossas bactérias intestinais famintas, forçando-as a realmente consumir a camada mucosa por desespero.

"MAS EU NÃO SOU UM RATO!"

Sempre que alguém discute uma pesquisa em estágio inicial, inevitavelmente conduzida em animais antes dos humanos, ou quando os estudos em humanos são antiéticos ou impraticáveis, sempre há a questão de quão bem ela se aplicaria aos humanos no mundo real. Um exemplo perfeito desse paradoxo é que a doença de Alzheimer foi curada em camundongos por diversas vezes e, ainda assim, os resultados nunca se traduziram em testes em humanos. A verdade é que os ratos não contraem a doença de Alzheimer na natureza, e os cientistas, nesses casos, estão trabalhando com um modelo de doença de Alzheimer induzida artificialmente – uma simulação imperfeita.

Por outro lado, os mecanismos celulares básicos são altamente conservados pela evolução, o que significa que eles diferem minimamente entre as espécies. Quanto mais básico o processo, mais longe dos humanos podemos ir e ainda ver um resultado preciso. Podemos estudar a divisão celular analisando o fermento, por exemplo. Podemos estudar como um neurônio humano funciona observando o neurônio gigante quase idêntico de uma lula. E podemos estudar o desenvolvimento do cérebro fetal observando as moscas das frutas. Esses processos são tão importantes que diferem muito pouco entre espécies, aumentando assim nossa confiança na interpretação dos resultados.

À medida que nos aprofundamos no estudo do revestimento intestinal, podemos inferir muito dos estudos em animais, já que as células que revestem e circundam nossos intestinos são muito semelhantes em todos os mamíferos.[34] É certo que produtos químicos industriais têm o mesmo efeito em humanos que em ratos? Levará anos até que a ciência humana se confirme, mas devemos tomar decisões sobre os alimentos que ingerimos *hoje*.

O glúten é um bom exemplo de proteína que algumas pessoas podem tolerar em doses pequenas e infrequentes, mas que irrita o revestimento do intestino no contexto da dieta ocidental, que é pobre em fibras e rica em pão, massas e produtos industrializados. Os alimentos industrializados estão cheios de agentes emulsionantes, que são usados para criar misturas saborosas de alimentos que seriam insolúveis e garantir uma textura macia. Estes são comumente encontrados em molhos para salada, sorvete, leite de amêndoas, creme para café e outros alimentos processados. Em estudos com animais, a adição de uma pequena quantidade de emulsificantes à dieta causou uma mudança profunda na microbiota intestinal, erodindo a mucosa e reduzindo em mais da metade a distância média entre as bactérias intestinais e as células intestinais.

Pode ser que um "golpe duplo" seja necessário para iniciar um processo inflamatório — primeiro a erosão da camada protetora do intestino e depois uma reação dentro do revestimento intestinal. Quando a mucosa está comprometida, as bactérias intestinais — tanto as benéficas, produtoras de butirato, quanto as patogênicas — são capazes de se infiltrar em nossa barreira intestinal. Isso pode levar à inflamação do intestino, pois os habitantes bacterianos normais rompem a mucosa e se aproximam demais do nosso sistema imunológico. No estudo do emulsificante que acabei de mencionar, foi exatamente isso o que aconteceu com os animais.[35]

O novo *insight* crítico aqui é que pode não ser simplesmente certas proteínas (por exemplo, glúten ou lectinas, outra classe de proteína vegetal que causou agitação ultimamente) e que provocam esse colapso intestinal e inflamação em tantas pessoas. Em vez disso, o próprio ato de consumir alimentos processados industrialmente — aqueles que foram despojados de fibras e feitos com agentes como emulsificantes para criar uma sensação suave na boca — pode alterar independentemente nossos microbiomas, retirar nosso revestimento de muco e nos tornar mais vulneráveis aos efeitos dessas proteínas.

Nós criamos o que alimentamos

O microbioma intestinal é muito parecido com uma cidade real, pois existem pelo menos mil espécies diferentes vivendo em um ambiente extremamente complexo e altamente competitivo. Existem espécies bacterianas benéficas, produtoras de AGCC e butirato, e existem espécies bacterianas problemáticas, incluindo patógenos potenciais (bactérias que podem realmente nos fazer adoecer) que são mantidos sob controle pela comunidade em geral.

OS PODEROSOS PROBIÓTICOS

Pronto para uma mudança de paradigma? Alguns estudos muito interessantes surgiram recentemente destacando o valor que os probióticos — alimentos ou suplementos ricos em bactérias vivas — podem ter para aqueles que sofrem de depressão, ansiedade e até demência.

SIGA SUA INTUIÇÃO

Em um pequeno estudo do Instituto Leiden do Cérebro e da Cognição, na Holanda, mulheres que tomaram um suplemento probiótico projetado para aumentar a diversidade bacteriana intestinal experimentaram menos reatividade a pensamentos tristes do que as que tomaram placebo. A resiliência a pensamentos tristes é um sinal de forte saúde mental. Por exemplo, em pessoas deprimidas, um estímulo triste pode transformar um céu azul em um dia nublado, enquanto alguém com humor saudável pode simplesmente observar o pensamento triste e seguir em frente, sem a formação significativa de nuvens.

O consumo de mais alimentos fermentados, como *kombucha*, iogurte, chucrute e *kimchi*, pode ajudar a nossa ansiedade? Talvez, de acordo com outro estudo que descobriu que os alunos que consumiam mais desses tipos de alimentos tinham menos ansiedade social. O efeito foi especialmente forte em pessoas com personalidades neuróticas. "É provável que os probióticos nos alimentos fermentados estejam mudando favoravelmente o ambiente no intestino, e as mudanças no intestino, por sua vez, influenciam a ansiedade social", escreveu um dos autores do estudo do College of William and Mary e da Universidade de Maryland.

Uma pesquisa inovadora no Irã sugere que os probióticos podem até mesmo aumentar a função cognitiva em um grupo particularmente difícil: pacientes com Alzheimer avançado. Os pesquisadores colocaram pacientes com demência grave em um coquetel de alta dose de 12 semanas de *Lactobacillus* e *Bifidobacterium* (duas cepas comuns de probióticos) e descobriram que, em comparação com o grupo de controle que recebeu apenas placebo, o grupo do probiótico melhorou em um teste de função cognitiva espantosos 30%. Embora o efeito precise ser replicado com uma amostra maior, esses resultados preliminares certamente são motivo de esperança.

Os cientistas realmente apenas arranharam a superfície do que será uma década fascinante na pesquisa de microbiomas à medida que o amplo alcance dos probióticos se torna visível. Certas cepas podem ajudar a combater certos tipos de câncer, melhorar a saúde do coração, melhorar a neurogênese cerebral e até mesmo alterar os estados de humor – o último abrindo caminho para "psicobióticos" (mais sobre isso no Capítulo 8).[36]

As duas famílias de bactérias reinantes encontradas no intestino grosso são as *Bacteroidetes* e *Firmicutes*. Elas são como os Montecchios e os Capuletos, se Romeu e Julieta acontecesse em seu intestino grosso. Embora atualmente não haja consenso sobre qual é a composição microbiana "perfeita", existem correlatos que os cientistas podem traçar observando a assinatura microbiana de várias populações com diferentes perfis de saúde. Por exemplo, algumas pesquisas sugeriram que pessoas com sobrepeso têm mais *Firmicutes* do que *Bacteroidetes* (ou Capuletos do que Montecchios, em nossa analogia Shakespeariana). Neste ponto, não se sabe se essa ou qualquer outra assinatura está causalmente relacionada ou apenas refletindo a saúde de seu hospedeiro humano. No entanto, os estudos em animais usando transplantes microbianos fecais estão abrindo caminho para uma clareza maior. Com esse método, podemos responder à pergunta: podemos mudar aspectos da saúde e da aparência de um animal mudando seu microbioma?

Em um desses exemplos, os cientistas queriam ver o que aconteceria se eles transplantassem os microbiomas de ratos obesos com resistência à insulina para o trato digestivo de ratos magros. Como que por mágica, os ratos magros, quando receberam os micróbios dos ratos obesos, começaram a ganhar peso, exibindo a mesma disfunção metabólica de seus homólogos obesos.[37] Embora os humanos sejam mais complexos do que os ratos, este estudo sugere que os micróbios, de várias maneiras, dão as ordens – pelo menos no que diz respeito ao nosso peso. Mas e quanto à nossa saúde mental e cognição?

Pela primeira vez, pesquisas inovadoras ilustraram uma ligação entre a estrutura e função do cérebro e bactérias intestinais em humanos saudáveis. Neste estudo da UCLA, mulheres saudáveis tiveram seus microbiomas sequenciados, seus cérebros escaneados e receberam um teste para avaliar o risco de depressão. As mulheres com maior proporção de *Prevotella*, um tipo de bactéria, em seus intestinos aumentaram a conectividade entre as regiões emocionais e sensoriais do cérebro, embora tivessem centros de memória menores e menos ativos.[38] Quando viram imagens negativas, essas mulheres pareceram sentir emoções mais fortes, como se estivessem angustiadas. Por outro lado, as mulheres com uma proporção maior de *Bacteroides*, outro tipo comum de bactéria intestinal, eram muito menos propensas a ter emoções negativas quando viam as mesmas imagens. Estruturalmente, seus centros de memória eram maiores e também tinham mais volume em seu córtex pré-frontal, que é o centro das funções executivas. Parecia que as mulheres com menos *Prevotella* e mais *Bacteroides* eram emocionalmente mais fortes e resistentes.

As bactérias estavam afetando o cérebro das mulheres ou os cérebros das mulheres de alguma forma alteravam a mistura de bactérias no intestino? Ninguém sabe. Assim como fizeram com o metabolismo e o peso, os cientistas foram capazes de alterar o comportamento do camundongo e o que poderia ser interpretado como saúde mental do camundongo apenas mexendo em seus microbiomas, sugerindo que os tipos de bactérias presentes no intestino desempenham um papel na função cerebral.[39]

Como mencionei, a composição intestinal ideal é um quebra-cabeça que está muito longe de ser resolvido e provavelmente será diferente para você e para mim.

É interessante notar, no entanto, que pessoas que consomem dietas ricas em carboidratos à base de grãos tendem a ter proporções mais altas de bactérias Prevotella residindo em seus intestinos.[40]

Muitos cientistas da área parecem concordar que a melhor maneira de garantir que as bactérias benéficas mantenham uma vantagem competitiva no difícil ambiente do cólon, que está em constante mudança, é consumir uma dieta rica em fibras e nutrientes vegetais, como polifenóis, e evitar açúcar e carboidratos refinados. Esse padrão beneficiará diretamente a microbiota útil e deixará os patógenos famintos, dificultando para as espécies mais malévolas se firmarem no ecossistema intestinal agressivo. Enquanto esperamos mais esclarecimentos, trocar uma dieta à base de grãos por uma baseada em vegetais ricos em fibras prebióticas parece uma aposta segura para mudar seu microbioma (e humor) para um estado mais saudável.

P.: Grãos integrais contêm fibras – não devo comer mais?

R.: Os grãos integrais contêm quantidades muito pequenas de fibra prebiótica. O conteúdo de fibra dos grãos é principalmente fibra insolúvel e, no que diz respeito ao microbioma, nem todas as fibras são criadas iguais. A fibra insolúvel não é prebiótica e não pode ser metabolizada pelas bactérias intestinais (é basicamente serragem). Os grãos também fornecem uma grande quantidade de amido, que é essencialmente glicose pura. Dada a baixa quantidade de fibra prebiótica e a alta quantidade de glicose, os cereais integrais provavelmente não são a melhor maneira de obter sua dose diária de fibras.

Regras de diversidade

Como mencionei, nosso sistema imunológico se beneficia de uma pluralidade de vozes bacterianas, mas a diversidade é outra área em que nossos microbiomas modernos estão ausentes. Muitos estudos comparando os microbiomas intestinais de moradores de cidades ocidentais com aldeões rurais e caçadores-coletores que comem mais plantas (e, portanto, mais fibras) mostraram a notável perda de diversidade causada por tal modernização. Ao garantir que sua dieta seja rica em uma mistura de diferentes tipos de fibra, à medida que cada tipo de fibra alimenta diferentes espécies de bactérias, você promove diretamente a diversidade microbiana intestinal – uma característica que os pesquisadores, mesmo neste estado nascente do estudo do microbioma, concordam que é chave para a saúde do hospedeiro. Na verdade, a pesquisa mostrou que a fibra sozinha pode aumentar ou diminuir drasticamente a diversidade microbiana do intestino, uma qualidade que você pode até mesmo ser capaz de transmitir a seus filhos.[41] Aqui estão algumas outras maneiras de maximizar a diversidade microbiana do intestino:

- **Evite sabonetes antibacterianos e desinfetantes para as mãos.** Use apenas quando for absolutamente necessário, como ao visitar áreas de alto risco de exposição a patógenos, como hospitais.
- **Abrace a natureza.** Passe mais tempo ao ar livre, em parques, acampando ou fazendo caminhadas.
- **Consuma água filtrada.** O uso de cloro para eliminar surtos de patógenos transmitidos pela água em países em desenvolvimento é ótimo, mas muitos suprimentos de água do Primeiro Mundo tendem a ser tratados com cloro em excesso.
- **Tome menos banhos.** Ou use sabonete com mais moderação, talvez apenas em banhos alternados. O aumento resultante nas moléculas de aroma de acasalamento chamadas feromônios pode até ajudar na sua vida amorosa. Xampu uma ou duas vezes por semana no máximo – não há razão para xampu todos os dias!
- **Compre produtos orgânicos sempre que possível.** Os produtos orgânicos serão mais ricos em polifenóis antioxidantes, que suportam as bactérias produtoras de butirato, bem como uma mucosa saudável.[42]
- **Evite tomar antibióticos de amplo espectro, a menos que seja absolutamente necessário.** Os antibióticos podem salvar vidas quando apropriado – esta é uma verdade inegável. No entanto, 30% dos antibióticos prescritos nos Estados Unidos são completamente desnecessários de acordo com pesquisas recentes e podem devastar o ecossistema microbiano.[43] Isso pode abrir espaço para patógenos oportunistas como *C. difficile* assumirem o controle.
- **Adote um animal de estimação.** Existem milhões de animais sem teto em abrigos em todos os Estados Unidos que ficariam felizes em ajudá-lo a aumentar sua diversidade microbiana. Mulheres que têm cachorro em casa durante a gravidez têm menos probabilidade de ter filhos com alergia, e crianças que crescem com cachorros têm 15% menos probabilidade de desenvolver asma.[44] Viver com um cachorro é uma das principais formas de aumentar a taxa de diversidade dos micróbios na casa e no intestino.
- **Desacelere.** A digestão ocorre quando você está relaxado, daí a expressão "descansar e digerir". Comer em trânsito pode desencadear uma cascata de mecanismos de resposta ao estresse no corpo que comprometem a

digestão, não só prejudicando a absorção de nutrientes, mas também afetando o acesso de seus amigos bacterianos a eles.

Um futuro brilhante

Quanto mais aprendemos sobre o intestino, mais entendemos o papel que ele pode desempenhar no desenvolvimento de várias doenças. Ao mesmo tempo, estamos começando a ver como cuidar dele também pode ajudar a tratar essas doenças.

Muitas condições neurológicas e até psiquiátricas estão associadas à inflamação intestinal e são precedidas por sintomas no intestino. O transtorno do espectro do autismo (TEA) tem sido intimamente ligado à inflamação do intestino, que coincide com a inflamação do cérebro.[45] Muitas crianças autistas têm problemas intestinais, como doença inflamatória intestinal e revestimento intestinal excessivamente permeável. Em um teste de permeabilidade intestinal (chamado teste de lactulose-manitol), 37% das crianças com TEA tiveram resultado positivo, em comparação com menos de 5% das crianças do grupo de controle — isso é um aumento de sete vezes na incidência. Um efeito desse tamanho certamente sugere uma possível ligação causal com a permeabilidade intestinal, causando comportamento autista, autismo causando aumento da permeabilidade intestinal ou algum terceiro fator, como uma exposição ambiental, causando ambos.

No outro extremo do espectro de idade, a doença de Parkinson, uma condição neurodegenerativa, também foi fortemente associada à saúde intestinal. Um dos primeiros sinais da doença, muitas vezes esquecido, é a constipação ou prisão de ventre. Embora os cientistas ainda estejam trabalhando para entender isso, uma pista significativa foi revelada em um estudo recente envolvendo 15 mil pacientes com nervos vagos cortados. O nervo vago envia mensagens do trato gastrointestinal diretamente para o cérebro, e apenas metade desses pacientes com nervos cortados desenvolveram a doença de Parkinson em 20 anos, em comparação com as taxas observadas na população em geral. Esta é uma forte evidência de que a doença de Parkinson pode, de fato, começar no trato gastrointestinal e viajar pelo nervo vago até o cérebro.[46]

O transplante de microbiota fecal — o transplante de fezes saudáveis que contém até 60% de bactérias por peso — é um avanço animador porque fornece uma oportunidade para "reiniciar" o microbioma intestinal. Atualmente, esse procedimento envolve o transplante de fezes intactas, que podem conter milhares de tipos de bactérias. Os cientistas ainda não sabem exatamente quais detêm os poderes curativos, mas, no futuro, o potencial para intervenções bacterianas mais seletivas em uma série de condições sem dúvida surgirá.

É importante lembrar que a microbiota intestinal é apenas um elemento de nossa simbiose humano-microbiana. As áreas emergentes de pesquisa incluem os microbiomas orais e sinusais. A má saúde bucal há muito tempo é associada a uma série de doenças sistêmicas, incluindo derrame, diabetes, doenças cardiovasculares e demência.[47] Em um artigo publicado em *PLOS ONE* (Revista Acadêmica), pesquisadores descobriram que pacientes com demência leve a moderada com periodontite – inflamação da gengiva – tinham um aumento de seis vezes na taxa de declínio cognitivo 6 meses depois.[48] Deveríamos estar limpando a boca com antibióticos, e atacando essencialmente as populações de bactérias mais amigáveis em nosso microbioma oral junto com aquelas que podem ser mais prejudiciais? As mesmas espécies oportunistas encontradas no intestino se escondem abaixo da linha das gengivas, esperando o momento certo para dar um golpe? Essas são questões que as pesquisas futuras, sem dúvida, precisarão abordar.

O microbioma sinusal (ou rinossinal) pode ser de particular relevância para o cérebro. A cavidade sinusal fornece acesso direto ao cérebro por meio de seu rico leito vascular de capilares altamente permeáveis. O que isso significa para a fábrica química microbiana que habita essa área? Pesquisa recente de Harvard sugere que a placa amiloide (o tipo que se forma na doença de Alzheimer) pode ser, para alguns, uma resposta a uma infecção microbiana do cérebro. Isso posiciona o microbioma nasal como um candidato interessante para exploração nos próximos anos. Que mistura de micróbios oferece a menor vantagem competitiva para os encrenqueiros que chegam? Os *sprays* nasais probióticos são um tratamento de reforço cognitivo do futuro? É uma coincidência que o sentido do olfato seja o primeiro afetado pelo declínio cognitivo? Eu, pelo menos, estou animado para acompanhar o desenvolvimento dessa ciência.

NOTAS DE CAMPO

√ Um intestino saudável torna-se uma fábrica de butirato, transformando a fibra alimentar em um dos mais importantes inibidores de inflamação.

√ Foi demonstrado que o butirato aumenta o BDNF (fator neurotrófico derivado do cérebro), o principal fertilizante do cérebro.

- ✓ A autoimunidade (quando o sistema imunológico do hospedeiro ataca as células do hospedeiro) pode ser instigada pelo glúten em muitas pessoas. A típica dieta norte-americana com baixo teor de fibras (rica em emulsificantes) pode exacerbar a ameaça representada pelo glúten.
- ✓ A diversidade bacteriana intestinal é importante para "treinar" um sistema imunológico saudável – uma característica que a vida moderna reduziu consideravelmente.

ALIMENTO PARA O CÉREBRO #7

VERDURAS ESCURAS

Os vegetais são os melhores amigos do seu cérebro. Não há dúvidas sobre isso, especialmente quando falamos sobre as variedades sem amido, incluindo espinafre e alface romana, e os vegetais crucíferos – repolho, couve, mostarda, rúcula e acelga chinesa. Essas folhas verde-escuras têm baixo teor de açúcar e contêm vitaminas, minerais e outros fitonutrientes de que o cérebro precisa muito para funcionar adequadamente.

Um dos nutrientes de que as verduras escuras estão cheias é a vitamina folato. Na verdade, a palavra "folato" vem da palavra latina para "folhagem", o que torna muito fácil lembrar como obter mais: coma folhas! Conhecido principalmente por sua capacidade de prevenir defeitos congênitos do tubo neural, o folato é um ingrediente essencial no ciclo de metilação do corpo. Este ciclo ocorre em uma base constante em todo o corpo, além de ser fundamental para a desintoxicação e para fazer com que seus genes desempenhem seu trabalho.

Outro nutriente importante encontrado nas verduras é o magnésio. O magnésio é conhecido como "macromineral", porque precisamos obter uma quantidade relativamente grande dele em nossa alimentação para termos uma saúde e um desempenho ideais (outros macrominerais incluem sódio, potássio e cálcio). Quase 300 enzimas dependem do magnésio, o que o torna muito popular em todo o corpo. Essas enzimas têm a tarefa de nos ajudar a gerar energia e reparar o DNA danificado, que é a causa subjacente do câncer e do envelhecimento, e até desempenha um papel na doença de Alzheimer. Infelizmente, o consumo de magnésio é inadequado para 50% da população. Mas, para nossa sorte, qualquer alimento verde costuma ser uma boa fonte de magnésio, já que esse mineral é encontrado no centro da molécula de clorofila (que dá às plantas a pigmentação verde). Talvez seja por isso que um estudo recente mostrou que pessoas que comiam apenas duas porções de folhas verdes escuras por dia tinham cérebros que pareciam 11 anos mais jovens nas imagens! Folhas verde-escuras também nos fornecem um benefício inegável por meio da fibra que contêm. No Capítulo 7, você aprendeu tudo sobre o microbioma intestinal e sua capacidade coletiva de produzir ácidos graxos de cadeia curta como o butirato − um poderoso inibidor da inflamação. A principal forma de alimentar esses micróbios (e, por sua vez, extrair butirato para nós) é aumentar o consumo de vegetais, o que garante uma linha diversificada e ampla de fibras pré-bióticas fermentáveis para nossos amigos micróbios. As folhas verdes contêm até uma molécula de açúcar ligada ao enxofre recém-descoberta chamada sulfoquinovose (tente dizer isso três vezes mais rápido) que alimenta diretamente bactérias intestinais saudáveis.

Em geral, o consumo de vegetais − e de folhas verde-escuras em particular − beneficia o cérebro e o corpo e está inversamente relacionado ao risco de demência e vários biomarcadores do envelhecimento.

Como usar: Coma uma grande "salada gordurosa" diariamente, que é uma salada cheia de folhas verde-escuras orgânicas como couve, rúcula, alface romana ou espinafre, regada com azeite de oliva extravirgem. Evite variedades pobres em nutrientes, como a alface americana, que consiste basicamente em água e fibra. Haverá mais opções de "salada gordurosa" na seção de receitas (Páginas 251 a 252).

CAPÍTULO 8

QUADRO DE CONTROLE QUÍMICO DO CÉREBRO

Minha primeira tentativa de decodificar a palavra "neurotransmissor" (e as muitas drogas que afetam a neurotransmissão) ocorreu naquele momento cristalino imediatamente após o diagnóstico de minha mãe, quando estávamos sentados no carro alugado no estacionamento da Clínica Cleveland. Eu estava tentando sondar os nomes dos medicamentos nos vários frascos de pílulas em nossas mãos depois da ida à farmácia.

Os nomes das marcas eram grupos bizarros de fonemas vagamente semelhantes a palavras – consoante-vogal-consoante seguidos por vogal-consonante-vogal combinados em sequências melífluas e agradáveis. Pareciam que podiam ser palavras, deviam ser palavras, como se estivéssemos lendo as páginas de um livro escrito em inglês em uma dimensão paralela.

Na-men-da. Sin-e-met. Ari-cept. Com que naturalidade eles podem entrar em nossas conversas diárias...

"Mano, o que você vai fazer esta noite?"

"Namenda."

"Nem eu. Vamos ao Sinemet."

"Eu não sei se Aricept isso."

Os nomes científicos genéricos eram obviamente menos feitos sob medida para o público da televisão, deixando uma ambiguidade nervosa enquanto eu os rolava na língua: *memantina, levodopa/carbidopa, donepezila*. Aquilo era *Dawn-EH-pazeel*? Ou *DONNA-pezel*? Onde cai a tônica? Eu me perguntei. Eu escolhia uma pronúncia, confiando que a tinha acertado, até que um médico usasse uma pronúncia totalmente não intuitiva. Uau, as coisas que você aprende na faculdade de medicina! Então, ia ao consultório de outro médico, pronto para impressioná-lo com minha pronúncia correta, apenas para ver aquele médico sorrir, afirmando com confiança que esta terceira variação de *donepezil* ("Todo mundo sabe que o primeiro 'e' é mudo!") era de fato a versão oficial.

Deixando de lado a pronúncia, o que essas drogas realmente fazem? Esses compostos peculiares funcionam alterando os níveis dos neurotransmissores. Drogas contra demência não são os únicos compostos que fazem isso – muitos remédios controlados, de antidepressivos a medicamentos para TDAH e outros que reduzem a ansiedade, alteram os níveis desses importantes mensageiros químicos. Embora esses tipos de drogas estejam entre os produtos farmacêuticos mais vendidos do mundo, outros compostos pelos quais os humanos gravitaram em várias culturas também funcionam de forma semelhante – café, álcool, cocaína, MDMA e até a luz do sol nos fazem sentir de uma certa maneira devido ao impacto sobre o funcionamento dos neurotransmissores.

A ideia de que nossos cérebros não funcionam da maneira que queremos devido ao desequilíbrio dos níveis de neurotransmissores passou a ser conhecida como a teoria do "desequilíbrio químico". Essa teoria é mais comumente associada à depressão, afirmando que a sensação de tristeza é causada por baixos níveis de serotonina no cérebro. Mas uma nova pesquisa sugere que muitos problemas cerebrais comuns não são causados por *deficits* de neurotransmissores, e sim por neurotransmissores que são incapazes de funcionar da maneira devida, por causa da uma disfunção induzida ou subjacente. Da mesma forma, a demência não é causada por baixo teor de acetilcolina, um neurotransmissor envolvido na memória; a acetilcolina diminui porque os neurônios que a produzem estão, em muitos casos, morrendo lentamente.

É por isso que essas drogas não têm capacidade de "modificação da doença" – ou seja, elas não fazem nada para resolver os problemas subjacentes que criam o pacote de sintomas que vemos como "demência". Eles agem apenas como curativos. *Déficit* de atenção, perda de memória e humor deprimido podem ser manifestações de problemas subjacentes, e os produtos farmacêuticos continuamente são ineficazes.

COMO FUNCIONAM OS NEUROTRANSMISSORES

Para um sistema microscópico, a função do neurotransmissor é um *design* incrivelmente elegante. Parte do neurotransmissor é liberado por um neurônio. Esse neurônio é chamado de célula pré-sináptica porque inicia a mensagem e, portanto, vem antes da sinapse. Então, o neurotransmissor se move para a fenda sináptica, que é a lacuna entre os neurônios. Lá, moléculas de neurotransmissor cruzam a lacuna para encontrar um receptor no neurônio receptor, ou pós-sináptico. O neurotransmissor restante é retomado pela célula pré-sináptica, chamado de recaptação, ou degradado por enzimas. Em condições normais, essa "limpeza" pós-sináptica é feita para evitar a estimulação excessiva da célula pós-sináptica, mas em certos casos pode ser manipulada por drogas com efeitos variados. Por exemplo, inibir a recaptação é o mecanismo pelo qual certos medicamentos antidepressivos aumentam a disponibilidade do neurotransmissor serotonina. Como alternativa, drogas que visam aumentar a acetilcolina no cérebro, outro neurotransmissor importante, atuam prevenindo sua degradação enzimática.

Este capítulo vai explicar como manter seus neurotransmissores funcionando perfeitamente, ajudando você a recriar as condições sob as quais eles foram projetados para funcionar. Se você sofre de mau humor ou memória fraca, estresse ou desconcentração, esta seção o ajudará a entender melhor como maximizar sua qualidade de vida, a função cognitiva e a saúde cerebral por meio dos principais meios de comunicação do cérebro. Como um cérebro mais saudável aprimora nossa experiência do mundo, ele nos permite ser as versões mais verdadeiras e expressivas de nós mesmos, capazes de sentir, aprender, amar e nos conectar de maneiras que fazem a vida valer a pena.

Glutamato/GABA: Os neurotransmissores Yin e Yang

A filosofia chinesa antiga descreve a vida em termos da coexistência entre o inibitório (*yin*) e o excitatório (*yang*) em perfeita harmonia. Sem saber, esses antigos filósofos parecem ter tropeçado em uma descrição rudimentar de nossos dois neurotransmissores mais fundamentais milhares de anos antes da invenção do método científico! GABA é o principal neurotransmissor inibitório no cérebro, usado em 30 a 40% das sinapses cerebrais. Associado a um efeito calmante que foi apelidado de "Valium natural", ele age para contrabalançar o glutamato, o principal neurotransmissor excitatório do cérebro – o *yang* para o *yin* de GABA. O GABA e o glutamato constituem os neurotransmissores mais abundantes do cérebro e estão envolvidos na regulação das funções de vigilância, ansiedade, tensão muscular e memória.[1]

GLUTAMATO

Usado por mais da metade de todos os neurônios, o glutamato é o precursor do GABA e aumenta o nível geral de excitação do cérebro. O glutamato está normalmente envolvido na aprendizagem, memória e sinaptogênese (a criação de novas conexões entre os neurônios).[2] Já cobrimos algumas das facas de dois gumes mais famosas da biologia – oxigênio, insulina e glicose –, e o glutamato não é diferente. Em excesso pode causar excitotoxicidade, prejudicando as células nervosas. A disfunção dos complexos mecanismos que governam a liberação de glutamato foi observada na doença de Alzheimer e é um fator destrutivo na ELA, uma doença neurológica de rápida progressão que ataca os neurônios responsáveis pelo controle do movimento voluntário. (Uma das duas principais classes de medicamentos usados para tratar a demência reduz a excitotoxicidade relacionada ao glutamato no cérebro, e o único medicamento aprovado pela FDA para prolongar a vida na ELA também é um agente modulador do glutamato.)[3]

GABA

GABA inibe o nível geral de excitação do cérebro e você provavelmente já está familiarizado com a sensação de modulá-lo. Os ansiolíticos aumentam o efeito do GABA, assim como o álcool, e ambos inibem simultaneamente o glutamato. O problema é que essas drogas são altamente viciantes e têm uma série de consequências. Os efeitos estimulantes da cafeína, por outro lado, são devidos à sua capacidade de aumentar a atividade do glutamato e inibir a liberação de GABA. Acredita-se que ansiedade, ataques de pânico, palpitações e insônia se manifestem por meio de disfunção do sistema GABA.

A ASCENSÃO DO "PSICOBIÓTICO"

Os cientistas que estudam a depressão em camundongos precisam ser espertos ao determinar o que constitui depressão, e uma das muitas maneiras interessantes de avaliar a satisfação geral com a vida de um camundongo é chamada de teste de natação forçada. Funciona assim: os ratos são jogados em um tanque cheio de água, onde imediatamente começam a percorrer a água até encontrar algo em que se agarrar. Os ratos deprimidos tendem a perder a esperança e permitir-se afundar mais cedo do que os ratos felizes, que ficam na água por muito mais tempo – isso é interpretado como uma motivação maior para viver. Por mais estranho que pareça, é como alguns antidepressivos são inicialmente estudados e testados.

Em uma reviravolta única em tal experimento, os ratos tiveram seus microbiomas povoados com um certo tipo de probiótico chamado *Lactobacillus rhamnosus*, e então, eles foram jogados em um tanque. Em comparação com os ratos que não receberam o probiótico, aqueles que receberam pareciam mais ansiosos para se manter à tona. Eles até mostraram um aumento acentuado nos receptores GABA antiansiedade em certas partes do cérebro. Esse efeito também esteve ausente nos ratos que receberam o probiótico, mas tiveram seus nervos vagos cortados – o nervo vago inerva os intestinos e está conectado diretamente ao cérebro. Isso sugere que o mecanismo de ação foi a comunicação microbiana direta com o cérebro.[4]

Se os probióticos ajudaram os ratos deprimidos, quais são as chances de que eles possam ajudar em outros sintomas psiquiátricos? Ratos nascidos de mães que comeram o equivalente a *fast food* (uma combinação mortal de gordura e açúcar) várias vezes ao dia mostraram sintomas de comportamento social semelhantes ao autismo. Após a inspeção de suas populações de bactérias intestinais, esses ratos autistas continham nove vezes menos de outra espécie probiótica, *Lactobacillus reuteri*. Ao restaurar *L. reuteri* com um suplemento probiótico, os cientistas foram capazes de "corrigir" esses *deficits* comportamentais sociais, e os ratos até mostraram um aumento na produção do hormônio social oxitocina, que atua como um neurotransmissor no cérebro.

Curiosamente, a quantidade de *L. reuteri* encontrada em nossos sistemas diminuiu em conjunto com os aumentos vistos nas taxas de autismo e no consumo de *fast food*. Na década de 1960, quando a bactéria foi descoberta, *L. reuteri* estava presente em 30 a 40% da população. Hoje é encontrado em 10 a 20%, um resultado provável de nossa ingestão diminuída de alimentos fermentados e fibras, nossa dependência de alimentos ultraprocessados e o aumento no uso de antibióticos.[5] Considerando que a *L. reuteri* normalmente seria transmitida no leite materno, é como o amigo que não sabíamos que tínhamos até que ele se foi.

OTIMIZANDO O GLUTAMATO/GABA

Uma maneira de manter esse sistema funcionando normalmente é incorporar o equilíbrio glutamatérgico/GABAérgico em sua vida, criando períodos de excitação e inibição deliberadas. Foi demonstrado que exercícios intensos promovem o equilíbrio, aumentando o GABA e o glutamato no cérebro humano.[6] Esse efeito dura muito além do treino, pois se correlaciona com níveis mais elevados de glutamato em repouso uma semana depois. A depressão maior é categorizada como tendo níveis reduzidos de ambos, e o exercício demonstrou melhorar os sintomas depressivos. O exercício também demonstrou ajudar o cérebro a metabolizar o glutamato de maneira mais eficaz, reduzindo assim seu acúmulo.[7]

Meditação, ioga e exercícios de respiração profunda são excelentes maneiras de aumentar o GABA.[8] Condicionamento hipotérmico, seja por tomar um banho de gelo ou banho frio ou fazer crioterapia (onde se entra em um tanque cheio de gás nitrogênio congelante, geralmente por cerca de 3 minutos), é um excelente meio de normalizar o equilíbrio GABA/glutamatérgico.[9] Embora estressante e excitatório, assim estimulando a reação nervosa simpática de "lutar ou fugir", as pessoas que participam do condicionamento hipotérmico experimentam uma queda significativa na atividade simpática e um aumento no GABA após a aclimatação. (A exposição ao frio também tem o benefício de aumentar outro neurotransmissor envolvido no aprendizado e na atenção, chamado norepinefrina, que discutirei em breve.)

Evitar o consumo de glutamato adicionado em alimentos processados é outra estratégia para manter esse equilíbrio vital de neurotransmissores. O glutamato monossódico (MSG), um intensificador de sabor frequentemente usado na culinária chinesa que é uma fonte comum, e o aspartame, um adoçante "*diet*" não calórico, tornam-se excitatório, transformando-se em precursores de glutamato após entrar no corpo.[10]

Acetilcolina:
O neurotransmissor do aprendizado e da memória

A acetilcolina é um neurotransmissor que faz parte do sistema colinérgico, envolvido em muitas atividades do corpo, mas é principalmente considerada por seu papel no sono REM, aprendizagem e memória.

Níveis baixos de acetilcolina estão associados à doença de Alzheimer, quando os neurônios produtores de acetilcolina são danificados. Na verdade, a segunda das duas principais classes de medicamentos usados atualmente para tratar a doença de Alzheimer e outras demências funciona para aumentar a disponibilidade de acetilcolina no cérebro, evitando sua quebra enzimática na sinapse[1] (já mencionei a primeira, que modula glutamato).

OTIMIZANDO A ACETILCOLINA

Uma maneira de garantir a função ideal da acetilcolina é evitar uma ampla classe de drogas "anticolinérgicas" muito comuns. Muitos desses medicamentos são amplamente usados e estão disponíveis sem receita, supostamente para tratar de alergias a insônia.

Essas drogas, como a palavra sugere, bloqueiam o neurotransmissor acetilcolina e o uso contínuo pode causar problemas cognitivos em até 60 dias.[11] Mas mesmo o uso ocasional de um forte anticolinérgico pode causar toxicidade aguda. Os sintomas são frequentemente lembrados por estudantes de medicina com o mnemônico "Cego como um morcego (pupilas dilatadas), vermelho como uma beterraba (rubor), quente como uma lebre (febre), seco como um osso (pele seca), louco como um chapeleiro (confusão e perda de memória de curto prazo), inchado como um sapo (retenção urinária) e o coração funcionando sozinho (batimento cardíaco acelerado)".

---

1. Esses medicamentos, chamados inibidores da colinesterase, não são especialmente conhecidos por sua eficácia, em parte porque o baixo teor de acetilcolina é o resultado de uma disfunção subjacente, não sua causa. Esses medicamentos não fazem nada para tratar essa disfunção e, portanto, não alteram a progressão da doença.

QUADRO DE CONTROLE QUÍMICO DO CÉREBRO

Os neurotransmissores são mais que apenas as mensagens que contêm – às vezes são essenciais para manter os neurônios saudáveis. Uma pesquisa alarmante publicada na revista acadêmica *JAMA Neurology* mostrou que usuários regulares de drogas anticolinérgicas tinham metabolismo de glicose no cérebro mais baixo e habilidades cognitivas mais fracas (incluindo memória de curto prazo e função executiva mais fracas). Os indivíduos até mostraram estruturas cerebrais alteradas em exames de ressonância magnética, exibindo menor volume do cérebro e ventrículos maiores (as cavidades dentro do cérebro). As drogas anticolinérgicas tomadas por esses indivíduos incluíam remédios para resfriados noturnos, soníferos de venda livre e relaxantes musculares – todos os quais bloqueiam a acetilcolina.

Você pode estar se perguntando se o uso crônico dessas drogas pode aumentar o risco de demência – e a resposta é sim. Em um estudo com 3,5 mil idosos, pesquisadores da Universidade de Washington descobriram que as pessoas que usaram essas drogas eram mais propensas a desenvolver demência do que aquelas que não as usavam.[12]

Na verdade, quanto mais regular o uso, maior o risco de demência. Tomar um anticolinérgico pelo equivalente a 3 anos ou mais foi associado a um risco 54% maior de demência do que tomar a mesma dose por três meses ou menos. Se você toma qualquer dessas drogas regularmente, é fundamental que converse com seu médico sobre a possibilidade de elas estarem prejudicando sua função cognitiva e, em última análise, colocando você em maior risco de demência. Se você é portador do alelo ApoE4 (descrito no Capítulo 6; os portadores constituem 25% da população) ou tem um forte histórico familiar de demência, você e seu médico devem procurar alternativas mais seguras.

A dieta também contribui para um sistema colinérgico ideal. A colina é o principal precursor dietético da acetilcolina, e mudanças nos níveis plasmáticos de colina produzem mudanças nos níveis cerebrais dos precursores desse neurotransmissor.[13] A colina também é uma componente chave das membranas celulares, que é onde o corpo a armazena para uso posterior. É encontrada em quantidades abundantes em frutos do mar e aves, mas os ovos podem ser a melhor fonte, com um ovo grande contendo cerca de 125 miligramas de colina em sua gema. Infelizmente, a ingestão média de colina nos Estados Unidos está muito abaixo do nível adequado, definido em 550 miligramas por dia para homens e 425 miligramas por dia para mulheres (maior para mulheres grávidas ou amamentando) pela Academia Nacional de Medicina.[14] Dez por cento ou menos tinham ingestão de colina nesses níveis ou acima deles.[15]

ANTICOLINÉRGICOS COMUNS A SE EVITAR

Droga	Uso	Impacto
Dimenidrinato	Enjoo em viagens	Anticolinérgico forte
Difenidramina	Anti-histamínico/ajuda a dormir	Anticolinérgico forte
Doxilamina	Ajuda a dormir	Anticolinérgico forte
Paroxetina	Antidepressivo	Anticolinérgico forte
Quetiapina	Antidepressivo	Anticolinérgico forte
Oxibutinina	Antidepressivo	Anticolinérgico forte
Ciclobenzaprina	Relaxante muscular	Anticolinérgico moderado
Alprazolam	Antidepressivo	Possível anticolinérgico
Aripiprazol	Antidepressivo	Possível anticolinérgico
Cetirizina	Anti-histamínico	Possível anticolinérgico
Loratadina	Anti-histamínico	Possível anticolinérgico
Ranitidina	Contra azia	Possível anticolinérgico

PRINCIPAIS ALIMENTOS COM COLINA

- Ovos (coma as gemas!)
- Fígado bovino
- Camarão
- Vieiras
- Carne
- Frango
- Peixe
- Couve-de-bruxelas
- Brócolis
- Espinafre

(Veganos e vegetarianos terão de comer duas xícaras de brócolis ou couve-de--bruxelas para obter a mesma quantidade de colina encontrada em uma única gema de ovo.)

Serotonina: O neurotransmissor do humor

Crescendo na cidade de Nova York, eu sempre sentia meu ânimo cair no outono. A aproximação dos meses de inverno, com dias escuros e pouca exposição ao sol, causavam uma espécie de depressão conhecida como transtorno afetivo sazonal, ou TAS. Também conhecida como depressão de inverno, a TAS afeta cerca de 10 milhões de pessoas nos Estados Unidos — e embora a maioria das pessoas afetadas sejam mulheres e todas estão em risco.

Quando eu tinha 17 anos de idade, descobri que a pele produzia vitamina D com a exposição ao sol e percebi que minha falta de exposição ao sol durante aqueles meses escuros provavelmente estava comprometendo a produção de vitamina D do meu corpo. Tive um palpite de que meu humor, o sol limitado que estava recebendo e a vitamina D reduzida que estava sintetizando poderiam estar de alguma forma relacionados. Então, eu me auto prescrevi um suplemento de vitamina D para ver se melhoraria meu humor. E me senti melhor.

Foi um efeito placebo? Nunca se pode ter certeza — não foi um estudo duplo-cego. No entanto, quase duas décadas após meu experimento, os cientistas descobriram um mecanismo que pode muito bem explicar a melhora que senti. Acontece que os níveis saudáveis de serotonina podem, na verdade, depender da vitamina D, pois ela ajuda a criar a serotonina a partir de seu precursor, o aminoácido triptofano. Esta é uma percepção importante, especialmente à luz das pesquisas que estimam a deficiência de vitamina D em três quartos da população dos Estados Unidos.

A serotonina é bem conhecida por sua capacidade de melhorar o humor e o sono, e constitui a base do que é chamado de sistema serotonérgico. Você pode estar familiarizado com a classe de medicamentos antidepressivos à venda chamados inibidores seletivos da recaptação da serotonina ou ISRS. Essas drogas prometem aumentar a disponibilidade de serotonina na sinapse, evitando sua recaptação na célula pré-sináptica.

Mais uma vez, os medicamentos controlados não são os únicos compostos que mexem com esse neurotransmissor. A droga MDMA é conhecida por sua influência na alteração do humor, atribuída a seu efeito no sistema serotonérgico. Inicialmente estudada por seu potencial para tratar o estresse pós-traumático e outros transtornos mentais resistentes a tratamento, a MDMA é como a dinamite da barragem que rege a liberação normal de serotonina. Mas o ato de liberar grandes quantidades de serotonina sobrecarrega o mecanismo de reciclagem e causa a oxidação dos neurônios circundantes, literalmente queimando-os — talvez seja por isso que o uso crônico de MDMA por longo prazo tenha sido associado a problemas de memória e danos cerebrais. (Um tema recorrente neste livro é que toda ação biológica tem uma reação igual e oposta — não existe almoço grátis na biologia!)

Outra substância química, a psilocibina, o psicoativo dos cogumelos "mágicos", evita a recaptação da serotonina e também imita a serotonina, ativando seus receptores. É diferente do MDMA, que inunda as sinapses com sua própria serotonina. Por esse motivo, a psilocibina pode ter menos efeitos negativos em longo prazo. Em uma pesquisa inovadora realizada pela Universidade de Nova York e pela Universidade Johns Hopkins, a psilocibina demonstrou aliviar a ansiedade e aumentar a satisfação com a vida em pacientes com câncer sob risco de vida durante 6 meses após uma única dose.[16] O potencial de aprimoramento cognitivo de baixas doses de psilocibina, chamadas de microdosagem, está sendo estudado atualmente.

A serotonina não é apenas para boas vibrações. Também está fortemente envolvida nas funções executivas. Sabemos disso porque os cientistas desenvolveram uma maneira inteligente de reduzir temporariamente os níveis de serotonina nas pessoas, e os resultados não são bonitos. Como mencionei, a serotonina é sintetizada no cérebro a partir do aminoácido essencial triptofano. O triptofano que consumimos na proteína sobe até o cérebro, de onde precisa ser transportado por meio da barreira hematoencefálica. Outros aminoácidos competem por esses mesmos transportadores, incluindo aminoácidos de cadeia ramificada, que são importantes para o funcionamento do cérebro e o crescimento muscular, entre outras coisas. Quando administrados como suplemento autônomo, esses aminoácidos podem competir com o triptofano, bloqueando sua entrada no cérebro.[17] (Uma das maneiras pelas quais o exercício realmente melhora seu humor é fazendo seus músculos "sugarem" os aminoácidos de cadeia ramificada circulantes, assim permitindo que o triptofano entre mais facilmente no cérebro — mais sobre isso daqui a pouco.)

Então, o que aconteceu quando os cientistas deram esses aminoácidos aos indivíduos? Os níveis de serotonina despencaram temporariamente. Isso foi acompanhado por uma ampla gama de mudanças comportamentais, incluindo aumento da agressividade, aprendizagem e memória prejudicadas, menor controle de impulso, capacidade reduzida de resistir à gratificação em curto prazo, planejamento prejudicado em longo prazo e altruísmo reduzido.[18] É fácil ver como essas características podem reforçar sentimentos de depressão e até contribuir para tendências violentas. Como um aparte fascinante, a exposição à luz forte durante tal tratamento parece atenuar alguns desses efeitos, sugerindo ainda outro método para garantir a expressão saudável da serotonina: a exposição solar diária.[19]

OTIMIZANDO A SEROTONINA

Neste ponto, você está começando a entender como manter a inflamação do seu corpo em um nível mínimo: evitando açúcares, grãos e óleos oxidados, enquanto consome muitos nutrientes e fibras vegetais (falaremos mais sobre isso nos capítulos seguintes, antes de colocar tudo junto no Plano). Se você já começou a integrar essas ideias ao seu estilo de vida, está no caminho certo para otimizar a expressão da serotonina. Isso ocorre porque a inflamação pode bloquear a liberação de serotonina por seus neurônios, como foi mostrado em uma pesquisa do

Hospital Infantil Oakland Research Institute (CHORI).[20] Isso talvez explique por que a depressão causada por inflamação crônica é resistente aos métodos tradicionais de terapia, mas pode ser tratada reduzindo a inflamação no corpo. Os pesquisadores do CHORI descobriram que o ácido graxo ômega-3 anti-inflamatório EPA facilitou a liberação normal de serotonina, enquanto o DHA, que dá suporte à fluidez da membrana (discutido no Capítulo 2), promoveu a captação saudável na célula pós-sináptica.

À medida que as vendas de ISRS continuam a disparar, esse tipo de pesquisa é cada vez mais importante, fornecendo fortes evidências de que "baixa serotonina" pode ser o resultado de um problema subjacente para muitas pessoas, e não a causa da depressão em si. Esse tipo de percepção é extremamente necessário, especialmente considerando que um em cada dez americanos hoje toma um medicamento antidepressivo; entre as mulheres na casa dos 40 e 50 anos, o número é de uma em quatro.[21] E elas são eficazes? Uma meta-análise recente da revista acadêmica *JAMA* concluiu:

> *"A magnitude do benefício da medicação antidepressiva em comparação com o placebo aumenta com a gravidade dos sintomas de depressão e pode ser mínima ou inexistente, em média, em pacientes com sintomas leves ou moderados. Para pacientes com depressão muito grave, o benefício dos medicamentos em relação ao placebo é substancial.[22]"*

Em outras palavras, para muitas pessoas, os antidepressivos não são melhores que um placebo, com exceção dos casos mais graves de depressão (e mesmo assim tratamentos não farmacológicos têm mostrado sucessos impressionantes, como o estudo SMILES publicado recentemente – bem como experimentos envolvendo compostos anti-inflamatórios, como a curcumina, um componente da cúrcuma).[23]

A DIETA PODE REALMENTE TRATAR A DEPRESSÃO? O ESTUDO SMILES

A ligação entre depressão e dieta inadequada está bem estabelecida, e estar deprimido pode certamente nos levar a uma alimentação não saudável. Mas será que dietas pobres nos deixam deprimidos e, se melhorarmos nossas dietas, nossa saúde mental melhorará? Agora temos uma resposta, graças ao ensaio SMILES, publicado em 2017 e liderado pela Dra. Felice Jacka, diretora do Centro de Alimentação e Humor da Universidade Deakin, na Austrália.

Usando uma dieta mediterrânea modificada com foco em vegetais frescos, frutas, nozes cruas sem sal, ovos, azeite, peixe e carne de bois alimentados com pasto, Jacka e sua equipe viram pacientes com depressão maior melhorarem suas pontuações em uma média de cerca de 11 pontos em uma escala de depressão de 60 pontos. Ao final do ensaio, 32% dos pacientes tinham pontuações tão baixas que não preenchiam mais os critérios de depressão! Enquanto isso, as pessoas no grupo sem modificação dietética melhoraram apenas cerca de 4 pontos, e apenas 8% alcançaram a remissão.

Esses dados adicionam força séria ao argumento de que podemos com a alimentação abrir caminho para um humor melhor, e o # **Plano Alimento para o Cérebro** foi calibrado para incorporar essas descobertas. Para assistir a uma entrevista detalhada de uma hora que conduzi com a Dra. Jacka, visite http://maxl.ug/felicejackainterview.

Além da luz solar, da vitamina D e dos ácidos graxos ômega-3 DHA e EPA, que outro suplemento mágico você pode tomar para aumentar a serotonina? Dada a incrível capacidade do corpo de sintetizar neurotransmissores a partir dos elementos mais básicos, o meio mais poderoso que conhecemos para aumentar a serotonina no cérebro é simplesmente movimentar-se. Como mencionei antes, o exercício aumenta o triptofano plasmático (lembre-se de que ele é o precursor da serotonina) e diminui os níveis de aminoácidos de cadeia ramificada, que, embora importantes, competem com o triptofano pela entrada no cérebro. Esse aumento substancial na disponibilidade do triptofano para o cérebro persiste mesmo após o término do treino.[24] Em outro poderoso e esclarecedor estudo frente a frente, nenhum ISRS foi tão eficaz quanto o exercício, três vezes por semana, no combate à depressão.

Há outro meio de aumentar a serotonina no cérebro com o qual você já deve estar familiarizado: carboidratos e açúcar. Esse impulso temporário de humor está por trás de uma das qualidades mais viciantes dos carboidratos. E então, quando os níveis de carboidratos diminuem entre as refeições, a serotonina cai, levando-nos a buscar algo com amido ou açúcar — demonstrando por que o consumo de carboidratos não é uma estratégia adequada para aumentar a serotonina.

Em estudos psicológicos cruciais, alimentar os participantes com açúcar melhora temporariamente a força de vontade e a função executiva, mas é difícil descobrir se o açúcar realmente aumenta a função ou simplesmente trata a abstinência pela falta dele. Seria útil ver esses estudos replicados em sujeitos adaptados à gordura. Apesar disso, o curto-circuito dos sistemas de recompensa do cérebro com estímulos externos, seja com açúcar, drogas, sexo ou episódios crônicos de cárdio prolongado e de alta intensidade, raramente leva a resultados positivos em longo prazo. Mas o açúcar em particular o mantém em uma montanha-russa de insulina ao longo do dia, pode fazer com que você ganhe peso e levar à disfunção metabólica, reforçando assim muitos dos mecanismos inflamatórios que o deixam deprimido!

SEROTONINA E O INTESTINO

De acordo com uma estatística frequentemente citada, 90% do suprimento de serotonina do corpo são encontrados no intestino, não no cérebro. Isso é verdade, pois as células epiteliais do intestino criam serotonina, facilitando a digestão. A chave para a felicidade, então, está nas entranhas? Pode apostar – mas o motivo pode surpreendê-lo. A serotonina derivada do intestino não atravessa a barreira hematoencefálica. Mas, ao mesmo tempo, o que acontece no intestino pode influenciar a atividade da serotonina no cérebro por meio de sua capacidade de modular a inflamação.

No Capítulo 7, discutimos a saúde intestinal e a necessidade de manter a integridade da barreira intestinal por meio do consumo de fibras solúveis – contendo vegetais que ajudam a "selar" os poros do intestino. O lipopolissacarídeo (LPS), um constituinte normal de um intestino saudável, torna-se um potente instigador de inflamação quando vazado por um intestino que "vaza". Além de levar o sistema imunológico a um estado de defesa inflamado, o LPS é diretamente tóxico para os sistemas de serotonina e dopamina. Na verdade, o LPS é frequentemente usado em laboratório, injetado em camundongos para induzir comportamento depressivo e neurodegeneração.

Reveja o Capítulo 7 para saber como proteger e melhorar a integridade da parede intestinal.

Dopamina:
O neurotransmissor de recompensa e reforço

Assim como a serotonina, a dopamina é considerada um neurotransmissor do "bem-estar". É mais conhecida por sua associação com motivação e recompensa, além de ser liberada quando fazemos coisas como sexo, ouvir nossa música favorita, comer ou assistir a nosso time ganhar um jogo. Também aumenta quando uma nova oportunidade de trabalho ou promoção se apresenta, quando identificamos alguém em um bar que achamos atraente ou quando recebemos uma notificação de "curtir" em postagens de rede social. Quando as metas são estabelecidas e cumpridas, nosso sistema de dopamina se acende, ajudando a nos motivar a fazer coisas que a evolução considerou boas para nós e para a espécie. Mas este sistema, como muitos outros, pode se tornar disfuncional no mundo moderno.

Por causa do papel da dopamina na motivação, que está fortemente envolvida nos aspectos da função executiva, onde medeia o controle motor, a excitação e o reforço. Sua presença é reduzida em viciados, que tentam normalizar seus níveis com substâncias ou ações. Este é um dos motivos pelos quais os "estimulantes" são tão viciantes, já que geralmente aumentam os níveis de dopamina no cérebro, por meio de uma variedade de mecanismos. A cocaína, por exemplo, inibe a recaptação da dopamina, resultando no aumento das concentrações de dopamina no espaço entre os neurônios. A metanfetamina, por outro lado, causa uma inundação de dopamina do neurônio pré-sináptico, ao mesmo tempo que evita sua recaptação. O "cristal", uma forma de metanfetamina, é altamente neurotóxico, matando as células naturais produtoras de dopamina, o que aumenta sua natureza altamente viciante (e mantém Walter White, de *Breaking Bad*, no negócio).

Na doença de Parkinson, as células produtoras de dopamina de uma parte específica do cérebro chamada *substantia nigra* ficam danificadas, de modo que os pacientes podem tomar medicamentos que aumentam a dopamina e aliviam os sintomas por algum tempo. Com o tempo, esses medicamentos perdem a eficácia em parte porque a inundação artificial de neurotransmissores causa a regulação negativa (ou diminuição) dos receptores de dopamina em todo o cérebro.[25] Na verdade, esse é um mecanismo de autorregulação que todos os neurônios têm para reduzir ou aumentar a sensibilidade da célula aos neurotransmissores, mas é especialmente arriscado com a dopamina. Um efeito colateral peculiar das terapias de aumento da dopamina na doença de Parkinson é um aumento potencial no "comportamento de risco", incluindo jogar de forma patológica, comportamento sexual compulsivo e compras excessivas.

A atividade dopaminérgica também é reduzida no TDAH, onde há menos receptores de dopamina na célula pós-sináptica. Isso significa que há mais necessidade de dopamina para manter a atenção e o foco. Mas isso é um distúrbio ou simplesmente um cérebro programado para buscar novidades?

VOCÊ É UM PREOCUPADO OU UM GUERREIRO?

Certos genes modulam a função do neurotransmissor e, portanto, desempenham um papel em aspectos-chaves da personalidade. O gene COMT é um dos mais bem estudados do grupo. É responsável pela produção da catecol-O-metiltransferase (COMT), uma enzima que decompõe a dopamina no córtex pré-frontal, a área cerebral responsável pelas funções cognitivas e executivas superiores.

Cada um de nós herda dois As e dois Gs ou um A e um G. Essas letras representam variações chamadas alelos. Ter duas cópias A resulta em uma diminuição de três a quatro vezes na atividade da enzima COMT em comparação com o alelo G, e ter uma combinação dos dois divide a diferença. Dependendo da variação que você tem, a dopamina é quebrada mais rapidamente ou mais lentamente na

QUADRO DE CONTROLE QUÍMICO DO CÉREBRO

sinapse. Portanto, se você tem dois As, então, terá mais dopamina circulando no córtex pré-frontal em circunstâncias cotidianas (porque a dopamina é quebrada mais lentamente), enquanto possuir dois Gs resulta na menor quantidade de dopamina (porque a dopamina é quebrada mais rapidamente). Aqueles com AG ficam em algum lugar no meio.

O alelo A é considerado "preocupado", e as pessoas que carregam duas cópias tendem a ser mais neuróticas e menos extrovertidas. Quando os preocupados experimentam um pico de dopamina, eles realmente sentem isso – é por isso que os AAs tendem a sentir "picos mais altos" e têm a sensação de estar aproveitando mais a vida. Embora o alto teor de dopamina possa parecer uma coisa boa, o excesso de estimulação pós-sináptica pode prejudicar o desempenho cognitivo. Os preocupados têm um desempenho ruim em condições estressantes por esse motivo, mas exibem melhor desempenho cognitivo em condições normais. Os AAs também tendem a apresentar baixos mais baixos e exibir menos resiliência emocional, sendo mais propensos à ansiedade e depressão. Por outro lado, eles são considerados mais criativos.

O alelo G é considerado o alelo "guerreiro", e as pessoas que carregam duas cópias tendem a ser menos neuróticas e mais extrovertidas. Os guerreiros lidam com situações estressantes muito melhor do que os preocupados, retendo o pico de proezas cognitivas em momentos de estresse e incerteza. Também apresentam maior resiliência emocional e melhor memória de trabalho. Eles podem ser mais cooperativos, prestativos e empáticos. Por outro lado, esses nobres guerreiros tendem a sentir que estão ganhando menos com a vida.

Como você pode ver, ambos os padrões de alelos incorporam características de personalidade necessárias para o sucesso de qualquer tribo, e os portadores de um A e um G (a chamada heterozigosidade) têm traços de personalidade em algum lugar entre guerreiro e preocupado, incorporando o melhor – e o pior – de ambos os mundos. Para saber sua situação, inscreva-se em um serviço de teste de gene do consumidor que forneça acesso a dados brutos e pesquise o SNP rs4680. Apenas lembre-se: seja você um guerreiro ou preocupado, os termos são meras generalizações. Todo mundo é único.

Caso em questão: o que vos escreve é um guerreiro com uma veia criativa!

Um artigo de opinião recente no *New York Times* sugeriu que a preferência pela busca de novidades no cérebro com TDAH pode ser uma característica que, até recentemente, serviu a uma clara vantagem evolutiva para nossa espécie, tendo evoluído ao longo de milhões de anos como caçadores-coletores nômades.[26]

Faz todo o sentido: um caçador-coletor bem-sucedido precisaria ser motivado a buscar novas oportunidades de coleta de alimentos e ser recompensado por seu cérebro assim que as encontrasse. No mundo atual de educação em linha de montagem e escolhas de carreira altamente especializadas, aqueles com TDAH podem estar sofrendo silenciosamente da "tranquilidade da repetição", para usar uma frase de um dos meus filmes favoritos,[2] muitas vezes, acabando em drogas como Adderall (dextroanfetamina) e Ritalina (metilfenidato). Essas drogas, como a cocaína, são inibidores da recaptação da dopamina.

O professor clínico de psiquiatria da Weill Cornell Medicine e autor do artigo, Richard Friedman, escreveu sobre um de seus pacientes bem-sucedidos: "[Ele] 'tratou' seu TDAH simplesmente mudando as condições de seu ambiente de trabalho de altamente rotineiro para outro que era variado e imprevisível". Isso pode explicar por que um número desproporcional de pessoas com TDAH e dificuldades de aprendizagem gravita em direção a carreiras mais empreendedoras.[27]

COMBATENDO A "ADAPTAÇÃO HEDÔNICA" (TAMBÉM CHAMADA CONDIÇÃO HUMANA)

Um problema comum da dopamina é que podemos nos tornar tolerantes aos seus efeitos quando estimulados. Isso é claramente observado pelo fenômeno da adaptação hedônica. Pense em uma meta de vida anterior que você já alcançou. Talvez tenha sido comprar um carro que você sempre quis, ou conseguir aquela promoção, ou se mudar para uma nova casa. Certamente, esses são marcos incríveis e emocionantes na vida, mas tão certo quanto você é humano também é o seu nível de felicidade que regrediu ao nível básico depois que a emoção inicial passou. Esta "tolerância" à dopamina, especialmente quando alcançada por qualquer curto-circuito das vias de estímulo/recompensa do cérebro, pode resultar em "anedonia", ou uma incapacidade patológica de sentir ou experimentar prazer em relação a coisas que antes achávamos agradáveis. Mas há uma solução: a ausência faz com que o receptor de dopamina fique mais afetivo.

Os monges budistas sabem há séculos que a abstenção oferece um meio de sair da esteira hedônica. Qualquer redução prolongada da liberação de dopamina causará uma regulação positiva dos receptores, aumentando assim a sensibilidade à dopamina. Embora o ascetismo possa não funcionar para todos, fazer um "intervalo" deliberado de hábitos de reforço de dopamina – uso de tecnologia, por exemplo – pode ser uma maneira incrivelmente eficaz de aumentar a motivação, restabelecer relacionamentos saudáveis e aumentar a felicidade em geral.

Não está pronto para se desconectar totalmente? Experimente este *hack* da felicidade simples por uma semana: estabeleça uma regra de não usar

---

2   *V de Vingança* — um filme perfeito na minha opinião. *Lembre-se, lembre-se...*

computadores, e-mails ou mensagens de texto por uma hora depois de acordar e uma hora antes de dormir. Conforme seu sistema é redefinido, talvez você sinta vontade de mantê-lo.

OTIMIZANDO A DOPAMINA

A dopamina é produzida no cérebro a partir do aminoácido tirosina e, assim como ocorre com outros neurotransmissores, os blocos de construção geralmente estão disponíveis, a menos que a pessoa tenha deficiência de proteínas. Nesse sentido, um sistema dopaminérgico saudável pode ser mais uma função de nossas escolhas e ações do que qualquer deficiência de nutrientes. Consumir alimentos que foram processados para se tornarem hiperpalatáveis, envolver-se em atividades de risco e tomar substâncias que sequestram e causam um curto-circuito no sistema de recompensa do cérebro podem criar vícios prejudiciais à saúde e autodestrutivos. Açúcar e carboidratos de digestão rápida como o trigo são estimuladores de dopamina massivos, desenvolvidos para aumentar o armazenamento de gordura em um momento de disponibilidade sazonal de açúcar. As qualidades viciantes do açúcar são tão fortes que por diversas vezes são comparadas a algumas das drogas ilícitas que mencionei acima.[28] Até mesmo os ciclos de *feedback* criados pelas redes sociais — certamente uma força positiva em muitos aspectos — pode deixar o sistema de dopamina desregulado e promover o vício.

Por outro lado, definir metas de curto e longo prazo para si mesmo é um bom "truque" que permite antecipação (um aspecto importante da felicidade duradoura) e recompensa. Experimente uma nova rotina de exercícios, aprender a tocar um novo instrumento, sair da sua zona de conforto social, apaixonar-se ou iniciar um projeto empreendedor paralelo. Todas essas são formas de aumentar a dopamina de maneira saudável.

Norepinefrina: O neurotransmissor do foco

Embora a dopamina e a serotonina sejam os neurotransmissores mais conhecidos, a norepinefrina é igualmente digna de nota. A norepinefrina desempenha um papel muito importante no foco e na atenção, além de ser expressa no cérebro sempre que há necessidade de foco, principalmente em momentos de estresse, quando pode aumentar a formação da memória de longo prazo. Você consegue se lembrar de onde estava no momento em que soube dos atentados de 11 de setembro ao World Trade Center? Aposto que esse dia está gravado em sua memória com detalhes cristalinos e impressionantes. Isso se deve a ninguém menos que a norepinefrina.

O principal centro de norepinefrina é uma pequena região do cérebro conhecida como *locus coeruleus*. Qualquer estímulo estressante causa um aumento da norepinefrina, de um ataque terrorista a uma grande briga com uma pessoa importante ou simplesmente não comer durante mais de 20 horas. Falando evolutivamente, esta é uma função adaptativa importante. Durante grande parte do nosso tempo no planeta, estímulos estressantes exigiram nossa atenção imediata, e memórias detalhadas e duradouras precisaram ser formadas para evitar tal evento no futuro (desde que tenhamos vivido aquele encontro inicial). Isso é chamado de potenciação de longa duração e desempenha um papel importante no condicionamento do medo. Como a norepinefrina tem um efeito tão poderoso, desfazer o medo aprendido pode ser um processo intensivo – pergunte a qualquer pessoa que sofra de transtorno de estresse pós-traumático (TEPT).

Formas mais leves de estresse também podem ativar muitas das mesmas vias. O "estresse" de aprender um novo instrumento, resolver um quebra-cabeça ou experimentar novidades – explorar uma nova cidade ou fazer uma caminhada por um novo cenário, por exemplo – todos mostraram aumentar a norepinefrina no cérebro. Isso pode ser muito benéfico, pois a norepinefrina ajuda a fortalecer as conexões entre os neurônios.

NOTA DO MÉDICO:
CAMINHAR E FALAR MELHORA A MEMÓRIA

Quando um paciente e eu nos conhecemos, geralmente faço minha consulta caminhando com o paciente pelo Central Park, em Nova York. O movimento e a constante mudança de cenário ajudam o paciente a lembrar do meu conselho e me ajudam a lembrar do encontro!

OTIMIZANDO A NOREPINEFRINA

A norepinefrina algumas vezes pode funcionar contra nós. Ao contrário de nosso passado distante, os estímulos estressantes de hoje nem sempre exigem nosso foco e atenção imediatos. No entanto, os mecanismos fisiológicos permanecem para guiar nossa atenção quando uma ameaça é percebida, real ou não. A mídia costuma explorar esse fato – algo que conheço bem, tendo trabalhado na TV. "Se tiver sangue, é bom" é tipicamente a ordem no noticiário da televisão, onde as reportagens mais estressantes são anunciadas no horário nobre. Essa abordagem ativa redes em nossos cérebros que garantem que a atenção seja dada a essas notícias, como se nossa sobrevivência dependesse disso. Obviamente, nem sempre é esse o caso. Na verdade, evitar notícias diárias é uma estratégia para melhorar seu foco e cognição que renderá dividendos, já que a liberação crônica de norepinefrina pode prejudicar sua função cognitiva tanto quanto a liberação aguda pode aumentá-la.

Como podemos minerar norepinefrina para ter maior produtividade? O exercício é uma das formas mais eficazes de aumentar a norepinefrina, e seu "efeito colateral" pode significar maior aprendizado e memória. Isso foi demonstrado recentemente, quando adultos em idade universitária que se exercitaram em uma bicicleta ergométrica enquanto aprendiam um novo idioma foram capazes de reter e entender o que aprenderam melhor do que sujeitos sedentários durante as aulas.[29] Para os milhões de pessoas diagnosticadas com TDAH, essa estratégia pode servir como um reforçador cognitivo natural, uma vez que os inibidores da recaptação da norepinefrina (e dopamina) são frequentemente prescritos para tratar TDAH.

Embora a grande maioria dos currículos das faculdades de medicina não tenha nenhum foco em exercícios para seus futuros médicos, a pesquisa mostrou que os exercícios podem ser o melhor remédio para o cérebro com TDAH:[30] em uma série de testes, crianças que participaram de um programa de atividade física regular mostraram desempenho cognitivo e função executiva aprimorados e melhores resultados em testes de matemática e leitura, também demonstraram uma redução geral dos sintomas de TDAH. Talvez devêssemos ter isso em mente quando a educação física aparecer entre os cortes na próxima reunião sobre orçamento escolar.

ALERTA NERD

Enquanto o Dr. Paul e eu trabalhávamos neste capítulo, nos revezávamos para escrever e fazer exercícios com *kettlebell* (equipamento usado para estabilizar os movimentos durante uma sequência de exercícios). Ambos costumávamos usar esse "truque" na escola quando estudávamos para um exame exaustivo. Isso não apenas ajudaria a quebrar a maratona de monotonia fazendo flexões, agachamentos ou mergulhos entre duas cadeiras na biblioteca, mas também serviria como uma forma de aumentar o fluxo sanguíneo, melhorar a acuidade mental e intimidar nossos colegas.

Curiosamente, as temperaturas extremas são outro tipo de estressor físico que pode induzir efeitos semelhantes aos do exercício. Um estudo descobriu que quando os homens ficavam em uma sauna aquecida a 80°C até a exaustão subjetiva, seus níveis de norepinefrina triplicavam.³¹ (Um estudo em mulheres observou um aumento semelhante, porém menor.)³² A imersão em água fria é outro modulador neurológico massivo e tem sido usado por várias culturas durante séculos como uma ferramenta para melhorar a saúde. Qualquer pessoa que se sinta mentalmente fatigada, só precisa tomar um banho frio ou mergulhar em um banho de gelo para colher os benefícios mentais — o aumento de norepinefrina por um choque frio, que aumentaria mais de cinco vezes em humanos, pode fazer o cérebro sentir que está voltando a "entrar *online*".³³ Talvez não seja coincidência que um grande feriado russo quando as pessoas mergulham em lagos gelados através de buracos no gelo se chame Festa da Epifania!

Além de seu papel bem documentado no foco, atenção e formação da memória, alguns outros aspectos muito interessantes da norepinefrina surgiram na literatura. O aumento da norepinefrina em animais aumentou sua resiliência ao estresse, aumentando sua capacidade de se recuperar de eventos traumáticos.³⁴ A norepinefrina também tem um efeito anti-inflamatório no cérebro, e estimular o neurotransmissor pode fortalecer uma região do cérebro que tende a estar envolvida no início do desenvolvimento da doença de Alzheimer.³⁵ Uma equipe de pesquisadores da Universidade do Sul da Califórnia chamou o *locus coeruleus*, o principal centro de liberação de norepinefrina, de "marco zero" da doença de Alzheimer.

Na doença de Alzheimer, até 70% das células produtoras de norepinefrina são perdidas, e o declínio da norepinefrina se correlaciona fortemente à progressão e extensão do comprometimento cognitivo.³⁶ Pesquisadores demonstraram em roedores que a liberação de norepinefrina ajudou a proteger os neurônios da inflamação e do estímulo excessivo (ambos atores-chaves na doença de Alzheimer).³⁷

Otimizando o sistema

Agora que você sabe como otimizar cada neurotransmissor, vamos rever alguns passos práticos que você pode dar para garantir que todo o seu cérebro funcione no pico a qualquer momento.

PROTEJA SUAS SINAPSES

O ponto onde os neurônios se encontram é chamado de sinapse. Cada neurônio pode manter conexões com até dez mil outros neurônios, passando sinais uns aos outros por meio de até mil trilhões de conexões sinápticas.³⁸ (Isso é modesto em comparação com o cérebro de uma criança: uma criança de 3 anos pode ter um quatrilhão de sinapses!) Manter esses pontos de conexão saudáveis, minimizando a oxidação excessiva, é a chave para a otimização de seus muitos processos cognitivos. Na verdade, a disfunção sináptica é um marcador precoce da doença de Alzheimer, e o declínio típico de certos aspectos do desempenho cognitivo com a idade também pode ser resultado da disfunção sináptica.[39] Proteja suas sinapses do estresse oxidativo fazendo o seguinte:

- Consuma gordura DHA de peixes gordurosos ou considere suplementar com óleo de peixe de alta qualidade.
- Evite o consumo de óleos polinsaturados (releia o capítulo 2) e aumente o consumo de azeite de oliva extravirgem.
- Consuma antioxidantes solúveis em gordura, como vitamina E (encontrada em abacate, amêndoa e carne bovina), carotenoides como luteína e zeaxantina (encontrados em couve, abacate e pistache) e astaxantina (encontrada no óleo de *krill*).

EXPRESSE SEU "*WONDER JUNKIE*" INTERIOR

Eu amo a expressão "*Wonder Junkie*" (Viciada em Maravilhas), que descobri ao ler o romance Contato, de Carl Sagan. É um termo que ele usa para descrever a personagem central, Ellie Arroway, que dedica sua vida a explorar o desconhecido. Novas experiências estimulam a sinaptogênese, ou a criação de novas sinapses, enquanto a perda de conexões sinápticas coincide com a perda de memória.[40] Saia da sua zona de conforto e explore territórios novos e desconhecidos. Estagnação é morte – principalmente no que diz respeito às células cerebrais.

EVITE SUBSTÂNCIAS TÓXICAS

Um dos fatores potenciais que afetam a função do neurotransmissor é o consumo de resíduos de pesticidas tóxicos, que são quase onipresentes no abastecimento alimentar moderno. Os pesticidas atuam causando danos rápidos e irreparáveis ao sistema nervoso dos insetos, afetando principalmente o sistema colinérgico (importante para o aprendizado e a memória). Embora fosse necessária uma exposição maciça e concentrada para ter esse efeito em humanos, não é implausível que a exposição ao longo da vida a níveis baixos por meio de alimentos contaminados possa alterar a função de nossos neurotransmissores – um desconhecido científico neste momento.

Também há fortes evidências ligando pesticidas e herbicidas à doença de Parkinson, que é a doença neurodegenerativa mais comum depois do Alzheimer, na qual morrem as células produtoras de dopamina da substância negra. Em estudos em humanos, os que foram expostos a grandes quantidades desses produtos químicos apresentam risco drasticamente maior de ter Parkinson, com exposição a alguns fungicidas associados a um risco duplo![41] A etiologia da doença de Parkinson

– o que faz com que ela se desenvolva – ainda não é conhecida, mas a exposição tóxica é uma das principais suspeitas.[42]

Os pesticidas também podem causar danos no desenvolvimento de fetos por um meio semelhante. Estudos em animais de laboratório usando substâncias modelo sugerem que muitos pesticidas atualmente em uso podem causar efeitos adversos no desenvolvimento do cérebro. Curiosamente, os requisitos atuais de segurança para uso de pesticidas não incluem testes de neurotoxicidade no desenvolvimento.

Para ser claro, o veredicto sobre como tudo isso afeta os seres humanos ainda não é certo, e pode levar anos antes que a ciência chegue a conclusões concretas. Dado o grau surpreendente de comércio vinculado a essas questões, esperar respostas decisivas a qualquer momento pode ser ilusório, já que a pesquisa certamente estará atolada no eterno conflito entre o interesse corporativo e a investigação científica. Mas, ao optar por produtos orgânicos, podemos ser capazes de, pelo menos, aumentar as probabilidades a nosso favor, enquanto aguardamos maior clareza.

FAÇA BREVES PERÍODOS DE JEJUM

Uma nova pesquisa do Instituto Buck para Pesquisa do Envelhecimento sugere que o jejum é capaz de "sintonizar" a atividade sináptica, dando a esses pontos de conexão altamente ativos um descanso como medida de conservação de energia. Quando os pesquisadores observaram os neurônios das larvas da mosca da fruta em jejum, a quantidade de neurotransmissores liberados diminuía drasticamente, o que essencialmente limpava as lacunas sinápticas. Isso é positivo porque o excesso de neurotransmissores deixados para permanecer nas lacunas sinápticas podem gerar radicais livres causadores de danos. O jejum pode, portanto, ajudar a limitar o dano oxidativo indesejado no cérebro (junto com sua capacidade de reduzir a dependência da glicose pelo cérebro).[43] O Capítulo 10 revê os protocolos de jejum práticos e seguros.

EVITE A ESTIMULAÇÃO EXCESSIVA

Vários sistemas estão envolvidos na mediação da entrada sensorial. Quando nossos sentidos ficam sobrecarregados, nossa função executiva pode diminuir substancialmente. Isso é perfeitamente ilustrado pelo que acontece quando assistimos a um filme. As imagens e sons nos envolvem completamente e nos sentimos imersos no universo do filme. Isso ocorre porque o processamento sensório-motor intenso inibe partes de nosso cérebro responsáveis pela autoconsciência.[44] Durante um filme, é exatamente isso o que queremos – afinal, cinema foi feito para ser um sonho compartilhado pelo público e pelo diretor.

Mas na vida cotidiana a sobrecarga não intencional pode ocorrer às custas de nossa função executiva.

O mundo moderno pode ser excessivamente excitante — música, painéis eletrônicos, a luz de uma tela de *smartphone*, o tremeluzir de uma tela de TV ou simplesmente o som de um trem entrando na estação. Todos esses são fatores que, quando combinados, podem sobrecarregar nosso córtex pré-frontal e esgotar nossos estoques de neurotransmissores.

Aqui estão algumas maneiras de reduzir a estimulação excessiva:

- **Quando precisar de foco, como ao trabalhar ou estudar, certifique-se de que qualquer música que você escolher seja apenas instrumental.** As letras envolvem o centro de linguagem no cérebro, o que pode comprometer sua capacidade de usar a linguagem em outras tarefas simultaneamente.
- **Baixe o volume dos seus dispositivos (TV, *smartphone*, etc.).** Mantenha o volume o mais baixo possível e, ao mesmo tempo, aproveite o conteúdo.
- **Reduza o brilho das telas.** Muitas pessoas mantêm o brilho da tela do *smartphone* na configuração máxima. Defina o seu para se ajustar automaticamente à luz ambiente e mantenha-o com brilho mínimo à noite.
- **Use lâmpadas de cores mais quentes em casa.** Lâmpadas que emitem um brilho mais "laranja" contêm menos comprimentos de onda azuis da luz, o que pode superestimular o cérebro à noite.
- **Elimine a iluminação do teto, especialmente à noite.** A iluminação aérea sinaliza para o cérebro que o sol está aparecendo. A iluminação ao nível dos olhos à noite (de lâmpadas, por exemplo) é muito mais calmante para um cérebro que está tentando se acalmar. Tivemos fogueiras para iluminar nossas noites por 400 mil anos (alguns estimam ainda mais), mas lâmpadas no alto por menos de 200 anos.[45]
- **Medite.** Recomendo ser devidamente treinado em meditação. Seja qual for o estilo que você escolher, a pesquisa mostra que é um investimento muito inteligente. Aproveite o tempo para fazer direito, e você o terá com você para o resto da vida! Escrevi um guia de meditação para iniciantes (junto com recomendações de bons cursos *online*) no meu site http://maxl.ug/meditation.

Em seguida, em nossa jornada para descobrir o estilo de vida ideal para a construção do cérebro, vamos examinar os hormônios — que, junto com os neurotransmissores, orientam nossas decisões de momento a momento. Eles estão envolvidos em tudo, do humor ao metabolismo, e compreendê-los será a peça final para entender o papel da nutrição na obtenção de seu direito de nascença cognitivo final.

NOTAS DE CAMPO

YIN E YANG (GLUTAMATO E GABA)

- √ Reconheça seu modo de excitação biológica e modo de inibição, e entenda que você precisa de ambos regularmente: exercícios e recuperação, aventura e relaxamento.

ACETILCOLINA

- √ Evite drogas anticolinérgicas tóxicas.
- √ Assegure a ingestão adequada de colina na dieta.

SEROTONINA

- √ Mantenha a ingestão adequada de ômega-3 (consulte o capítulo 2 para uma atualização).
- √ Faça um exame de sangue para garantir os níveis ideais de vitamina D. Na maioria das vezes, você terá que pedir especificamente ao seu médico um teste para isso, e é um teste barato. Embora não haja consenso, as pesquisas mais recentes sugerem que ter níveis de vitamina D na faixa de 40 a 60 ng/ml é o ideal (consulte o capítulo 12 para mais explicações).
- √ Faça exercícios com frequência, o que envia triptofano direto para o cérebro, em um efeito que persiste mesmo após o exercício.
- √ Sem olhar diretamente para o sol, garanta uma exposição solar intensa diariamente. Mesmo em um dia nublado, a luz externa é mais brilhante do que qualquer coisa que você poderia conseguir em um ambiente fechado, e é suficiente para melhorar o humor.
- √ Siga o plano de saúde intestinal apresentado no capítulo 7.

DOPAMINA

- √ Comece uma nova rotina de exercícios.
- √ Aprenda a tocar um novo instrumento.
- √ Saia da sua zona de conforto social.
- √ Comece um projeto empreendedor paralelo.
- √ Comece um novo blog, boletim informativo ou grupo de rede social.
- √ Rompa com a "tranquilidade da repetição". Use rotas alternativas para trabalhar e viajar com mais frequência.

NOREPINEFRINA

- √ Interrompa o consumo crônico de notícias, o que causa, na maioria das vezes, um aumento desnecessário de norepinefrina.
- √ Quando você precisar de longos períodos de concentração, faça sessões curtas e frequentes de atividade física.

ALIMENTO PARA O CÉREBRO #8

BRÓCOLIS

Nossas mães estavam certas. Brócolis e outros vegetais crucíferos (incluindo couve-de-bruxelas, repolho, rabanete, rúcula, acelga chinesa e couve) são muito benéficos para nossa saúde, em parte porque são fontes dietéticas de um composto chamado sulforafano. Esta poderosa substância química é criada quando dois outros compostos, mantidos em compartimentos separados das células dessas plantas, se unem como resultado da mastigação.

O sulforafano está atualmente sendo estudado por seu impacto em uma variedade de condições e já se mostrou uma tremenda promessa no tratamento ou prevenção de câncer, autismo, autoimunidade, inflamação do cérebro, inflamação do intestino e obesidade.

Um estudo fascinante mostrou que camundongos alimentados com sulforafano junto com uma dieta que promove a obesidade ganharam 15% menos peso e tinham 20% menos gordura visceral em comparação com camundongos que não foram alimentados com sulforafano em suas dietas indutoras de gordura. O sulforafano não é uma vitamina ou um nutriente essencial. Em vez disso, o sulforafano é um modulador genético poderoso conhecido por sua ativação de uma via antioxidante chamada Nrf2. Nrf2 é o principal interruptor do corpo para a criação de produtos químicos poderosos que eliminam o estresse oxidativo. Enquanto outros compostos benéficos, como os polifenóis vegetais que também estimulam essa via, o sulforafano é o mais potente dos ativadores de Nrf2 conhecidos. Isso levanta a questão: qual é a principal fonte conhecida de sulforafano?

A juventude tem suas vantagens, especialmente para os brócolis. Os brotos de brócolis jovens produzem algo entre 20 e 100 vezes mais compostos produtores de sulforafano que os brócolis adultos (se estamos falando estritamente em termos de conteúdo de micronutrientes, os brócolis adultos ainda são mais nutritivos do que os brotos). Um quilo de brotos, portanto, equivale a 100 quilos de brócolis adultos em termos da capacidade de produção de sulforafano.

Modo de usar: Adicione vegetais crucíferos à sua dieta e consuma-os crus ou cozidos. Observe que um dos dois compostos que cria o sulforafano (uma enzima chamada mirosinase) é destruído pelo cozimento em alta temperatura. Assim, os brócolis e outras crucíferas cozidos perdem a capacidade de criar sulforafano ao ser mastigados. No entanto, você pode adicionar mirosinase. A mostarda em pó é particularmente rica nesse composto, e se você espalhar um pouco nos vegetais depois de cozidos, a capacidade de criar sulforafano é recuperada![1]

Dica profissional: cultivar seus próprios brotos de brócolis é incrivelmente econômico e fácil, até para aqueles que não têm "dedo verde". Visite http://maxl. ug/broccolisprouts para ver meu guia passo a passo sobre como cultivar brotos de brócolis em apenas 3 dias usando o método mais fácil que encontrei. Misture-os em purês, use sobre hambúrgueres de carne bovina ou de peru, ou adicione generosamente às saladas.

PARTE 3

SENTE-SE NO BANCO DO MOTORISTA

CAPÍTULO 9

O SONO SAGRADO (E OS AJUDANTES HORMONAIS)

"Considere dormir como uma coisa excelente... aquela corrente dourada que une saúde e nossos corpos. Quem reclama de falta? de ferimentos? de cuidados? das opressões dos grandes homens? do cativeiro? enquanto dorme? Os mendigos em suas camas têm tanto prazer quanto os reis: podemos então fartar-nos desta delicada ambrosia?"
— THOMAS DEKKER, DRAMATURGO

Quer um "bioestímulo"? Aqui está um: vá dormir.

Eu sei eu sei. É fácil falar, Max. Eu tenho uma empresa! Estou na pós-graduação! Tenho dois filhos e meio! Não estou atualizado em *Game of Thrones*! Entendi. Todos nós temos profissões, obrigações para com nossos amigos e familiares, empreendimentos criativos, programas que queremos assistir e, claro, a manutenção de nossas preciosas contas do Instagram, Facebook, Twitter, Snapchat e Tinder. Mas, como você está prestes a ver, o sono controla a maré em todos os navios no seu porto, e uma boa noite de sono levanta todos eles.

Ele solidifica nossas memórias, estimula nossa criatividade, aumenta nossa força de vontade e regula o nosso apetite. Também redefine nossos hormônios, dá aos nossos neurônios um banho de limpeza e garante que "todos os sistemas funcionem" nas várias regiões de nossos cérebros infinitamente complexos. Não é de se admirar que saibamos intuitivamente "pensar durante o sono" e antes de tomar uma decisão importante.

Por outro lado, um cérebro insone é como ancorar seus navios na praia durante a maré baixa. Uma nova pesquisa ainda identifica a perda de sono como uma toxina para as mitocôndrias geradoras de energia, colocando-a na mesma categoria dos óleos processados e açúcar.[1] Em um estudo publicado na revista *Sleep*, uma única noite de privação de sono em voluntários humanos saudáveis levou a um aumento de 20% em dois marcadores de lesão neuronal, sugerindo que até mesmo um caso de privação aguda do sono pode causar lesões em suas preciosas células cerebrais.[2] Esta é uma notícia alarmante, à luz do fato de que metade dos adultos entre 25 e 55 anos de idade dizem que dormem menos de 7 horas nas noites de semana[3] e mais de 50% dos membros da geração do milênio foram mantidos acordados pelo menos uma noite no mês anterior devido ao estresse – uma descoberta recente da Associação Americana de Psicologia.[4]

UM CÉREBRO SEM SONO É PRIMAL – E NÃO NO BOM SENTIDO

Já teve a sensação de "se perder" em um grande filme, livro ou videogame? Que tal uma sessão de treino, sexo ou tocar seu instrumento favorito? Devemos essa incrível sensação de imersão completa, que afirma a vida, a um relativo desligamento do córtex pré-frontal. Localizado bem na frente do cérebro, logo atrás da testa, o córtex pré-frontal é considerado responsável pelo planejamento, a tomada de decisões, a expressão da personalidade e a autoconsciência. Exceto quando o enviamos nas férias com as atividades que acabei de mencionar, um córtex pré-frontal funcional é muito importante para a vida diária.

Infelizmente, essa região do cérebro – e todas as tarefas associadas a ela – sofre quando somos privados de sono, de acordo com uma pesquisa da Universidade da Califórnia em Berkeley. Isso pode levar a uma redução da capacidade de regular nossas emoções. Por quê? O córtex pré-frontal geralmente ajuda a colocar as experiências emocionais em contexto para que possamos reagir apropriadamente, mas torna-se disfuncional com a perda de sono, deixando a primitiva e temível amígdala (o "centro do medo" do cérebro) dar as ordens.

Matthew Walker, diretor do Laboratório de Sono e Neuroimagem da UC Berkeley, disse em um comunicado: "É quase como se, sem sono, o cérebro tivesse voltado a padrões mais primitivos de atividade, sendo incapaz de contextualizar as experiências emocionais e produzir respostas controladas e apropriadas". Uma amígdala livre do olho vigilante do córtex pré-frontal pode ser boa para assistir a um filme de terror envolvente, mas é ruim para a vida diária – especialmente quando se trata de nutrição.

Nossos cérebros são programados para buscar açúcar, para que não morram no inverno. Com um córtex pré-frontal privado de sono, diga adeus à sua força de vontade e autocontrole. Se você tem tendência a comer demais ou a comer *junk food*, uma única noite de sono perdido é suficiente para desviar seus melhores esforços de uma dieta saudável.

Sistema glinfático:
A equipe de limpeza noturna do cérebro

Os livros didáticos de anatomia não são atualizados com muita frequência atualmente. Após o advento do microscópio, os fisiologistas foram rápidos em

O SONO SAGRADO (E OS AJUDANTES HORMONAIS)

fatiar, cortar, tingir, mapear e desenhar cada milímetro quadrado do corpo humano — e em poucas décadas aparentemente não havia mais nada a explorar. Portanto, foi um grande momento para os amantes da biologia quando Jeffrey Iliff e sua equipe da Universidade de Rochester descobriram o que poderia ser chamado com razão de um órgão desconhecido — o sistema glinfático. Esse sistema empurra o líquido cefalorraquidiano com força através do cérebro enquanto dormimos, fornecendo uma lavagem de energia gratuita para nossos cérebros todas as noites.

No resto do corpo, o sistema linfático é uma estrutura física que coleta glóbulos brancos, detritos e os transfere lentamente dos tecidos para a corrente sanguínea e os linfonodos (aqueles caroços inchados sob o queixo quando você pega um resfriado são nódulos linfáticos ativados). Mas, ao contrário do sistema linfático, o sistema glinfático não possui um sistema completo de canais e nódulos. Como o cérebro deve se espremer em uma cavidade rígida, não há espaço para uma grande rede física. Em vez disso, os canais do sistema glinfático pegam carona no sistema de drenagem das artérias que irrigam o cérebro. Em uma apropriação econômica e elegante do sistema arterial para seus próprios fins, o sistema glinfático assume o controle do cérebro durante o sono, fazendo com que esses dutos inchem até 60%, enquanto os próprios neurônios encolhem para dar lugar ao fluido de limpeza. Em um golpe final, o sistema comanda as pulsações das artérias como uma forma de massagear o fluido por meio do sistema.

Já mencionei a amiloide, aquela proteína nociva que se aglomera e forma placas na doença de Alzheimer. Todos nós geramos essa proteína, e o sistema glinfático ajuda a eliminar os resíduos e a prevenir o acúmulo de amiloide. O sistema é particularmente ativo durante a fase profunda e lenta do sono, mas, infelizmente, os padrões de sono atuais (e nossa dieta) afetam negativamente essa atividade. Assim, sono insatisfatório está associado a maiores quantidades de placa amiloide no cérebro.[5] Teorizamos que, ao otimizar nosso sono, podemos ajudar na eliminação dessas proteínas antes que causem problemas para o corpo.

Como podemos otimizar a depuração glinfática? É um sistema descoberto recentemente e, certamente, ainda não temos todas as respostas. No entanto, conforme discutido no Capítulo 6, o jejum antes de dormir (para reduzir a insulina circulante) pode ser uma forma de estimular as funções de custódia do cérebro e do corpo. Os ácidos graxos ômega-3 (abundantes na gordura de peixes selvagens e bovinos alimentados com pasto) também mostraram promover o funcionamento ideal do sistema glinfático.[6] Seguindo o **Plano Alimento para o Cérebro**, você obterá quantidades ideais de ácidos graxos ômega-3. No final do dia, porém, a melhor maneira de obter um cérebro sem manchas é apenas dormir bem e de forma consistente.

Há inúmeros fatores que afetam nossa qualidade de sono — estresse no trabalho, deveres familiares e noitadas de TV que nos levam até a madrugada. (Quem não é culpado de uma maratona ocasional de Netflix? Eu certamente sou.) Mas a dieta pode desempenhar um papel significativo aqui também: dois estudos, um publicado na *Lancet* e outro na *Nutritional Neuroscience*, mostraram que depois de apenas 2 dias de uma dieta rica em carboidratos e baixa gordura, indivíduos do sexo masculino saudáveis e com peso normal passaram menos tempo em sono de ondas lentas, em comparação com aqueles em uma dieta pobre em carboidratos e rica em gordura.[7] Pesquisas observacionais em homens e mulheres confirmaram que o maior consumo de açúcar e carboidratos está associado a menos tempo gasto no sono de ondas lentas. Certos nutrientes, por outro lado, podem aumentar a qualidade do sono — maior consumo de fibras parece promover um sono mais profundo e purificador.[8]

Se manter seu cérebro livre de placas não foi uma razão convincente o bastante para você reconsiderar seus hábitos de sono, deixe-me contar mais algumas novidades: um sono de qualidade é uma condição prévia para ter força de vontade para mudar seus outros hábitos, causando mudanças hormonais que vão melhorar seus resultados. O sono é a pedra angular para a implementação de todas as outras mudanças que você fará no **Plano Alimento para o Cérebro**.

TRUQUES PARA OTIMIZAR O SONO

√ **Mantenha seu quarto fresco.** O corpo gosta de temperaturas mais baixas para dormir.

√ **Tome uma ducha ou banho quente antes de dormir.** A queda na temperatura corporal assim que você sai do banho deve sinalizar para seu corpo que é hora de dormir.

√ **Use sua cama só para dormir (e sexo).** Assim que acordar, saia da cama e não volte a ela até que queira dormir à noite.

√ **Evite álcool.** Embora o álcool ajude você a dormir mais rápido, ele diminui a quantidade de tempo gasto no sono REM, que é a fase mais profunda.

√ **Evite a exposição noturna à luz azul.** Experimente óculos de bloqueio de luz azul (consulte a página 282 para recomendações). Evite a exposição a telas e certifique-se de que as lâmpadas de sua casa sejam todos quentes em temperatura de cor.

√ **Mantenha o *smartphone* longe da cama**. Qualquer lugar, menos ao alcance do braço.

√ **Mantenha seu quarto escuro.** Até um pouco de luz pode atrapalhar o sono. Pessoas que dormiram sob uma luz muito fraca (10 lux) por apenas uma noite tiveram a memória de trabalho e a função cerebral diminuídas.[9]

- √ **Defina um toque de recolher para cafeína.** Limite o consumo de cafeína às 16h, no máximo – talvez até mais cedo se você for um metabolizador geneticamente lento (um serviço de teste de genes como o 23andMe pode lhe informar).
- √ **Coma mais fibras e gorduras ômega-3 e menos carboidratos.** A inflamação afeta a qualidade do sono, e os subprodutos do consumo de fibras (como o butirato) podem promover um sono mais profundo e rejuvenescedor.
- √ **Pare de comer pelo menos uma hora antes de dormir.** Comer à noite pode sabotar o sono. [10]
- √ **Receba luz solar direta nos 20 minutos após acordar, especialmente durante o horário de verão ou ao viajar.** A luz brilhante ajuda a ancorar o ritmo circadiano do seu corpo, que regula seus ciclos naturais de sono-vigília.
- √ **Use um aplicativo como despertador.** Aplicativos como o *Sleep Cycle* acordam você apenas quando o sono entra em uma de suas fases mais leves, evitando aquela sensação horrível de ser acordado no meio de um sono REM profundo (a fase de sono mais profundo).

Auxiliares hormonais

Nossos comportamentos são frequentemente motivados por nosso cérebro, mas, às vezes, eles se originam no corpo. Em muitos aspectos, a força de vontade é como um fantoche, com mensageiros químicos chamados hormônios nas cordas. Ao contrário dos neurotransmissores, que permitem aos neurônios individuais se comunicarem com seus vizinhos, os hormônios são mensageiros de longo alcance, sendo liberados em uma parte do corpo e tendo impacto em outra. Por exemplo, um hormônio chamado leptina pode vir das células de gordura ao redor da barriga, direcionado para uma região do cérebro que controla o gasto de energia. Ou o cortisol, secretado pelas glândulas suprarrenais logo acima dos rins, podendo impactar partes do cérebro envolvidas na memória.

Ao compreender a relação que a perda de sono e o estresse têm com esses controladores principais do hormônio, podemos alcançar um maior domínio de nossa força de vontade – ou seja, raramente teremos de usá-la.

INSULINA: O HORMÔNIO DE ARMAZENAMENTO

No Capítulo 4, descrevi como o excesso de insulina pode transformar nosso cérebro em aterros sanitários de placa amiloide, mas a ingestão excessiva de carboidratos não é o único vilão na luta por um cérebro sem placas. O sono também é fundamental para regular nossos hormônios, incluindo a insulina. A pesquisa sugere que até mesmo uma noite de privação parcial do sono pode aumentar temporariamente a resistência à insulina em uma pessoa saudável.[11]

Foi demonstrado que a restrição do sono em curto prazo aumenta o risco de diabetes tipo 2, mas há boas notícias: alguns dos efeitos negativos da falta de sono parecem ser revertidos por um fim de semana de sono recuperado (cerca de 9,7 horas por noite).[12] Por outro lado, brincar de gato e rato com o sono não é apenas um mau hábito, mas também se mostra como uma estratégia ruim para a saúde a longo prazo.

NOTA DO MÉDICO: A PERDA DE SONO PODE ENGORDAR

É impossível exagerar a importância do sono. No meu consultório, se uma paciente chega com o objetivo de perder peso ou recompor o físico e está dormindo menos de 7 horas inteiras por noite, direi, em poucas palavras, que ela estará desperdiçando seu dinheiro se não se comprometer a melhorar a duração e a qualidade do sono. Estudos recentes, já replicados, confirmaram que a privação de sono (o que significa menos de 6 horas de sono) por uma única noite leva a uma ingestão não intencional de 400 a 500 calorias extras no dia seguinte, e essas calorias adicionais quase sempre vêm de carboidratos. Multiplique isso por algumas noites e você terá um pneu sobressalente em questão de semanas. Já está acima do peso? As mesmas regras se aplicam: você está prejudicando seriamente suas chances de perder peso extra quando não dorme.

GRELINA: O HORMÔNIO DA FOME

Outro hormônio afetado pelo sono é a grelina. Secretada pelo estômago, a grelina informa ao cérebro quando é hora de sentir fome. O nível de grelina aumenta imediatamente antes das refeições ou quando o estômago está vazio e diminui após as refeições ou quando o estômago está dilatado. Esse hormônio também pode afetar seu comportamento: quando injetamos grelina em ratos e humanos, o número de refeições consumidas aumenta.

A grelina aumenta com apenas uma noite de débito de sono.[13] Talvez seja por isso que uma noite de privação de sono provocará, em média, uma ingestão excessiva de 400 a 500 calorias naquele dia, principalmente de carboidratos, coincidindo com o aumento da inflamação, hipertensão e problemas cognitivos.

Além de dormir mais, como podemos fazer a grelina trabalhar para nós? Fazer menos refeições (mas maiores) ao longo do dia treina seu corpo para produzir menos desse hormônio. A ciência agora revelou que o conselho de fazer refeições pequenas e frequentes para "alimentar a chama metabólica" é besteira: estudos de câmara metabólica — quando os voluntários vivem em uma sala equipada com instrumentos que medem como seus corpos usam o ar, a comida e a água sob diferentes condições — mostram que, quer você coma duas ou seis refeições por dia, sua taxa metabólica é exatamente a mesma.

Isso é libertador! Pois a abordagem de fazer menos e maiores refeições proporciona flexibilidade ao estilo de vida, permite que nos sintamos saciados, reduz a fadiga da decisão e ajuda a manter ao mínimo o tempo de circulação da insulina. Esteja ciente, porém, de que conforme você se ajusta a menos e maiores refeições pode levar pelo menos alguns dias para que seu estômago pare de enviar sinais dizendo "É hora de comer!"

LEPTINA: O HORMÔNIO DO ACELERADOR METABÓLICO

O sono também pode afetar negativamente outro hormônio envolvido na fome, denominado leptina. A leptina é o hormônio da "saciedade" que ajuda a regular o equilíbrio energético ao inibir a fome e despenca com a privação de sono. A função da leptina é controlar o gasto de energia por meio de sua ação no hipotálamo, o principal regulador metabólico do cérebro. Como a leptina é secretada pelas células de gordura, quanto mais células de gordura uma pessoa tiver, maior a circulação desse hormônio. O cérebro interpreta os níveis mais altos de leptina como uma permissão para acelerar um pouco a velocidade com que nosso corpo queima calorias — afinal, a comida parece ser abundante! Mas, como acontece com a insulina, a leptina cronicamente elevada pode causar o desenvolvimento de resistência à leptina, e o sinal de "saciedade" e os benefícios positivos da leptina no metabolismo se perdem.

Este é o lamentável paradoxo enfrentado por aqueles que perdem peso e tentam mantê-lo — eles lutam contra o duplo golpe de níveis mais baixos de leptina e resistência à leptina. A baixa leptina aumenta a fome enquanto diminui a atividade da tireoide, o tônus simpático e o gasto de energia no músculo esquelético, resultando em uma grande desaceleração metabólica. Qualquer pessoa que tenha sofrido uma grande perda de peso entende que esse sistema enlouquece: uma pessoa com 115 quilos que faz dieta até 90 quilos geralmente queima cerca de 300 a 400 calorias a menos por dia do que alguém que pesava 90 quilos ao começar a dieta.

Por outro lado, estudos recentes realizados pelo pesquisador de obesidade David Ludwig, de Harvard, sugerem que dietas com muito baixo teor de carboidratos podem compensar parte dessa desvantagem metabólica na ordem de 100 a

300 calorias por dia — o equivalente a uma corrida diária de 5 km! A boa notícia é que seguir o protocolo descrito neste livro permitirá que você alcance esse "crédito extra" metabólico.

Quando iniciamos um jejum ou uma dieta com muito baixo teor de carboidratos, nossos níveis de leptina são reduzidos — mas isso tem o benefício de aumentar a quantidade de receptores de leptina no hipotálamo. Assim, em jejum, podemos recuperar a sensibilidade à leptina e, ao incorporar "realimentações" periódicas com alto teor de carboidratos e baixo teor de gordura, poderemos manter nosso metabolismo acelerado.

RECUPERANDO A LEPTINA PARA FICAR MELHOR NU

Depois de se adaptar à gordura, as refeições periódicas com alto teor de carboidratos podem ser uma forma poderosa de promover uma dinâmica saudável da leptina. Isso ocorre porque o consumo de carboidratos e a insulina secretada como resultado são potentes estimuladores da leptina.[14] O pico de leptina correspondente envia uma mensagem ao hipotálamo para acelerar os motores metabólicos do corpo. Esse sistema se torna desregulado se houver consumo crônico de alto teor de carboidratos, o que pode promover resistência à leptina. Mas quando combinada com exercícios, uma "realimentação" semanal com alto teor de carboidratos pode aumentar o gasto de energia, recalibrar o humor e acelerar a perda de gordura, particularmente para aqueles que viram a perda de peso estagnar.

Uma realimentação de 100 a 150 gramas de carboidratos deve resolver o problema. Isso ainda é drasticamente inferior ao de uma pessoa que consome a Dieta Norte-Americana Padrão — as estimativas são de que o ocidental médio consome mais de 300 gramas de carboidratos por dia. No entanto, isso não é desculpa para comer *junk food*. Essas refeições com alto teor de carboidratos devem ter baixo teor de gordura, o que, se você se lembrar do Capítulo 2, pode potencializar o pico de insulina e criar um quadro temporário de resistência à insulina. (A gordura também pode impedir que a leptina atravesse a barreira hematoencefálica.)[15] Ótimos carboidratos para uma realimentação incluem arroz (sushi é uma excelente opção), vegetais ricos em amido, como batatas, ou sua fruta favorita com alto teor de açúcar.

A leptina também desempenha um papel importante na função cognitiva, razão pela qual mantê-la dentro da faixa normal (isto é, não a reduzir com dieta de baixa caloria prolongada ou pouco sono, completando-a com realimentações periódicas) é fundamental. Embora o papel mais famoso da leptina envolva sua comunicação com o hipotálamo, os receptores de leptina também foram identificados em áreas do cérebro responsáveis pela emoção, e há uma forte relação entre baixos níveis de leptina e depressão e ansiedade. Do ponto de vista evolutivo, isso faz muito sentido. A leptina funciona com a insulina para pintar um quadro para o seu cérebro do estado de disponibilidade de alimentos – e quando os alimentos estão escassos, isso provavelmente diz ao cérebro para alterar o comportamento de forma a conservar energia. Isso pode se manifestar como retraimento social, incapacidade de sentir prazer ou falta de motivação. Não deve ser surpresa que a resistência à leptina possa contribuir para a depressão. Em um estudo recente, mulheres com sobrepeso e obesas tiveram sintomas significativamente aumentados de depressão e ansiedade, apesar de terem níveis de leptina mais altos do que os controles escassos.[16] Para essas mulheres resistentes à leptina, a leptina está presente, mas o cérebro não consegue senti-la.

Em termos de saúde geral do cérebro, a leptina está envolvida na plasticidade sináptica no hipocampo, onde facilita a potenciação de longo prazo – a criação de memórias resistentes e duradouras. Foi demonstrado que melhora a memória em modelos de envelhecimento e doença de Alzheimer com roedores, e pode aumentar a depuração de beta-amiloide, a proteína que se acumula em níveis tóxicos com a idade. Quanto mais você puder manter sua sensibilidade à leptina, mais saudável (e mais feliz) você será.

HORMÔNIO DO CRESCIMENTO: O HORMÔNIO DE REPARO E PRESERVAÇÃO

Em adultos, o hormônio do crescimento, ou GH (da sigla em inglês), é conhecido principalmente por seu papel como hormônio de reparo. Os atletas são conhecidos por usarem o GH por suas qualidades de melhorar o desempenho, ou seja, sua capacidade de acelerar o reparo do tecido conjuntivo. Mas o GH, que é secretado pela glândula pituitária do cérebro, também é um modulador cognitivo poderoso, que melhora muitos aspectos da função cerebral, incluindo velocidade de processamento e humor. Em adultos mais velhos, a terapia de reposição de GH demonstrou aumentar a função cognitiva em pacientes com comprometimento cognitivo leve (pré-demência que geralmente leva à doença de Alzheimer) e em controles saudáveis após apenas 5 meses.[17] Embora injetar hormônio de crescimento extra seja ilegal e potencialmente perigoso, existem alguns truques à nossa disposição para aumentar naturalmente esta poderosa substância química.

Embora a deficiência de hormônio do crescimento se manifeste como crescimento e estatura severamente atrofiados em crianças (o que levou à sua identificação e denominação inicial), ele tem uma função principal muito diferente em adultos: preservar a massa magra durante os períodos de fome ou jejum. Uma das melhores maneiras de aumentar o hormônio do crescimento, portanto, é por meio do jejum intermitente.[18] Quando jejuamos no período de 14 a 16 horas ou mais, para mulheres, e de 16 a 18 horas ou mais, para homens, o hormônio do crescimento começa a aumentar. Após 24 horas de jejum, foi relatado que o hormônio do crescimento disparou para 2.000%![19]

Além do jejum, o condicionamento térmico (uso de sauna, por exemplo) é uma forma poderosa de aumentar o hormônio do crescimento. Em um estudo, duas sessões de sauna de 20 minutos a 80°C separadas por um período de resfriamento de 30 minutos fizeram com que os níveis de hormônio do crescimento aumentassem duas vezes acima da linha de base, enquanto duas sessões de sauna de 15 minutos a 100°C, separados por um período de resfriamento de 30 minutos, resultaram em um aumento de cinco vezes no hormônio do crescimento.[20] Embora o hormônio do crescimento induzido pela sauna possa permanecer elevado durante algumas horas depois, um estudo descobriu que duas sessões de sauna de uma hora por dia a 80°C durante 7 dias aumentou o hormônio do crescimento 16 vezes no terceiro dia, mostrando um claro benefício da exposição repetida.

Por mais fácil que seja aumentar o hormônio do crescimento, é ainda mais fácil esgotá-lo — especialmente hoje. O estresse crônico é um dos principais combatentes modernos do hormônio do crescimento, em conflito direto com a manutenção de nosso precioso tecido muscular magro. O consumo de carboidratos desativa imediatamente a produção do hormônio do crescimento, explicando por que as dietas de baixa caloria sem restrição de carboidratos podem levar à perda muscular concomitante à perda de gordura.

Finalmente, dormir menos de 7 horas tem mostrado afetar negativamente a produção do hormônio do crescimento. Na verdade, a maior parte do hormônio do crescimento em nosso corpo é produzida durante o sono de ondas lentas, portanto, fazer dois a três ciclos completos é fundamental — tente 8 horas por noite.

CORTISOL: O HORMÔNIO *CARPE DIEM*

O cortisol, um regulador circadiano mestre, atinge seu pico ao despertar, criando um estado catabólico temporário no corpo. Muitas vezes considerado apenas um hormônio do estresse, o cortisol também é instrumental como o hormônio da "vigília", liberando energia na forma de carboidratos, gordura e aminoácidos para uso nas primeiras horas do dia. Quando a insulina e o cortisol estão presentes ao mesmo tempo (ou seja, após um café da manhã rico em carboidratos), o efeito de queima de gordura do cortisol será desligado e só exercerá seu efeito catabólico sobre os músculos — claramente, não é um cenário desejável.

Embora pular um café da manhã cedo possa ajudar o cortisol a cumprir sua função, se você optar por comer uma refeição matinal que deve consistir apenas em gordura, proteína e vegetais fibrosos − não carboidratos. Isso é contrário ao dogma popular de começar o dia com uma tigela farta de mingau de aveia ou cereal − para não falar dos *bagels*, bolos, panquecas, doces e muito mais que são tão comumente consumidos pela manhã.

O LADO ESCURO DO CORTISOL

O jornalista Dan Buettner, da *National Geographic* e autor do livro *Zonas Azuis* e *Zonas Azuis da felicidade*, descobriu e estudou os cinco lugares do mundo chamados de Zonas Azuis − local onde as pessoas vivem mais e melhor. Os estilos de vida das pessoas nessas zonas fornecem exemplos que podemos usar para formar hipóteses sobre o que promove o envelhecimento saudável. Por exemplo, muitas dessas comunidades criam intervalos inegociáveis do trabalho em seus dias − e não estou falando apenas de uma pausa para o almoço. "As pessoas que vivem mais tempo no mundo têm rotinas para se livrar desse estresse", escreve Buettner em Zonas Azuis.

Ele continua:

> *"Os okinawanos chamam isso de ikigai e os nicoyanos (da Costa Rica) chamam de plano de vida; para ambos, significa 'por que acordo de manhã'. Em todas as Zonas Azuis as pessoas tinham algum motivo para viver além de apenas trabalhar. A pesquisa mostrou que conhecer seu senso de propósito vale até sete anos a mais na expectativa de vida."*

A menos que desenvolvamos maneiras eficazes de neutralizar o estresse (o que, convenhamos, é um aspecto inevitável da vida no século XXI), o cortisol pode ficar elevado por longos períodos, resultando em algumas consequências fisiológicas graves.

Mas, antes de chegarmos a isso, vamos definir o que é e o que não é estresse crônico. O estresse crônico não é o que você sente ao fazer uma apresentação ocasional, ao sofrer com uma mudança ou com um engarrafamento quando já está atrasado para algum compromisso. As formas que o estresse crônico geralmente assume são as seguintes (e faça uma anotação mental se alguma delas lhe parecer familiar):

- Ir todos os dias a um trabalho que você odeia.
- Dificuldades financeiras prolongadas.
- Ter que trabalhar com um chefe de quem você não gosta.
- Estar preso em um antigo relacionamento que azedou.
- Ter um valentão na escola.
- Serviço militar.
- Exposição a ruído crônico.
- Um deslocamento diário estressante de ida e volta para o trabalho.
- Escola de medicina (− Dr. Paul).

Desagradável, prolongado e uma invenção recente em termos de evolução, esse tipo de estresse crônico ativa a amígdala, a região de sobrevivência primitiva associada ao medo. Sua função é dar início a uma cascata de processos bioquímicos que inicialmente deveriam ajudar a nos afastar do perigo quando formos confrontados por uma ameaça física – digamos, um leão avançando em nossa direção na savana. Imagine o seguinte cenário: você é um caçador-coletor que passa o dia buscando frutas silvestres pacificamente sob o sol quente da África Oriental. De repente, um leão aparece – vamos fingir, para o bem da história, que o nome desse leão é Mufasa. Mufasa não come há dias, nem seu filhote faminto (vamos chamá-lo de Simba). Mufasa vê você como a refeição perfeita para quebrar seu jejum e alimentar seu filhote – rico em proteínas, calorias e ômega-3 –, e começa a correr em sua direção a toda velocidade.

Nesse momento, sua amígdala, que é essencialmente a plataforma de vigilância de seu cérebro, ativa sua resposta nervosa simpática, preparando seu corpo para a ação. A amígdala ativa algo chamado eixo hipotálamo-pituitária-adrenal (HPA), fazendo com que as glândulas suprarrenais secretem cortisol e epinefrina (também conhecida como adrenalina) e, de repente, seu dia tranquilo de colheita de frutas silvetres torna-se uma corrida rápida para sua vida.

O EIXO HPA –
O QUADRO DE CONTROLE DA REAÇÃO AO ESTRESSE

Uma vez iniciado, o eixo HPA começa na estrutura do cérebro conhecida como hipotálamo – o H de HPA. Uma das funções mais importantes do hipotálamo (além de seu papel como controlador mestre metabólico) é ligar o cérebro ao sistema hormonal do corpo por meio da glândula pituitária. O hipotálamo envia algum hormônio liberador de corticotropina (CRH) para a glândula pituitária – a carne do sanduíche HPA. Depois de receber notícias de turbulência do hipotálamo, a hipófise secreta algo chamado hormônio adrenocorticotrófico (ACTH) para a circulação. (Lembre-se de que os hormônios são mensageiros de longo alcance, que diferem dos neurotransmissores, que agem de neurônio a neurônio.) Agora em circulação, o ACTH atua nas glândulas suprarrenais, que estão localizadas acima dos rins. Isso causa um aumento do cortisol e da epinefrina.

Eixo HPA: Hipotálamo → Glândula pituitária → Glândulas adrenais → Amígdala → Hipotálamo (hormônio liberador de corticotropina [CRH]) → Glândula pituitária (hormônio adrenocorticotrópico [ACTH]) → Glândulas adrenais (cortisol) → Circulação

O SONO SAGRADO (E OS AJUDANTES HORMONAIS)

O cortisol e a adrenalina que estão percorrendo seu corpo têm vários efeitos em sua fisiologia. Por um lado, a frequência cardíaca e a pressão arterial sobem muito. As pupilas se dilatam. A secreção salivar para e a digestão fica mais lenta (a digestão é um processo relativamente trabalhoso, e fugir de Mufasa não significa usar recursos preciosos na absorção de nutrientes). Na verdade, o sangue deixa a área digestiva redirecionado para locais mais importantes, como seus músculos. O açúcar no sangue é liberado pelo fígado e as partes do corpo que não são essenciais para mantê-lo fora de perigo tornam-se resistentes à insulina, garantindo que seus músculos consigam toda a glicose de que precisam. O sistema imunológico é suprimido e o próprio sangue se torna mais viscoso à medida que as plaquetas (o tipo de células sanguíneas envolvidas na coagulação) começam a se agregar, como medida preventiva em caso de sangramento.

As chances de ser perseguido por um leão são mínimas atualmente. Se você tiver sorte, ameaças verdadeiras de natureza física não são uma ocorrência comum. Mas, embora nossas fontes de estresse tenham evoluído, nossa resposta a elas não. Então, quando você tem uma discussão com um colega de trabalho, corre para pegar o metrô apenas para ficar na plataforma enquanto ele se vai, ou se assusta com a buzina de um caminhão de 18 rodas que passa ao seu lado no trânsito, o mesmo efeito dominó começa em seu corpo. Quando você tem vários estímulos estressantes consecutivos, a resposta do seu corpo pode criar problemas sérios. É por isso que o estresse é um assassino tão cruel e indiscriminado — a ativação crônica desse sistema antiquado, que antes salvava vidas, agora promove inflamação, elevação do açúcar no sangue, resistência à insulina, deficiência de nutrientes, aumento da permeabilidade intestinal e muito mais. Mas estresse crônico com carboidratos? É uma receita para o desastre.

A esta altura, você pode não ficar surpreso ao saber que à medida que nossa cintura cresce, nosso cérebro encolhe.[21] Já cobrimos muitos fatores que podem explicar essa observação surpreendente, exceto um: cortisol cronicamente elevado devido ao estresse.

Você já viu uma pessoa com a barriga saliente, mas com braços e pernas surpreendentemente magros? Essa é a imagem do estresse crônico. É completamente diferente da obesidade comum, em que tudo — pernas, braços, bumbum — explode em proporções comparáveis. Isso ocorre porque a gordura abdominal profunda, o tipo que envolve seu coração, fígado e outros órgãos importantes, não apenas recebe mais sangue, mas tem quatro vezes mais receptores de cortisol do que gordura subcutânea (a gordura que você pode "prender" abaixo da pele).[22] Quando o cortisol está elevado, qualquer ingestão de carboidratos promoverá imediatamente o armazenamento de gordura, e muito provavelmente como a gordura abdominal profunda chamada gordura visceral, que é o tipo mais perigoso e inflamatório. Isso torna o consumo de carboidratos concentrados prejudicial, principalmente para uma pessoa estressada. (Esta é outra razão pela qual comer carboidratos logo de manhã, quando o cortisol está naturalmente em seu pico, é uma má ideia.)

Se você está passando por um surto de estresse, a reação deve ser dupla: primeiro, lide com esse estresse e segundo, mantenha as fontes concentradas de glicose e frutose especialmente baixas. Aqui estão algumas outras dicas importantes para diminuir o estresse:

- **Medite, não se medique.** A meditação pode ser intimidante para os iniciantes, mas vale a pena se sentir confortável com ela. Um pequeno estudo tailandês com estudantes de medicina estressados descobriu que quatro dias de meditação reduziram o cortisol em 20%.[23]
- **Passe mais tempo ao ar livre.** Perdemos o contato com a natureza, mas apenas ver a vegetação mitiga a resposta fisiológica ao estresse e melhora a função cognitiva.[24] Estar na natureza também pode ajudar a reduzir os pensamentos depressivos e até mesmo aumentar o BDNF (Fator neurotrófico derivado do cérebro).[25]
- **Exercite-se de maneira mais inteligente.** Alterne entre sessões aeróbicas "baixas e lentas" (um passeio de bicicleta ou uma caminhada na natureza) e picos mais intensos. Sessões crônicas de cárdio de média intensidade (correr em uma esteira por 45 minutos, por exemplo) podem realmente aumentar o cortisol. Veremos mais sobre isso no Capítulo 10.
- **Peça a alguém para lhe fazer uma massagem (ou pague por uma – nunca é um mau investimento!).** Um estudo de 2010 do Cedars-Sinai Medical Center em Los Angeles descobriu que 5 semanas de massagem sueca reduziram significativamente o cortisol sérico em comparação com controles que realizaram apenas "toques leves".
- **Pratique respiração profunda**. Simples, mas eficaz. A expiração ativa o sistema nervoso parassimpático, responsável pelos processos de "descanso e digestão" do corpo.

Já se sabe há algum tempo que uma elevação crônica do cortisol compromete o suprimento de BDNF no cérebro e pode atrofiar estruturas vulneráveis como o hipocampo, podendo até mesmo fazer com que os dendritos (os correlatos físicos das memórias) retrocedam.[26] Isso reforça os aspectos negativos do estresse, uma vez que o hipocampo normalmente "veta" respostas inadequadas ao estresse. O estresse repetido, portanto, prejudica sua capacidade de controlar o estresse, e isso foi confirmado na pesquisa. Em ratos que foram submetidos à "derrota social" crônica – o equivalente a ter um valentão na gaiola com eles – suas memórias sofreram significativamente. Se as vias neurais criadas pelo aprendizado são semelhantes a um conjunto cada vez maior de trilhos de trem, parecia que os ratos sob coação estavam tendo problemas para depositar novos trilhos.

Pesquisas recentes também destacaram novos mecanismos pelos quais o estresse crônico pode prejudicar a saúde do cérebro em longo prazo. Foi demonstrado que o estresse crônico realmente ativa o sistema imunológico do cérebro, produzindo inflamação quase como se o cérebro estivesse respondendo ao estresse como uma infecção. A inflamação é a pedra angular de muitas doenças neurodegenerativas, como mencionei ao longo deste livro. Todavia, recentemente a exposição crônica aos hormônios do estresse foi conectada à placa que caracteriza a doença de Alzheimer. A administração em longo prazo de cortisol demonstrou reduzir os níveis de enzima degradante da insulina (IDE) no cérebro de macacos.[27] A IDE é responsável por quebrar a insulina no cérebro, bem como a beta-amiloide – a proteína que se agrupa para formar placas características da doença de Alzheimer. Como você pode ver, o estresse crônico é uma grande ameaça à nossa saúde cognitiva. Mas nem todo estresse é criado da mesma forma! No capítulo seguinte, veremos como um tipo específico de estresse pode ser o melhor amigo do seu cérebro.

NOTAS DE CAMPO

- √ O sono é sagrado – ele mantém seus hormônios saudáveis, ajuda seu cérebro a regular melhor suas emoções e pode até mesmo ajudá-lo a perder peso.
- √ O sono é também quando seu cérebro se limpa, oferecendo uma lavagem gratuita todas as noites, graças ao recém-descoberto sistema glinfático.
- √ Podemos otimizar o sono e o sistema glinfático com uma dieta rica em fibras e pobre em carboidratos.
- √ O jejum pode aumentar drasticamente o hormônio do crescimento, que protege a massa magra.
- √ Para quem está fazendo dieta com baixo teor de carboidratos e adaptada às gorduras, um ocasional "dia livre" com alto teor de carboidratos e baixo teor de gordura pode ajudar a aumentar os níveis de leptina, o que encoraja a queima de gordura e melhora o humor.
- √ O controle do estresse é fundamental para a saúde – o estresse crônico faz nossa cintura crescer, encolhe nosso cérebro e cria uma inflamação que prejudica o desempenho.

ALIMENTO PARA O CÉREBRO #9

SALMÃO SELVAGEM

O consumo de peixes selvagens há muito tempo está associado à redução do risco de doenças cardiovasculares, câncer e até mesmo a mortalidade por todas as causas, mas e quanto ao seu impacto no cérebro? Que bom que você perguntou, porque os consumidores de peixes selvagens exibem envelhecimento cognitivo superior e melhor função de memória, e até possuem cérebros maiores![1] Em um estudo recente, idosos cognitivamente normais que comeram frutos do mar (incluindo peixes, camarões, caranguejos ou lagostas) mais de uma vez por semana tiveram menor declínio da memória verbal e taxas mais lentas de declínio em um teste de velocidade de percepção durante 5 anos, em comparação com pessoas que comeram menos de uma porção por semana. Essa percepção foi ainda mais forte entre indivíduos com o gene de risco comum de Alzheimer, ApoE4.

O rei desses peixes é o salmão selvagem, que tem baixo teor de mercúrio e é uma fonte rica em gorduras ômega-3 EPA e DHA e um poderoso carotenoide chamado astaxantina. Derivado do *krill*, uma espécie de camarão minúsculo (o principal suprimento alimentar do salmão selvagem), este carotenoide é adicionado às dietas do salmão criado em fazendas para dar o característico tom rosado à sua cor, mas é muito mais abundante no salmão selvagem (daí sua cor mais rica). A astaxantina é benéfica para todo o seu corpo e pode ajudar no seguinte:

- Impulsiona a função cognitiva e promove a neurogênese;
- Protege a pele dos danos do sol e melhora a aparência da pele;
- Protege os olhos, reduzindo a inflamação;
- Converte os lipídios do sangue em um perfil mais cardioprotetor;
- Produz efeitos antioxidantes poderosos e elimina radicais livres.

Alguns desses benefícios parecem ser facilitados pela estrutura molecular única da astaxantina, que permite proteger as membranas celulares do estresse oxidativo. Além disso, também foi demonstrado que ela "ativa" genes que protegem contra danos ao DNA e estresses do envelhecimento, como a via de longevidade FOXO3, descrita na página 85. Camarão, caranguejo e lagosta também são ricos em astaxantina e são boas opções quando se busca um pouco de variedade no consumo de peixes selvagens.

SALMÃO SELVAGEM

Modo de usar: Grelhe, frite, escalde ou coma cru (se for próprio para *sashim*i).

Dica de profissional: Todos os tipos de peixes gordurosos, incluindo sardinhas, arenque, cavala e anchovas, são boas alternativas. Frequentemente viajo com sardinhas enlatadas para ingerir como um lanche rápido ou para adicionar a uma refeição, e eu as incluí em minha Tigela para um Cérebro Melhor (página 271). Apenas certifique-se de que qualquer peixe enlatado seja embalado em azeite de oliva (de preferência extravirgem) ou somente água.

CAPÍTULO 10

AS VIRTUDES DO ESTRESSE
(OU COMO OBTER UM ORGANISMO MAIS ROBUSTO)

"Considere que a Mãe Natureza não é apenas 'segura'. É agressiva ao destruir e substituir, ao selecionar e remodelar. Quando se trata de acontecimentos aleatórios, 'robusto' certamente não é bom o suficiente. Em longo prazo, tudo o que tiver a menor vulnerabilidade se rompe, dada a crueldade do tempo – mas nosso planeta existe provavelmente há quatro bilhões de anos e, de forma convincente, robustez apenas não basta: você precisa de robustez perfeita para uma rachadura não acabar quebrando o sistema. Dada a impossibilidade da robustez perfeita, precisamos de um mecanismo pelo qual o sistema se regenere continuamente usando, em vez de ser vítima, eventos aleatórios, choques imprevisíveis, estressores e volatilidade."

NASSIM NICHOLAS TALEB, Antifrágil:
coisas que se beneficiam com o caos.

*"Em poucas palavras:
Aquilo que não nos mata nos fortalece."*
– FRIEDRICH NIETZSCHE

Encontrar estagnação no universo é uma tarefa difícil. Simplesmente não existe. Os corpos celestes estão sendo criados lentamente ou destruídos lentamente. Aqui na Terra, a estagnação está associada à podridão e à decomposição, como uma lagoa que perdeu seu fluxo. Para nossos cérebros, é uma sentença de morte.

Como toda matéria do universo, estamos sujeitos à segunda lei da termodinâmica: entropia. Essa lei fundamental da física afirma que todos os sistemas, ao longo do tempo, declinam de estados de maior complexidade para menor complexidade. Essa lenta transição da ordem para a desordem é o que ocorre com estrelas, planetas e galáxias inteiras, e também o que acontece conosco durante o processo de envelhecimento.

No início, porém, a vida humana parece desafiar essa lei, nas profundas habilidades regenerativas exibidas por uma criança. As crianças não costumam desenvolver doenças cardiovasculares (estão aumentando os sinais delas em crianças de apenas 8 anos de idade devido à devastadora Dieta Americana Padrão). Elas não sofrem demência e quase 90% dos casos de câncer pediátrico são curáveis. Essas habilidades "sobre-humanas" aparentemente se perdem durante nossa velhice.

E se pudéssemos voltar no tempo e recuperar o nível de resiliência que todos possuímos na juventude? "Enfurecer-se contra a morte da luz", por assim dizer. Estou aqui para lhe afirmar que isso talvez seja possível, de uma forma que por muito tempo foi demonizada tanto na literatura da corrente dominante quanto na médica: estresse, o antídoto para a estagnação.

Agora, antes que você se desespere, deixe-me esclarecer: existem dois tipos de estresse. Existe o estresse crônico – o tipo que vem de um emprego ruim, relacionamento azedo, dificuldades financeiras prolongadas ou mesmo do que meu amigo autor de exercícios físicos e mega-atleta, Mark Sisson, chama de "cárdio crônico" (discutido à frente). Esse tipo de estresse acelera a entropia e a decadência. Ele leva à elevação prolongada do hormônio cortisol, que pode roubar a força de nossos músculos e redistribuir nossa gordura corporal para nossos estômagos, atrofiar partes importantes do cérebro e até mesmo acelerar o processo de envelhecimento.

O estresse agudo (ou temporário) é completamente diferente e pode ser uma de nossas armas mais poderosas no combate à entropia. Essa forma de estresse pode assumir várias formas. Pode ser o estresse mental que alguém sofre ao aprender a tocar um instrumento, ao participar de um videogame desafiador e realista ou ao assistir a uma palestra difícil. Também pode ser estresse físico, na forma de exercícios, breves períodos de jejum, temperaturas extremas ou mesmo certos tipos de alimentos "estressantes".

Hormese, um dos meus princípios biológicos favoritos, é o mecanismo pelo qual pequenas doses de estresse de, digamos, um treino duro, uma boa suada na sauna ou mesmo uma restrição calórica temporária (que chamamos de jejum intermitente) podem promover células mais eficientes e maior saúde em longo prazo. Embora grandes doses de um determinado estressor possam prejudicá-lo, pequenas doses realmente fazem com que suas células se adaptem e fiquem mais fortes. As páginas a seguir explorarão como você pode aproveitar o poder da hormese para turbinar sua cognição e ajudá-lo a viver mais forte por mais tempo.

Movimento

"Agora, aqui, você vê, é preciso correr ao máximo que você pode para se manter no mesmo lugar. Se você quiser chegar a outro lugar, deve correr pelo menos duas vezes mais rápido!"

– A RAINHA VERMELHA EM ATRAVÉS DO ESPELHO, DE LEWIS CARROLL

Sempre fui péssimo nos esportes. Nos poucos verões em que meus pais foram corajosos o suficiente para me mandar para o acampamento, eu me abstive de jogos como futebol, vôlei e queimada e gravitei para arco e flecha, foguetes e cerâmica. (Quando chegava a hora de nadar, eu sempre era muito tímido para tirar a camisa, insegurança que felizmente superei.) No colégio, em vez de entrar para o time de basquete, como muitos de meus colegas, fui atraído por programação de computador.

Interessei-me pela academia apenas quando aprendi que os exercícios podiam se manifestar como um corpo mais forte ou mais magro. Comecei a ver a comida e os exercícios como um "código" para falar com minha programação biológica. Em retrospectiva, percebo que muitos dos mesmos ciclos de *feedback* que me atraíram para a programação também estavam presentes no *fitness*, incluindo a capacidade de simplificar minha rotina e depurar problemas. Esses ciclos de *feedback* forneceram acertos de dopamina suficientes para fisgar um programador de computador tímido e introvertido de 16 anos de idade (e a maior atenção de minhas colegas de classe também não foi ruim).

Que o exercício é um dos meios mais conhecidos de melhorar a função cognitiva, o humor e a neuroplasticidade, realmente não deve causar surpresa. Resumindo tudo, somos uma espécie feita para se movimentar. No entanto, junto com nossas dietas, nosso estilo de vida passou por uma mudança drástica. Costumávamos vagar por milhares de quilômetros a pé como caçadores-coletores e, quando não estávamos caminhando, estávamos correndo – não sentados em mesas, em trens ou em carros presos no trânsito.

Até que ponto estamos adaptados ao movimento? Fósseis de pegadas de aborígines analisadas recentemente mostram um passo que indica que nossos ancestrais eram, em média, pelo menos tão rápidos quanto Usain Bolt, o campeão olímpico de corrida. Outros sinais são evidentes em nosso corpo: somos excelentes para dissipar o calor através do suor. Temos pernas longas, joelhos grandes e o tendão de Aquiles em forma de mola que, apesar do nome, é uma das estruturas macias mais fortes do reino animal. E, com as costas relativamente volumosas e uma grande porcentagem de fibras musculares de contração lenta e resistentes à fadiga, também podemos ser os atletas de resistência desse reino.

Atualmente, porém, pegamos nosso almoço "para viagem", para podermos nos sentar e comer isolados em nossas mesas. Quase sempre ficamos estáticos durante o dia de trabalho e no trajeto casa-trabalho. E então, nos sentamos no sofá e assistimos horas de televisão. Pesquisas nos últimos anos validaram a noção de que ficar sentados cronicamente é ruim para nós. Tão ruim, na verdade, que alguns especialistas chegaram ao ponto de dizer que equivale a fumar cigarros. Embora isso possa parecer hiperbólico, sentar em excesso tem sido associado à mortalidade precoce, representando quase 4% das mortes anuais em todo o mundo.[1] Essa associação diminui drasticamente com a adição de apenas um pouco de movimento extra durante o dia:[2] um estudo da

Universidade de Utah descobriu que apenas 2 minutos de caminhada para cada hora que passamos sentados reduziu drasticamente (em 33%) o risco de morte prematura, enquanto um estudo da Universidade de Cambridge descobriu que uma hora de exercício de intensidade moderada por dia o eliminou completamente.[3]

Para o cérebro, os exercícios também podem ser considerados uma panaceia, continuamente validada por testes de pesquisa em pessoas com saúde cognitiva e com deficiência. Eles atuam como um medicamento e um tônico, revestindo nosso órgão vulnerável com um coquetel químico de moléculas "inteligentes", que variam de poderosos antioxidantes a fatores de crescimento nervoso. E depois de ler esta seção você saberá exatamente como implementar exercícios para obter o máximo de ganho cognitivo.

O CULTIVADOR DO CÉREBRO

Então você está convencido sobre os exercícios. Por onde começamos? Existem dois sistemas principais de energia que você pode treinar — aeróbico e anaeróbico. Para simplificar, o exercício aeróbico é semelhante a um longo passeio de bicicleta ou caminhada, enquanto o exercício anaeróbico tende a incluir levantamento de peso e corrida. Pense no primeiro como queima de gordura e oxigênio e no segundo como queima de açúcar.

O treinamento aeróbico aumenta sua frequência cardíaca e pode ser mantido por um longo período de tempo. Na maior parte do dia você funciona em um estado de respiração aeróbica. O exercício aeróbico simplesmente aumenta a intensidade e a demanda em seu metabolismo, mas sob condições metabólicas semelhantes.

EXERCÍCIO AERÓBICO

Suave e lento!

√ Caminhada.
√ Passeio de bicicleta.
√ Caminhada longa e rápida e ioga leve.

Todas as formas de exercício ajudam a aumentar o fluxo sanguíneo para o cérebro, levando oxigênio e nutrientes extremamente necessários para nossos centros de controle biológico, mas o exercício aeróbico, em particular, foi considerado um dos meios mais conhecidos de estimular o fator neurotrófico derivado do cérebro, ou BDNF (sigla em inglês). Usei frases como "Adubo Milagroso para o cérebro" e "o fertilizante definitivo do cérebro" ao longo deste livro para transmitir o poderoso efeito que o BDNF tem em termos de promoção da neuroplasticidade e proteção das células cerebrais, mas admito que ainda podem parecer conceitos abstratos. (Infelizmente, não podemos flexionar nosso hipocampo no espelho.) Se você tivesse acesso a uma máquina de ressonância magnética, no entanto, poderia ver o crescimento profundo que o BDNF promove.

Um estudo seminal publicado em 2011 ofereceu aos cientistas a oportunidade de fazer exatamente isso.[4] Envolveu 120 indivíduos adultos cognitivamente saudáveis, metade dos quais realizou regularmente uma rotina de exercícios aeróbicos três vezes por semana pelo período de 1 ano. Usando a ressonância magnética, os cientistas viram que o exercício aeróbico aumentou o tamanho do hipocampo dos participantes em 2% em relação ao que era no início do estudo. Agora, antes de zombar do que pode parecer um aumento muito modesto, você deve saber que o hipocampo normalmente perde volume a uma taxa de cerca de 1 a 2% a cada ano após a quinta década de vida. E isso realmente aconteceu no grupo de controle – seus exames mostraram que o mesmo grau de volume cerebral foi realmente perdido. Conforme observado pelos pesquisadores, os exercícios aeróbicos basicamente atrasaram o relógio no hipocampo, o centro de formação da memória do cérebro, em 1 ou 2 anos. No momento em que escrevo isto, não há medicamento conhecido no universo que exerça esse grau de poder. Isso é muito empolgante, pois, o salto de tamanho visto nos cérebros do grupo de exercícios coincidiu com um aumento de desempenho no tipo de memória usada para percorrer lugares conhecidos.

VISTA SEU CÉREBRO COM *KLOTHO*

Klotho é uma proteína de longevidade que leva o nome de Clotho, o destino na mitologia grega conhecida por tecer o fio da vida. Se Clotho fosse real, ela ficaria satisfeita em saber de sua afiliação com esse "supressor de envelhecimento" encarregado, entre outras coisas, de fazer conexões melhores e mais estreitas na sinapse, as junções microscópicas onde ocorrem todos os processos neurais.

Independentemente de seu efeito no envelhecimento cerebral saudável, *klotho* tem um efeito marcante na cognição.[5] Cerca de uma em cada cinco pessoas sortudas têm variantes genéticas que as levam a criar mais dessa proteína, e um estudo recente descobriu que aquelas que tinham esse gene tiveram em média 6 pontos a mais em um teste de domínios cognitivos, incluindo linguagem, função executiva, inteligência visual e espacial e aprendizado e memória. Embora você possa ficar tentado a exclamar: "Veja, está tudo em seus genes!", a boa notícia é que *klotho* pode ser potencializada com exercícios aeróbicos. Além do mais, acredita-se que a expressão de klotho, como o BDNF, depende do nível de condicionamento físico, portanto, quanto mais exercícios você fizer (e mais em forma ficar), mais uma única sessão de exercício aumentará os níveis de klotho.[6]

Contudo, fortalecer seu hipocampo não o protege apenas do envelhecimento. Embora o hipocampo seja uma das primeiras partes do cérebro a ser atacada na doença de Alzheimer, também é altamente vulnerável aos malefícios do estresse crônico. O cortisol cronicamente elevado, é uma consequência do sistema de "lutar ou fugir" do corpo sendo superestimulado, e também pode danificar o hipocampo. Isso cria um ciclo de *feedback* negativo, pois é o hipocampo que dita amplamente se o cérebro responderá com calma (ou freneticamente) a um determinado acontecimento. Isso ocorre porque as regiões do cérebro envolvidas no medo e na emoção "consultam" o hipocampo para determinar a melhor forma de reagir. Como mostrou a pesquisa, ao reforçar essa estrutura de memória com exercícios, aumentamos poderosamente nossos cérebros para se tornarem mais resistentes ao estresse psicológico.

EXERCÍCIO: O MATADOR DA DEMÊNCIA?

Um gene em particular, o alelo ApoE4, aparecerá ao longo deste livro. Ainda que esteja longe de ser uma sentença para desenvolver demência, é o único gene de risco de Alzheimer bem definido, e ter uma ou duas cópias aumenta a probabilidade de uma pessoa desenvolver um declínio cognitivo. A pesquisa sugere que o exercício pode anular algumas das influências do gene observadas no cérebro. Ele faz isso em parte "normalizando" o metabolismo da glicose no cérebro, que é reduzido em portadores de ApoE4 (discutido no Capítulo 6), e reduzindo o acúmulo de placa, o que parece ser acelerado nos portadores. Curiosamente, o alelo ApoE4 é considerado a variante "ancestral" (isto é, mais antiga) do gene ApoE, tendo surgido em um momento em que tínhamos que perseguir nossa comida. Sua associação negativa com doenças modernas pode ser meramente uma consequência de nossa recente transição para a inatividade relativa, amplificada por nossas dietas industrialmente prejudicadas.

Se o declínio neurológico é uma consequência da inatividade, tornar-se mais ativo poderia realmente reverter o comprometimento cognitivo? Os pesquisadores buscaram responder a essa pergunta em um estudo de 2013, que acabou descobrindo que pessoas sedentárias com comprometimento cognitivo leve (CCL) melhoraram sua memória e a eficiência de suas células cerebrais após apenas 3 meses de exercícios regulares.[7] O estudo incluiu um grupo de pessoas cognitivamente normais e que viram benefícios semelhantes. Além do mais, os indivíduos melhoraram sua aptidão cardiorrespiratória em 10%, sugerindo grandes ganhos cognitivos para um aumento relativamente pequeno no condicionamento físico.

Um estudo de seguimento publicado em 2015 descobriu que, tanto para idosos saudáveis quanto para pacientes com CCL, os exercícios aumentaram o tamanho do córtex, a camada externa do cérebro que diminui drasticamente na doença de Alzheimer em estágio avançado. Em uma metáfora muito simplista, o córtex pode ser considerado o disco rígido do cérebro, onde as memórias são armazenadas após serem inseridas pelo hipocampo, o "teclado" do cérebro. Os participantes que mostraram as maiores melhoras em seu condicionamento tiveram o maior crescimento na camada cortical. Estudos como este são fundamentais, pois o CCL é considerado um estágio crítico do declínio cognitivo que pode levar ao mal de Alzheimer ou outras formas de demência.

O REFORÇADOR METABÓLICO

"Nenhum homem tem o direito de ser um amador em termos de treinamento físico. É uma pena o homem envelhecer sem ver a beleza e a força de que o seu corpo é capaz."

— SÓCRATES, CIRCA 400 a.C.

Embora a atividade aeróbica seja a principal forma de fortalecer o cérebro com novas células cerebrais, o exercício anaeróbico é a melhor maneira de manter essas células saudáveis e metabolicamente eficientes.

Ao contrário do exercício aeróbico, que pode ser potencialmente sustentado por horas (particularmente variedades de intensidade baixa a moderada), os modos anaeróbicos de metabolismo são experimentados em explosões, alcançadas por meio de atividade física que é realizada em uma intensidade muito maior (e, portanto, impossível de sustentar). Isso pode incluir correr com esforço quase máximo por 10 a 20 (ou mesmo 30) segundos, fazer uma pausa e repetir o processo. O treinamento de resistência — levantamento de peso, por exemplo — também é anaeróbico. Embora o limiar anaeróbico de cada pessoa seja diferente, o princípio é o mesmo: sobrecarregando momentaneamente seu corpo, você fornece um poderoso estímulo para que suas células se adaptem, se tornem mais fortes e mais eficientes.

EXERCÍCIO ANAERÓBICO

Forte e rápido!

√ Todos os tipos de exercícios "intensos" (como corrida, ciclismo vigoroso, remo, cordas navais).

- √ Levantamento de peso.
- √ Escalada íngreme.
- √ Treino intervalado.
- √ Isométrica.
- √ Ioga intensa.

Um benefício visível do exercício anaeróbico é que, com o tempo, seus músculos crescem. Isso é particularmente benéfico para a manutenção do peso. Enquanto o exercício anaeróbico em si queima muito menos calorias do que o exercício aeróbio (a corrida longa em uma esteira, por exemplo), criar um pouco mais de músculo é benéfico para perder peso em longo prazo. Isso ocorre porque quanto mais músculos você tiver em seu corpo maior será sua capacidade de trabalho, mais atividades de alta intensidade você poderá praticar e mais calorias poderá absorver sem armazená-las como gordura corporal. Cada vez que você atinge o limite de lactato em seus exercícios, que é quando seus músculos começam a queimar e tremer conforme você se aproxima do fracasso, você está esvaziando os carboidratos armazenados no músculo e transformando seu corpo em uma esponja de energia. Isso significa que quando você consome um amido como arroz ou batata-doce, os carboidratos se tornam mais propensos a ser transportados para as células musculares, onde ficam esperando para alimentar seu próximo treino. E aumentar a massa muscular significa mais calorias queimadas para abastecer esses músculos, mesmo quando você está apenas esperando na fila para pagar a compra no supermercado.

Levar-se aos limites fisiológicos, entretanto, confere benefícios que vão muito além da temporada de praia. No nível microscópico, suas mitocôndrias, as organelas que criam a energia celular, sentem o peso do aumento da demanda. Isso se deve em parte ao aumento na produção de Espécies Reativas de Oxigênio (ERO), um subproduto normal do metabolismo. Você também pode conhecer (ERO) por outro nome – radicais livres. Em circunstâncias normais, queremos manter esses radicais livres ao mínimo, mas no caso do exercício, seu aumento atua como um poderoso mecanismo de sinalização, desencadeando uma cascata de eventos nos níveis genético e celular destinados a nos proteger – e melhorar nossa resiliência ao estresse futuro.

NOTA DO MÉDICO:
OBEDEÇA A SEUS IMPERATIVOS BIOLÓGICOS

Sentir um surto ocasional de melancolia é um aspecto perfeitamente normal, e provavelmente até saudável, da condição humana. Mas se a melancolia se transformar em uma conversa interna negativa, lembre-se: não julgue seu conteúdo de pensamento ou seu humor, a menos que você esteja fazendo exercícios regularmente. Se você não levasse seu cachorro para passear ou deixasse ele sair para brincar ou correr todos os dias, seria considerado abuso de animais, mas parece que não há problema em não nos mexermos. O exercício deve ser a última coisa a ser abandonada quando você se sente ocupado ou oprimido, não a primeira. Quando testado frente a frente contra vários antidepressivos, 3 dias por semana de exercícios moderados foram considerados tão eficazes quanto os medicamentos, com o agradável efeito colateral de ter zero efeitos colaterais! Trate-se pelo menos tão bem quanto trata seu cachorro – você merece.

Uma enzima que se torna ativada durante a atividade anaeróbica é chamada de proteína quinase ativada por monofosfato de adenosina ou AMPK na sigla em inglês.

Conhecida como a "chave geral" metabólica, a AMPK atua como um diapasão para as mitocôndrias, aumentando a queima de gordura e a captação de glicose e ativando o mecanismo de eliminação de resíduos para limpar o lixo celular (isso inclui a reciclagem de mitocôndrias velhas e danificadas). A ativação da AMPK é um meio tão poderoso de aumentar o vigor celular que o medicamento para diabetes metformina, que estimula a AMPK, está sendo estudado quanto ao seu potencial como agente geroprotetor ou antienvelhecimento. (Pesquisas preliminares sugerem que pode melhorar os sintomas da doença de Alzheimer inicial e ajudar a reduzir o risco de desenvolvê-la.) Mas você não precisa de drogas e seus potenciais efeitos colaterais para ativar a AMPK, pois curtos períodos de exercício intenso fazem isso com a mesma eficácia.

Uma das maneiras mais importantes de a AMPK melhorar o metabolismo é estimulando a criação de mais mitocôndrias, um processo chamado biogênese mitocondrial. Ter mais mitocôndrias é geralmente considerado uma coisa boa, e sabemos disso porque o desuso crônico dos músculos, o comportamento sedentário e o envelhecimento resultam em um declínio no conteúdo e na função mitocondrial.

Ao criar novas mitocôndrias em nossos músculos, melhoramos o condicionamento físico e a saúde metabólica – incluindo a sensibilidade à insulina. É por isso que estimular a AMPK com exercícios anaeróbicos (como musculação e corrida) é um dos meios mais conhecidos de reverter a resistência à insulina, junto com a mudança na dieta.[1] Mas a AMPK não apenas estimula esse aumento drástico nas

---

[1]. Muitos pacientes obesos e resistentes à insulina são orientados a concentrar suas energias em "fazer mais exercícios aeróbicos" para perder peso, o que ignora o objetivo que seria mais apropriado, de ganhar músculos para restabelecer a sensibilidade à insulina.

mitocôndrias em nosso tecido muscular. Ele também faz isso em nossas células de gordura, um processo chamado de "escurecimento". Antes considerada presente apenas em recém-nascidos, a gordura marrom é um tecido adiposo rico em mitocôndrias, cujo principal objetivo é queimar calorias para nos aquecer quando ficamos um pouco frios (processo chamado de termogênese).

A biogênese mitocondrial, estimulada pelo exercício, também ocorreu em células cerebrais, como visto em pesquisas com animais.[8] Isso tem implicações óbvias, não apenas no que diz respeito ao combate à fadiga mental e o envelhecimento cognitivo, mas também com respeito a doenças neurodegenerativas que envolvem disfunção mitocondrial, incluindo doença de Alzheimer, doença de Parkinson e ALS. Talvez seja por isso que um grande estudo com gêmeos do King's College de Londres mostrou uma forte ligação entre a força das pernas (envolvendo os maiores músculos do corpo) e o volume do cérebro com a diminuição do envelhecimento cognitivo em dez anos.[9]

É por tudo isso, em conjunto, que o exercício anaeróbico é uma parte vital da equação saúde do cérebro e otimização cognitiva. Arthur Weltman, que dirige o laboratório de fisiologia do exercício na Universidade da Virgínia em Charlottesville, talvez tenha dito isso melhor em uma entrevista ao *site ScienceNews*: "*Para que os sistemas fisiológicos se adaptem, eles precisam ser sobrecarregados*". Quer isso signifique ir para a academia e levantar pesos, forçar-se até o limite em uma bicicleta ergométrica por alguns momentos (e repetir) ou adicionar um pouco de corrida acelerada à sua rotina cardiovascular, incluir exercícios anaeróbicos em sua rotina é uma grande oportunidade para otimizar sua função cognitiva.

ANTIOXIDANTES DE ALTA DOSE – UMA MULETA CELULAR?

A chamada para o seu mecanismo celular se fortalecer é sinalizada por um aumento temporário no estresse mediado por radicais livres, provocado pelo exercício. Tire essa pressão e o exercício se tornará menos eficaz. Isso ficou evidente em um estudo da Universidade de Valência, no qual altas doses de um antioxidante, a vitamina C, foram administradas aos atletas antes do treinamento. Como resultado, não apenas seu desempenho foi afetado negativamente, como muitos dos benefícios mencionados do exercício – aumentar a cobertura antioxidante e a biogênese mitocondrial – foram bloqueados.[10]

Estudos como este destacam um potencial efeito negativo da suplementação de vitaminas em altas doses, o que pode bloquear indiscriminadamente o estímulo de que nossos corpos precisam para ficar mais fortes. Por esse motivo, não recomendo suplementos vitamínicos em excesso – em vez disso, uma abordagem mais sábia é estimular naturalmente os compostos antioxidantes muito mais potentes do corpo com exercícios e alimentos como abacate, frutas vermelhas, couve, brócolis e chocolate amargo (convenientemente, todos qualificados como **Alimentos para o Cérebro**).

COMO OBTER O MÁXIMO DOS EXERCÍCIOS

Como você pode ver, os exercícios aeróbicos e anaeróbicos fornecem benefícios exclusivos para o cérebro e o corpo que vão muito além das calorias queimadas. Mas quanto esforço você precisa fazer para obter o máximo benefício? Surpreendentemente, muito menos do que você esperaria. As pesquisas mais recentes sugerem que nossos exercícios aeróbicos devem ser mais longos e mais lentos, enquanto nossos exercícios anaeróbicos precisam ser mais curtos e intensos. O que queremos definitivamente evitar é o "cárdio crônico", ou seja, um tipo de treinamento sustentado de alto rendimento, como uma corrida intensa de 45 minutos várias vezes por semana. Há um ponto de pico em que estressamos o corpo o suficiente para estimular a adaptação, mas uma alta quantidade de exercício não é necessariamente melhor. Por exemplo, maratonistas tarimbados perdem massa magra, baixam seus níveis de testosterona, desenvolvem aumento da permeabilidade intestinal e podem até desenvolver cicatrizes no músculo cardíaco e no sistema de condução elétrica, levando a arritmias perigosas e com risco de vida, sem mencionar o desgaste de suas articulações com os milhares de passos.

Então, qual é o ponto ideal? Essencialmente, em vez de uma corrida extenuante de 45 minutos com uma careta no rosto o tempo todo, é melhor fazer uma caminhada de 90 a 120 minutos, sorrindo e conversando o tempo todo. O movimento deve ser suave e lento, como uma caminhada, e ajudará a mover o fluido linfático pelo corpo, desenvolverá seus leitos capilares e manterá as articulações saudáveis. Por outro lado, corridas aceleradas (*sprints*) curtas de 90 a 95% do esforço máximo mostraram as mesmas melhoras na aptidão cardiorrespiratória e resistência em 20% do tempo, em comparação com o cárdio em estado constante!

Uma rotina adequada de exercícios deve interferir no estilo de vida geral da pessoa, incluindo trabalho aeróbico (como longas caminhadas e ir e voltar do trabalho de bicicleta) e esforço anaeróbico concentrado. Dessa forma, você maximiza a neuroplasticidade por meio do BDNF com exercícios aeróbicos, enquanto atinge os efeitos de fortalecimento do metabolismo do exercício anaeróbico.

P.: Sendo mulher, o levantamento de peso não vai me deixar muito musculosa? Eu ganho músculos com muita facilidade.

R.: Os músculos são conquistados arduamente, e os ganhos ocorrem ao longo de anos, não semanas. E se você tem medo de parecer "robusta", acredite, você não ganha "tanquinho" por acaso. Dr. Paul e eu tentamos ficar "sarados" **nos últimos 20 anos**. Além disso, a maioria das mulheres simplesmente não tem o perfil hormonal para ficar musculosa sem substâncias ilícitas.

Contanto que você esteja ganhando músculos e não comendo demais ou ganhando peso significativo, sua composição corporal vai melhorar. Sua cintura diminuirá e seus braços, sim, encolherão, embora estejam mais fortes. O levantamento de peso regular também fornece uma proteção para quaisquer carboidratos que entrem aqui e ali. Basta lembrar: forte é o novo magro.

Também é possível incorporar aspectos de ambas as formas de exercício no mesmo treino. Por exemplo, se você gosta de treinamento com pesos, mas não gosta de correr, pode adicionar um aspecto aeróbico ao seu treino simplesmente reduzindo a quantidade de descanso entre as séries. Alternativamente, você pode optar por fazer exercícios anaeróbicos em alguns dias da semana e aeróbicos em outros. O que quer que você decida, faça o que você gosta e certifique-se de variar os níveis de intensidade. Além disso, tirar 1 a 2 dias de folga por semana para descanso garante que você não treine demais, o que pode gerar efeitos negativos.

Uma semana típica pode ser mais ou menos assim:

Segunda-feira	Quinta-feira
Treinamento de resistência	Treinamento de resistência
Opção A: agachamentos, levantamentos terra, kettlebell, supinos, flexões, *dips*, barra fixa, remadas e afundos.	Opção A: agachamentos, levantamentos terra, *kettlebell*, supinos, flexões, *dips*, barra fixa, remadas e afundos.
Opção B: exercícios de "empurrar": supino, supino inclinado, supino vertical, cordas navais.	Opção B: exercícios de "empurrar": supino, supino inclinado, supino vertical, cordas navais.
Terça-feira	Sexta-Feira
Ioga	Ioga
Quarta-feira	Sábado
Ir e voltar do trabalho de bicicleta	Corrida acelerada no parque
	Domingo
	Longa caminhada ou passeio

Condicionamento por calor

Se uma cultura pode levar o crédito por trazer sozinha o condicionamento hipertérmico (isto é, calor) à corrente dominante, pode muito bem ser a finlandesa. O uso da sauna é parte integrante da vida diária na Finlândia, onde há, em média, uma sauna para cada família![11] Algumas dessas saunas são construídas nos lugares mais improváveis — em uma cabine telefônica abandonada, em um barco ou em um veículo estático. Muitas delas são vistas no peculiar documentário *Steam of Life* (Vapor da vida), que narra esse úmido passatempo nacional. Em outras partes do mundo, porém, as saunas tendem a ser encontradas em *spas* e academias de alta qualidade.

Embora você possa estar inclinado a descartar as saunas como mera recreação, a ciência está começando a validar seu uso como poderosa atividade moduladora da saúde. Pesquisas recentes mostraram que tanto do ponto de vista mecânico quanto da observação, a terapia hipertérmica dá ao cérebro um treino potente e pode desempenhar um papel poderoso na proteção contra o envelhecimento.

Proteínas de choque térmico:
Um guarda-costas proteico

Sentar-se em uma sauna quente impõe um certo tipo de estresse a seu corpo chamado estresse por calor. O corpo humano altamente adaptável, forjado no clima da África Oriental, sabe que o calor pode matar e, por isso, toma medidas de precaução para se proteger. Uma dessas medidas de proteção inclui a ativação de proteínas de choque térmico (PCT, ou HSP na sigla em inglês). Como o nome indica, o calor é a variável primária para manter as PCTs funcionando, embora essas proteínas também sejam ativadas por exercícios e baixas temperaturas.

As PCTs agem para proteger outras proteínas de "dobramento incorreto", pois as consequências disso são generalizadas. As configurações tridimensionais exclusivas das proteínas as ajudam a ser reconhecidas por vários receptores, proporcionando uma funcionalidade de "chave e fechadura" que lhes permite realizar muitas tarefas importantes no corpo. As proteínas que se tornam desfiguradas por meio do dobramento incorreto não são apenas menos eficazes, elas se tornam estranhas ao sistema imunológico, o que pode evocar uma resposta autoimune.

O dobramento incorreto de proteínas também está diretamente envolvido em algumas doenças com as quais você pode estar familiarizado: Alzheimer, Parkinson e demência por corpos de Lewy. Todas essas são classificadas como doenças "proteopáticas", o que significa que as proteínas se tornam mal dobradas e se aglomeram em placas; no Alzheimer é a proteína beta-amiloide, enquanto a proteína alfa-sinucleína está envolvida na doença de Parkinson e na demência por corpos de Lewy. Mas essas placas se formam em todas as pessoas, não apenas em pacientes com diagnóstico de demência, e vale a pena fazer o possível para prevenir sua formação — especialmente se for tão simples quanto sentar-se em uma sauna.

Um estudo, publicado em 2016 na revista *Age and Aging*, forneceu evidências inéditas em nível populacional de que o uso regular da sauna pode realmente ajudar a salvar nossos cérebros do declínio. Envolvendo mais de 2 mil pessoas que foram acompanhadas por mais de 20 anos, o estudo mostrou que o uso da sauna de 4 a 7 vezes por semana reduziu em 65% o risco de desenvolver a doença de Alzheimer ou outra demência, mesmo após o controle de outras variáveis, como diabetes tipo 2, situação socioeconômica e fatores de risco cardiovascular.

BDNF PARA IMPULSIONAR O CÉREBRO

Quem não gosta de um almoço grátis de vez em quando? Embora o exercício seja uma maneira incrível de nutrir o cérebro com BDNF, o estresse térmico (do uso da sauna pós-treino, por exemplo) pode elevar o BDNF além do que é alcançado apenas com exercícios.[12] Para explorar mais a sinergia entre exercício e temperatura ambiente, cientistas da Universidade de Houston estudaram o efeito neural que ocorria quando ratos corriam em temperaturas frias ou quentes (4,4° C ou 37,5°C).[13] Em ambos os ambientes, os ratos geraram um número maior de neurônios no hipocampo, apesar de correrem distâncias muito menores do que aqueles no grupo de controle que correu em temperatura ambiente.

O que isso sugere é que a realização de breves períodos de exercício em temperatura ambiente fria ou quente pode acelerar os benefícios do exercício para o cérebro – uma vitória potencial para os viciados em eficiência e para aqueles com mobilidade limitada. (Basta verificar com seu médico antes de fazer isso, especialmente se você tiver um problema de saúde.)

VOCÊ ESTÁ DE OLHO NA MINHA MIELINA?

A prolactina é um hormônio com uma ampla gama de funções que está presente em homens e mulheres, mas talvez seja mais conhecido por seu papel no início da lactação em futuras mães. Também pode ter uma influência muito interessante no cérebro: foi demonstrado que a prolactina reconstrói a mielina, a bainha protetora que isola os neurônios e faz seu cérebro funcionar mais rápido.[14] Mulheres grávidas apresentam um aumento repentino de prolactina, e aquelas com EM, uma doença autoimune em que a mielina é atacada, geralmente entram em remissão neste momento.

Não se preocupe, porém – a gravidez não é a única maneira de aumentar a prolactina. O condicionamento hipertérmico também demonstrou aumentar drasticamente a prolactina. Um estudo demonstrou que os homens que permaneceram em uma sauna aquecida a 80°C experimentaram um aumento de dez vezes na prolactina. Em um estudo separado, mulheres usuárias habituais de sauna que passaram 20 minutos em uma sauna seca tiveram um aumento de 510% na prolactina imediatamente após a sessão.[15]

O aumento da prolactina em saunas pode ser usado para tratar a esclerose múltipla? Deve-se ter muito cuidado se a doença já se desenvolveu, uma vez que pacientes de EM sensíveis à temperatura apresentam um declínio temporário na função cognitiva após uma sauna. Em termos de prevenção, o uso da sauna para esclerose múltipla é um território desconhecido – mas, com base no exposto, sua utilidade certamente é plausível.

VOCÊ SOFRE DE CONTROLE CRÔNICO DO CLIMA?

Os primatas e os primeiros humanos experimentaram estressores fisiológicos, incluindo mudanças na temperatura por milhões de anos. Atualmente, porém, a falta desse "exercício térmico" pode ser prejudicial à nossa saúde e função cerebral. Mas quão extremas as temperaturas precisam ser para produzir uma reação positiva de nossos corpos? Não muito, ao que parece.

A exposição até mesmo ao frio ambiente moderado induz algo chamado termogênese sem tremores, que é quando seu corpo se aquece para se proteger da perda de calor. Seu corpo faz isso aumentando a queima de calorias nas mitocôndrias de gordura marrom, geradoras de energia. Este é um tipo de gordura que queremos mais, pois promove uma melhor saúde metabólica. A gordura marrom é tão boa para queimar calorias que a termogênese sem tremores pode ser responsável por até 40% de sua taxa metabólica, tornando-se uma forma poderosa de exercício que você pode fazer sem mesmo se mover! Em um exemplo brilhante dos benefícios hormonais da exposição ao frio, pessoas com diabetes tipo 2 foram instruídas a suportar uma exposição de 6 horas por dia ao frio moderado (15,5°C). Depois de apenas 10 dias, elas melhoraram sua sensibilidade à insulina em impressionantes 40%.[16] Você deve se lembrar, do Capítulo 4, que a sensibilidade à insulina está altamente correlacionada a uma melhor saúde e capacidade do cérebro.

Outros estudos sugeriram que a termogênese (queima de calorias em troca de calor) e benefícios metabólicos podem ocorrer em uma temperatura ainda mais amena – 18,8°C.

Se a ideia de sentir frio, mesmo que remotamente, o faz pegar o cobertor mais próximo, fique tranquilo: quanto mais nos expusermos à temperaturas mais baixas, mais benefícios para a saúde teremos a ganhar. E esses benefícios aumentam à medida que nos adaptamos mentalmente às temperaturas mais frias. Portanto, da próxima vez que você ficar ao lado do termostato, pensando como programá-lo, lembre-se de que o conforto climático crônico pode estar na mesma categoria do açúcar no que diz respeito ao caos metabólico.

Jejum intermitente

O jejum intermitente está rapidamente se tornando conhecido como uma das melhores maneiras de aumentar sua vitalidade e vigor. No Capítulo 6, discuti como o jejum intermitente pode atiçar o fogo cetogênico (o combustível preferido do cérebro) ao reduzir a insulina. Mas, como um estressor hormonal, o jejum também pode ativar muitos dos mesmos genes de reparo que já discutimos, aumentando a cobertura antioxidante e a produção de BDNF.

Acredita-se que o corpo tira esses períodos de "descanso" dos alimentos como uma oportunidade para limpar a casa, reciclar proteínas danificadas e matar células imunológicas que se tornaram disfuncionais. Na Antiguidade, os períodos de jejum eram praticados, pois simplesmente não havia oferta abundante de comida durante todo o ano.

Somos os primeiros a admitir que é muito mais fácil "não comer" quando não há comida à vista do que criar períodos de jejum em nossas vidas ocupadas, mas, conforme detalhado abaixo, achamos que vale a pena o esforço extra.

Seja por alimentação com restrição de tempo ou dietas periódicas de baixa caloria (mais sobre isso abaixo), os benefícios do jejum são numerosos:

- **Melhor tomada de decisões.**[17] Isso faz sentido de um ponto de vista evolutivo: o que aconteceria com nossas chances de sobrevivência se ficássemos mais burros no minuto em que não houvesse comida por perto? Nossa espécie provavelmente não teria durado muito tempo!
- **Melhor sensibilidade à insulina.** O jejum pode melhorar os marcadores da saúde metabólica, incluindo nossa capacidade de usar com eficácia glicose – e gordura – como combustível.
- **Maior perda de gordura.** De manhã, o cortisol é naturalmente elevado, permitindo a mobilização de ácidos graxos armazenados e açúcares que nossos órgãos podem usar como combustível. Ao jejuar, possibilitamos que o cortisol faça melhor seu trabalho.
- **Ativa genes de sobrevivência envolvidos na proteção e reparo antioxidante.** O jejum intermitente é uma das melhores maneiras de alavancar o caminho do Nrf2, um interruptor mestre genético que aumenta a cobertura antioxidante.
- **Ativa a autofagia.** Autofagia é o sistema de eliminação de resíduos do corpo, pelo qual o lixo celular (incluindo células danificadas que podem levar ao câncer) é limpo.[18] Muitos desses detritos são pró-inflamatórios, e estimular esse processo de limpeza tem sido associado a longevidade e saúde drasticamente maior em animais.

- ▶ **Melhora o perfil hormonal.** O jejum é uma das melhores maneiras de aumentar o hormônio do crescimento, que é neuroprotetor e ajuda a preservar o tecido muscular magro.
- ▶ **Maior BDNF e neuroplasticidade.** O jejum é um potente reforçador de BDNF, que promove a neuroplasticidade em qualquer idade. Neuroplasticidade é a capacidade de desenvolver novas células cerebrais e preservar as que você tem, e até ajuda a melhorar o humor.
- ▶ **Maior reciclagem do colesterol.** Logo depois de começar um jejum, começa a quebra do excesso de colesterol em ácidos biliares benéficos.[19]
- ▶ **Menor inflamação e maior resistência a estresses oxidantes.**[20] Estudos em humanos durante o feriado religioso de um mês do Ramadan, que envolve jejum diário, mostrou que os marcadores de inflamação são drasticamente reduzidos durante esse período.
- ▶ **Melhor proteção sináptica.** Uma nova pesquisa sugere que o jejum pode ajudar a reduzir a atividade sináptica, evitando a liberação excessiva de neurotransmissores.[21]

O protocolo de jejum intermitente mais popular é o protocolo rápido de 16:8, que é uma dieta alimentar com restrição de tempo. Isso implicaria jejuar por 16 horas, alimentando-se sem restrições durante a janela de alimentação de 8 (ou 10) horas. Essa janela pode ser ajustada para a hora que funcionar melhor para você,[2] e as mulheres podem obter os mesmos benefícios de um jejum mais curto. (Como discutido anteriormente, os sistemas hormonais das mulheres podem ser mais sensíveis aos sinais de escassez de alimentos. Esta é apenas uma teoria, mas as mulheres parecem reagir de forma diferente dos homens a jejuns mais longos.)

Lembre-se de não se privar durante a janela de alimentação. Esta é quando a pessoa consumiria todas as gorduras saudáveis, proteínas e vegetais fibrosos de que o cérebro e o corpo precisam todos os dias. A desnutrição definitivamente não é o objetivo final! O objetivo é meramente recuperar o equilíbrio crítico entre os estados anabólico (armazenamento) e catabólico (decomposição). Durante a janela de jejum, você pode beber a quantidade de água que desejar, junto com chá ou café preto, nenhum dos quais contém calorias.

Outro protocolo é o jejum em dias alternados, um método estudado pela pesquisadora Krista Varady, da Universidade de Illinois. Este envolve uma janela de alimentação muito pequena (entre 12 e 14 horas, por exemplo) em dias alternados.

---

2. Embora suponhamos que possa haver efeitos hormonais benéficos em fazer a janela de alimentação mais tarde no dia, em vez de comer a primeira coisa pela manhã (para permitir que o cortisol faça seu trabalho de liberar os ácidos graxos armazenados para uso como combustível), você também deve garantir tempo suficiente para digerir (2 a 3 horas) antes de ir dormir. Comer imediatamente antes de dormir pode atrapalhar o sono, bem como os processos de manutenção do cérebro.

Isso permite uma grande refeição durante os dias de jejum e alimentação sem restrições nos outros dias.[22] Existem outros protocolos que também são eficazes, como dias consecutivos de muito baixas calorias (a "dieta que imita o jejum", segundo o pesquisador Valter Longo). E, para algumas pessoas, um jejum completo de 24 a 36 horas a cada 2 meses pode ser exatamente o que é necessário para ter uma sensação de "faxina de primavera" biológica.

Embora os métodos de jejum intermitente sejam diferentes, os mecanismos são semelhantes e, em última análise, tudo se resume à preferência pessoal. Não tenha medo de brincar e observe que muitos acham mais fácil não comer algumas horas extras por dia do que tentar contar calorias (incluindo os autores).

Alimentos "estressantes"

"Sola dosis facit venenum. (Todas as coisas são venenosas e nada é sem veneno; apenas a dose faz com que uma coisa não seja um veneno.)"

– PARACELSO

Alimentos estressantes? Eu sei, isso não parece muito agradável. Mas muitos dos alimentos mais valiosos que você ingere todos os dias conferem seus benefícios por serem estressantes no nível celular.

Como qualquer organismo, as plantas não querem ser comidas. Elas estão em desvantagem, no entanto, porque não podem fugir de predadores ou lutar contra eles com dentes ou armas. Em vez disso, recorrem à química para se defenderem contra ameaças, desenvolvendo substâncias tóxicas para insetos, fungos e bactérias. Você já deve estar familiarizado com muitos desses produtos químicos naturais de defesa das plantas: oleocanthal do azeite, resveratrol das uvas de vinho tinto e até mesmo curcumina do açafrão. Mas, na verdade, existem milhares desses produtos químicos que consumimos regularmente com uma dieta rica em vegetais e estamos apenas começando a entender o impacto que eles têm sobre nós – a maioria deles ainda não foi batizada! Entre esses produtos químicos estão os polifenóis, uma grande família de nutrientes à base de plantas que são conhecidos por beneficiar nossa saúde.

Pesquisas recentes destacaram os polifenóis como amplamente anti-inflamatórios, protegendo contra a inflamação relacionada à idade e doenças crônicas, como câncer, doenças cardíacas e demência. Embora os mecanismos exatos de ação por trás do consumo de polifenóis tenham sido um tanto elusivos, a hormesis surgiu como uma explicação possível.

Aqui estão alguns dos polifenóis comuns, divididos por categoria:

AS VIRTUDES DO ESTRESSE

Fontes alimentares de polifenóis	
Catequinas	Chá verde e branco, uvas, cacau, bagas
Flavanonas	Laranjas, toranjas, limões
Flavonóis	Cacau, vegetais verdes, cebolas, bagas
Antocianinas	Bagas, uvas vermelhas, cebolas vermelhas
Resveratrol	Vinho tinto, cascas de uva, pistache, amendoim
Curcumina	Cúrcuma, mostarda
Oleocanthal	Azeite de oliva extravirgem

Esses compostos exercem seus benefícios sobre nós, em parte, criando uma pequena quantidade de estresse no nível celular. Quando consumimos polifenóis, nossas células respondem defensivamente, acionando o interruptor de atividade do gene que aumenta a produção de antioxidantes. Na verdade, os antioxidantes estimulados por polifenóis ofuscaram o efeito de eliminação de radicais livres dos antioxidantes mais comumente conhecidos como as vitaminas E e C.

Esses antioxidantes funcionam "um-para-um", o que significa que uma molécula de vitamina C desarma um radical livre. Mas os antioxidantes que os polifenóis levam o nosso corpo a criar, como a glutationa que combate os radicais livres, podem desarmar inúmeros radicais livres.[23] Desta forma, comer alimentos ricos em polifenóis é como treinar nossas células, desafiando-as a se desintoxicar, adaptar-se e ficar mais resistentes ao estresse. (Você pode apoiar ainda mais a produção de glutationa – apelidada de "a mãe de todos os antioxidantes" – consumindo mais alimentos ricos em enxofre, incluindo brócolis, alho, cebola, alho-poró, ovos, espinafre, couve, carne bovina, peixe e nozes.)[24]

Cada polifenol pode ter seu próprio benefício exclusivo, mas a ciência revelou que alguns são particularmente benéficos. O oleocanthal no azeite de oliva extravirgem, por exemplo, ajuda o cérebro a se livrar da placa, estimulando o processo de autolimpeza da autofagia, descrito anteriormente. Outro composto fenólico chamado apigenina, abundante em salsinha, sálvia, alecrim e tomilho, promove a neurogênese e fortalece as conexões sinápticas.

Aqui estão alguns outros polifenóis bem conhecidos e seus benefícios propostos:

Fenol	Encontrado em	Benefícios
Resveratrol	Vinho tinto, chocolate amargo, pistache	Melhora o metabolismo da glicose no cérebro, função cognitiva.
Quercetina	Cebola	Fortalece a integridade da barreira intestinal e reduz a permeabilidade.

Antocianina	Mirtilos	Reduz o envelhecimento cognitivo e risco de Alzheimer.
Fisetina	Morangos, pepinos	Reduz a inflamação do cérebro e protege contra o declínio cognitivo.

MAIS UM MOTIVO PARA SER ORGÂNICO

Está bem estabelecido que, ao optar por produtos orgânicos, você evita a exposição a herbicidas e pesticidas sintéticos que podem interromper a função neurotransmissora e aumentar o risco de certas doenças neurodegenerativas.[25] Aqui está outra razão para procurar o rótulo "orgânico": o uso de pesticidas e herbicidas sintéticos na produção pode prejudicar drasticamente a criação pelas plantas de seus próprios mecanismos de defesa – os próprios polifenóis que queremos.[26] Muitos estudos que comparam o teor de vitaminas de produtos cultivados convencionalmente com o de produtos cultivados organicamente ignoram esse ponto. Os nutrientes que mais promovem a saúde nessas plantas nem sempre são as vitaminas, mas os compostos naturais de defesa que, quando consumidos, estimulam em nós as vias de restauração genética.

Outra espécie bem conhecida de substâncias químicas de defesa à base de plantas são os glucosinolatos. Vegetais crucíferos como brócolis, repolho e couve são ricos nesses compostos, com brotos jovens de brócolis levando a coroa como fonte mais conhecida, contendo de 20 a 100 vezes a quantidade de cabeças de brócolis adultas. Quando qualquer uma dessas plantas é mastigada, esses compostos se combinam com uma enzima, também na planta, que cria um novo composto em sua boca – o sulforafano.

Graças a Darwin, você não é um inseto, pois, se fosse, o sulforafano seria tóxico para você! Em humanos, entretanto, o sulforafano é um agente anticâncer e também ativa a importante via de desintoxicação Nrf2, que aumenta drasticamente a produção de glutationa.[27] Estudos em animais demonstraram repetidamente que o sulforafano anula diretamente a inflamação no cérebro, mesmo quando desafiado por toxinas altamente inflamatórias.[28] Por esta razão, o sulforafano foi estudado como um potencial agente terapêutico e preventivo em Parkinson, Alzheimer, lesão cerebral traumática, esquizofrenia e até depressão – todas as condições que demonstraram envolver oxidação e inflamação excessivas no cérebro. Um estudo fascinante em jovens descobriu que o sulforafano (extraído dos brotos de brócolis) melhorou significativamente os sintomas do autismo moderado a grave. A redução dos sintomas diminuiu após o término do tratamento.[29]

VEGETAIS CRUCÍFEROS E SUA TIREOIDE

Vegetais crucíferos crus como brócolis, couve-flor, couve, acelga chinesa e repolho pegaram uma má reputação, principalmente por causa de substâncias contidas neles que podem afetar a função da tireoide. As substâncias em questão são os glucosinolatos, aqueles que quando mastigados crus, criam o benéfico sulforafano.

O problema é que os glucosinolatos inibem temporariamente a captação de iodo pela tireoide, o que não é bom porque o iodo é um elemento necessário para a produção do hormônio tireoidiano. Na década de 1950, quando a deficiência de iodo era generalizada, comer vegetais crucíferos saudáveis levou muitos ao hipotireoidismo, e o governo determinou que todo o sal de cozinha fosse iodado. Problema resolvido, certo? Na hora sim. Atualmente, no entanto, as pessoas que se preocupam com a saúde estão mudando do sal iodado para alternativas não iodadas, como o sal marinho, e ironicamente estamos novamente sob risco de ter deficiência de iodo. Para combater isso, é importante consumir vegetais marinhos (alga *nori* desidratada ou macarrão de *kelp* são as principais fontes) e outros alimentos ricos em iodo, como vieiras, salmão, ovos e peru. Oitenta e cinco gramas de camarão ou peito de peru assado fornecem, cada um, 34 microgramas de iodo essencial. Isso é cerca de 23% da ingestão diária recomendada (IDR). Sete gramas de alga marinha, em comparação, fornecem 4,5 mil microgramas de iodo – 3.000% da IDR.

Na ausência de deficiência de iodo, os vegetais crucíferos são perfeitamente seguros para se comer crus. A chave a ser lembrada aqui é que muitos desses compostos cabem em um tema biológico comum: só porque você precisa de um pouco não significa que deva comer muito. Consuma uma quantidade generosa de crucíferas cruas – apenas não exagere.

Então, aí está – a confiança de saber que o tipo certo de estresse pode realmente ser seu amigo. Esses estressores positivos fornecem a chave para se tornar mais robusto no cérebro e no corpo. Lembre-se de que em todos os casos você deve ouvir seu corpo e saber que esses estresses não são isentos de riscos. Mas se você começar devagar, persuadindo seu corpo a uma maior resiliência, você saberá rapidamente a magnitude de sua própria magnificência.

NOTAS DE CAMPO

- √ As formas aeróbicas de exercício devem ser "suaves e lentas" para promover a neurogênese, evitando o pico de cortisol do "cárdio crônico".
- √ As formas anaeróbicas de exercício devem ser "duras e rápidas" para promover a adaptação metabólica dos músculos e do cérebro.
- √ Ambas as formas de exercício são críticas!
- √ O uso da sauna pode ser um complemento incrível para exercícios ou como um impulsionador cerebral autônomo.
- √ O jejum ajuda o corpo a recuperar o equilíbrio anabólico/catabólico, ativando genes de reparo, queimando os combustíveis armazenados e reduzindo o estresse oxidativo.
- √ Coma vegetais e frutas com baixo teor de açúcar – eles são ricos em polifenóis e outros compostos que fazem com que suas células se desintoxiquem de maneira poderosa.

ALIMENTO PARA O CÉREBRO #10

AMÊNDOAS

Além de ser um lanche conveniente, as amêndoas são um alimento poderoso para o cérebro por três razões. Em primeiro lugar, foi demonstrado que a casca das amêndoas fornece um efeito prebiótico, que, como você deve se lembrar, é importante para nutrir a massa de bactérias no intestino grosso. Pesquisadores alimentaram pessoas com cascas de amêndoas ou amêndoas inteiras e viram que ambas aumentavam as populações de espécies benéficas enquanto reduziam as patogênicas. Em segundo lugar, as amêndoas são uma rica fonte de polifenóis – compostos de defesa das plantas que fornecem um efeito antioxidante para você e suas bactérias intestinais.[1] Por último, as amêndoas são uma fonte poderosa de vitamina E antioxidante lipossolúvel. A vitamina E protege as membranas sinápticas da oxidação, auxiliando assim a neuroplasticidade.[2] Cientistas notaram uma ligação entre a diminuição dos níveis séricos de vitamina E e pior desempenho da

AMÊNDOAS

memória em indivíduos mais velhos.[3] Um ensaio de 2013, publicado no *Journal of the American Medical Association*, descobriu que altas doses de vitamina E levaram a um declínio significativamente mais lento em pacientes com doença de Alzheimer (até 6 meses de tempo ganho).

As amêndoas contêm quantidades substanciais de gordura polinsaturada, que, como você deve se lembrar, é uma gordura facilmente oxidada. É por isso que prefiro consumir amêndoas nozes cruas. No entanto, para quem prefere nozes torradas, pode ser reconfortante saber que a gordura das amêndoas permanece relativamente protegida durante o processo de torra, sinal de que as nozes também contêm uma grande quantidade de antioxidantes.[4] Apenas certifique-se de escolher nozes "torradas a seco", pois "torradas" quase sempre significa que foram realmente fritas em óleo vegetal de má qualidade!

Como usar: Coma cruas como lanche, combine com um pouco de chocolate amargo e frutas vermelhas para uma boa "mistura de trilha", ou acrescente a uma salada. Lembre-se de que, devido ao seu teor de gordura, as nozes contêm muitas calorias que podem se acumular rapidamente. Tente consumir um ou dois punhados por dia, no máximo.

Dica profissional: Todas as nozes são saudáveis. Embora as amêndoas sejam uma ótima escolha, macadâmias, castanhas do Pará e pistaches são igualmente excelentes opções. O pistache contém mais luteína e zeaxantina (dois carotenoides que podem aumentar a velocidade do cérebro) do que qualquer outra noz. Eles também contêm resveratrol, um poderoso antioxidante que tem demonstrado proteger e melhorar a função da memória.[5]

CAPÍTULO 11

O PLANO ALIMENTO PARA O CÉREBRO

Nesta parte do livro, vamos reunir todas as partes dos capítulos anteriores para apresentar o Plano Alimento para o Cérebro, que analisará os fundamentos da alimentação para ter a melhor cognição. Também discutiremos vários ajustes que você pode fazer para adaptar o Plano à sua biologia individual, além de destacar os objetivos cognitivos e corporais específicos.

O ponto crucial da alimentação para ter um cérebro com desempenho ideal é consumir uma dieta rica em alimentos densos em nutrientes (como ovos, abacates, folhas verde-escuras e nozes) e desprovida de alimentos que causam desregulação hormonal, estresse oxidativo e inflamação (como óleos processados e produtos de cereais). Aqui estão algumas das coisas que começarão a acontecer imediatamente quando você der adeus aos carboidratos densos, processados e aos óleos processados:

- ▶ **Você perderá peso.** Como você estará estimulando a insulina em um grau muito menor, dará ao seu metabolismo a chance de liquidar a gordura armazenada e usá-la como combustível. Lembre-se de que a insulina é um hormônio anabólico (de crescimento) que atua como uma válvula unidirecional para as células de gordura do corpo, e os níveis reduzidos de insulina são um pré-requisito para a queima de gordura.
- ▶ **A energia e a resistência aumentarão.** As pessoas com dietas ricas em carboidratos geralmente experimentam um reforço mental ao consumir açúcar. Isso significa que o açúcar aumenta o desempenho? Não! É apenas tratar os sintomas da abstinência. Sair do ciclo do vício em carboidratos é, portanto, a melhor maneira de alcançar um alto desempenho sustentado.
- ▶ **Você estará minimizando seu risco de pré-diabetes/síndrome metabólica e, em última análise, diabetes tipo 2.**[1] A redução da demanda do pâncreas ajudará a promover a sensibilidade ideal à insulina.
- ▶ **Se você é pré-diabético ou tem diabetes tipo 2, reduzir os carboidratos pode ajudar a reverter a resistência à insulina.** A resistência à insulina tem sido associada a um maior acúmulo de placa no cérebro e pior função cognitiva quando comparada a controles metabolicamente saudáveis. Estudos que compararam a dieta "antidiabetes" normalmente prescrita (que inclui macarrão e tortilhas com baixo teor de gordura)

contra uma dieta sem grãos (que se concentra em vegetais e gorduras saudáveis) mostraram que as dietas sem grãos melhoram os resultados de saúde em um grau maior.
- ▶ **Você criará menos produtos finais de glicação avançada.** As AGEs são gerontotoxinas que aceleram o envelhecimento. Se a perspectiva de proteger seus olhos, rins, cérebro, fígado e coração não o convencer neste ponto, talvez a redução das rugas e flacidez da pele o faça!
- ▶ **Você reduzirá a inflamação em todo o corpo e, como resultado, poderá diminuir os sintomas de doenças causadas por inflamação.** A inflamação é um denominador comum em muitas doenças neurodegenerativas, incluindo Alzheimer, Parkinson, ELA e autismo. É um dos principais motores do envelhecimento, trabalhando no nível genético para fazer você parecer, sentir e realmente ser mais velho do que é.
- ▶ **A fome será coisa do passado.** Embora algumas pessoas adaptadas à dietas ricas em carboidratos possam sentir dores de cabeça no início, elas logo passarão. Quando tudo o que você faz é alimentar seu cérebro com glicose, ele grita: "Alimente-me!" quando acabar. Por outro lado, seu corpo tem uma capacidade virtualmente ilimitada de armazenar gordura – deixe-a ser queimada!
- ▶ **Você terá mais espaço para vegetais no seu prato.** O consumo de vegetais e dos nutrientes que eles contêm está diretamente associado a cérebros que funcionam mais rápido e têm menor risco de desenvolver demência.

Desatravanque sua cozinha

Você está prestes a fazer um inventário de sua cozinha e retirar os alimentos que não servem mais. Pegue um saco de lixo e prepare-se para enchê-lo – vai ser divertido! Comece removendo o seguinte:
- ▶ **Todas as formas de carboidratos processados e refinados:** Isso inclui produtos feitos com milho (e xarope de milho), farinha de batata e farinha de arroz. Estes geralmente assumem a forma de batatas fritas, biscoitos, cereais, aveia, bolos, *muffins*, massa de pizza, *donuts*, barras de granola, bolos, lanches açucarados, doces, barras energéticas, sorvete e iogurte congelado, compotas, geleias, conservas, molhos, ketchup, mostarda com mel, molhos para salada comerciais, farinhas e misturas para panquecas, pastas de queijo processado, sucos, frutas secas, bebidas esportivas, refrigerantes, alimentos fritos e alimentos embalados congelados.
- ▶ **Todas as fontes de trigo e glúten:** Pão, massa, cereais, assados, macarrão, molho de soja e qualquer coisa com farinha de trigo, farinha de trigo enriquecida, farinha de trigo integral ou farinha multigrãos em sua lista de

ingredientes. A maioria das aveias contêm glúten, a menos que diga explicitamente "sem glúten" no rótulo.
- **Fontes de emulsificantes de grau industrial:** Qualquer coisa com polissorbato 80 ou carboximetilcelulose na lista de ingredientes. Os infratores comuns incluem sorvete, creme de café, leites de nozes e molhos para salada.
- **Carnes e queijos industrializados e processados:** Carnes vermelhas de grãos, frango confinado e queijos processados.
- **Todos os adoçantes concentrados:** mel, xarope de bordo, xarope de milho, xarope de agave ou néctar, xarope simples ou açúcar, tanto mascavo quanto branco. (Não se preocupe, pois oferecerei algumas opções seguras de adoçantes não calóricos em breve.)
- **Óleos de cozinha comerciais:** Margarinas, pastas amanteigadas, *sprays* de cozinha e óleos como canola, soja (às vezes rotulados como "óleo vegetal"), semente de algodão, cártamo, semente de uva, farelo de arroz, gérmen de trigo e milho. Mesmo se eles forem orgânicos, jogue-os fora. Lembre-se de que esses óleos costumam ser incluídos em vários molhos, maioneses e molhos para salada e não têm nenhum propósito além de fornecer gorduras oxidativas ômega-6 e ômega-3 danificadas. Em vez disso, obtenha seus ômegas de fontes de alimentos integrais.
- **Produtos de soja não fermentados e não orgânicos:** Tofu.
- **Adoçantes sintéticos:** Aspartame, sacarina, sucralose, acessulfame-K (também conhecido como acessulfame de potássio).
- **Bebidas:** Sucos de frutas, refrigerantes (*diet* e regular), smoothies de frutas.

Alimentos para sempre: Estoque

Estes são os alimentos que estão liberados para serem consumidos em todas as fases do plano. A contagem de calorias geralmente é desnecessária; entretanto, se seus objetivos incluem perder peso, consuma menos gorduras concentradas (óleos, manteiga e assim por diante). Se você está procurando manter ou ganhar peso, mais gorduras podem ser incluídas. Tenha em mente: com exceção de azeite de oliva extravirgem, não somos necessariamente a favor de uma dieta com alto teor de gordura adicionada, pois os óleos puros não são muito densos em nutrientes.
- **Óleos e gorduras:** azeite extravirgem, banha de porco criado em pasto, manteiga e *ghee* orgânicos ou de pasto, óleo de abacate, óleo de coco.
- **Proteína:** Carne de boi, ave, porco, cordeiro, bisão e alce criados em pasto, ovos inteiros, salmão selvagem, sardinha, anchova, marisco e moluscos (camarão, caranguejo, lagosta, mexilhão, amêijoa, ostras), carne com baixo teor de açúcar ou carne de salmão seca.

- **Nozes e sementes:** Amêndoa e manteiga de amêndoa, castanha do Pará, castanha de caju, macadâmia, pistache, noz-pecã, nozes, linhaça, semente de girassol, semente de abóbora, semente de gergelim, semente de chia.
- **Vegetais:** Verduras mistas, couve, espinafre, mostarda, brócolis, acelga, repolho, cebola, cogumelos, couve-flor, couve-de-Bruxelas, chucrute, *kimchi*, picles, alcachofra, brotos de alfafa, feijão verde, aipo, acelga chinesa, agrião, nabo, aspargo, alho, alho-poró, erva-doce, chalota, cebolinha, gengibre, jicama, salsa, castanha d'água, nori, alga marinha, alga doce.
- **Vegetais de raiz sem amido:** Beterraba, cenoura, rabanete, nabo, pastinaca.
- **Frutas com baixo teor de açúcar:** abacate, coco, azeitona, mirtilo, amora, framboesa, toranja, kiwi, pimentão, pepino, tomate, abobrinha, abóbora, moranga, berinjela, limão, lima, sementes de cacau torradas e quiabo.
- **Ervas, temperos e condimentos:** salsa, alecrim, tomilho, coentro, sálvia, açafrão, canela, cominho, pimenta da Jamaica, cardamomo, gengibre, pimenta de caiena, coentro, orégano, feno-grego, páprica, sal, pimenta preta, vinagre (de maçã, branco, balsâmico), mostarda, raiz-forte, tapenade e fermento nutricional.
- **Soja fermentada e orgânica:** *Natto*, *miso*, *tempeh*, molho de tamari orgânico sem glúten.
- **Chocolate amargo:** pelo menos 80% de conteúdo de cacau (idealmente 85% ou mais).
- **Bebidas:** água filtrada, café, chá, leite de amêndoa sem açúcar, leite de linhaça sem açúcar, leite de coco sem açúcar e leite de caju sem açúcar.

ALIMENTOS PARA COMER COM MODERAÇÃO

Esses alimentos devem ser incluídos com moderação, consumidos no final do dia e somente após a temporada inicial de duas semanas de carboidratos ultrabaixos. Moderação significa no máximo algumas (três a quatro) porções por semana. Novamente, escolha orgânico, se possível.
- **Raízes com amido:** Batata inglesa e batata-doce.
- **Grãos não processados sem glúten:** Trigo mourisco, arroz (castanho, branco, selvagem), milheto, quinua, sorgo, *teff*, aveia sem glúten, milho não OGM ou pipoca. A aveia não contém glúten naturalmente, mas é frequentemente contaminada com glúten, pois é processada em instalações que também lidam com trigo. Portanto, procure aveia que indique explicitamente na embalagem que não contém glúten.
- **Laticínios:** Iogurte de vaca criado em pasto, integral e sem antibióticos e hormônios, creme de leite e queijos duros são aceitáveis.

- **Frutas inteiras e doces:** enquanto frutas com baixo teor de açúcar são sempre a melhor escolha, maçãs, damascos, mangas, melões, abacaxis, romãs e bananas fornecem vários nutrientes e diferentes tipos de fibras. Seja extremamente cauteloso com frutas secas, que têm a água retirada e o açúcar concentrado, o que facilita exagerar. É melhor consumi-las após o treino.
- **Legumes:** Feijão, lentilha, ervilha, grão-de-bico, *homus* e amendoim.
- **Adoçantes:** estévia, álcoois de açúcar não geneticamente modificados (eritritol é o melhor, seguido pelo xilitol, que é colhido naturalmente em bétulas), fruta do monge (*luo han guo*).

É essencial que quaisquer produtos de milho e soja, se consumidos, sejam orgânicos e não transgênicos, já que essas duas *commodities* tendem a ser as mais manipuladas para suportar o uso pesado de pesticidas e herbicidas.

Lembre-se de que, uma vez que o cérebro tenha se adaptado à gordura, uma refeição com alto teor de carboidratos aqui e ali (especialmente quando feita perto do exercício) não o perturbará. Nesse ponto, o consumo dos alimentos da lista acima pode ser aumentado, mas a meta deve ser sempre inferior a 75 gramas de carboidratos líquidos (teor total de carboidratos menos gramas de fibra) por dia.

P.: Sou extremamente ativo – isso não significa que posso comer mais carboidratos?

R.: Sim, praticar exercícios vigorosos permite mais liberdade de ação – consulte nossa Pirâmide de Carboidratos Personalizados (página 258) para obter os números exatos. A maioria das pessoas não é muito ativa, entretanto, mesmo aquelas que pensam ser não o são se comparadas aos nossos ancestrais.

Planejamento de refeições

CAFÉ DA MANHÃ

Não há nenhuma necessidade biológica de comer logo que acordamos. O café da manhã, em suas formas mais comuns, só ajuda a armazenar gordura.[2] O melhor café da manhã geralmente é um copo de água, café preto ou chá sem açúcar. Se você decidir tomar o café da manhã, certifique-se de que ele contém principalmente proteínas, gorduras e fibras. (Exemplo: meus ovos mexidos "com queijo" na página 261.)

ALMOÇO

Aqui estão algumas ótimas opções de almoço:
- Uma grande salada com frango grelhado (veja minha regra da Enorme Salada "Gordurosa" Diária na página 251-252).

- Uma tigela de legumes assados com barriga de porco de pasto, salmão selvagem ou boi de pasto.
- Um abacate inteiro mais uma lata de sardinhas selvagens.

JANTAR

Abasteça-se de vegetais e de fontes adequadas de proteína. Coma o quanto quiser! E não se esqueça de usar azeite de oliva extravirgem generosamente como molho (você pode usar uma colher de sopa cheia ou duas por pessoa).

Aqui estão alguns exemplos excelentes de jantar:
- Couves-de-Bruxelas assadas com azeite de oliva extravirgem pode acompanhar com o picadinho de boi criado no pasto (receita página 263).
- Legumes salteados (página 268) com azeite extravirgem e salmão selvagem temperado com sal e pimenta.
- Enorme salada de couve com queijo (página 269) com asas de frango frito sem glúten incrivelmente crocantes (página 266).

LANCHES

- Mirtilos.
- Palitos de jicama.
- Chocolate amargo.
- Meio abacate com sal marinho.
- Nozes e sementes.
- Carne seca com baixo teor de açúcar ou charque de salmão.
- Aipo com manteiga de amêndoa crua.
- Uma lata de sardinhas silvestres em azeite de oliva extravirgem (preferido pessoal!).
- Torresmo de porco criado em pasto generosamente polvilhadas com fermento nutricional (ótimo também!).

Exemplo de Semana Genial

Veja no Capítulo 12 muitas das receitas detalhadas abaixo.

SEGUNDA-FEIRA

Manhã: água, café preto ou chá

Primeira refeição: 2 ou 3 ovos e 1/2 abacate

Lanche: 1/2 abacate polvilhado com sal marinho e regado com azeite

Jantar: filé de salmão selvagem e uma grande salada gordurosa

TERÇA-FEIRA

Manhã: água, café preto ou chá
Primeira refeição: Tigela para um Cérebro Melhor (página 269)
Lanche: punhado de nozes cruas, mirtilos e alguns quadrados de chocolate amargo
Jantar: hambúrguer de boi alimentado com capim, *homus* e verduras salteadas

QUARTA-FEIRA

Manhã: água, café preto ou chá e treino de jejum
Primeira refeição: Salada Gordurosa Grande e batata-doce grande
Lanche: lata de sardinha ou salmão selvagem
Jantar: Fígado *Banging* (página 265) e couve-de-Bruxelas assada

QUINTA-FEIRA

Manhã: água, café preto ou chá
Primeira refeição: ovos fáceis com *kimchi* e azeite
Lanche: aipo com manteiga de amêndoa crua e sementes de cacau
Jantar: Esperto Jamaicano (página 262) e verduras salteadas

SEXTA-FEIRA

Manhã: água, café ou chá preto, treino em jejum
Primeira refeição: Ovos mexidos com "queijo" (página 261), batata-doce grande, 1/2 abacate
Lanche: carne seca com baixo teor de açúcar, garrafa de kombucha
Jantar: Asas de Frango Insanamente Crocantes sem Glúten (página 266), verduras salteadas

SÁBADO

Manhã: água, café preto ou chá
Primeira refeição: 3 ovos mexidos com vegetais
Lanche: torresmo de porco com fermento nutricional
Jantar: enorme salada gordurosa e lata de sardinhas

DOMINGO

Manhã: água, café ou chá preto

Primeira refeição: ovos escalfados sobre verduras salteadas e azeite
Lanche: abacate inteiro com sal marinho e punhado de nozes
Jantar: pule

UMA NOTA SOBRE O LEITE DE NOZES

Embora o leite de nozes sem açúcar seja aprovado pelo Plano Genial, certifique-se de que o seu está livre dos emulsificantes muito comumente usados polissorbato 80 e carboximetilcelulose. Esses produtos químicos, usados para criar uma sensação cremosa na boca em alimentos processados, foram testados em modelos animais e causaram inflamação e disfunção metabólica através do intestino, representando assim uma ameaça potencial ao cérebro. Você pode ler mais sobre os efeitos deletérios dos emulsificantes na (página 164).

Também tenha em mente que uma xícara de leite de amêndoas de 230 ml empalidece em comparação, nutricionalmente, até mesmo com um pequeno punhado de amêndoas reais, embora seja cerca de dez vezes mais caro — 3,8 litros de leite de amêndoas contêm aproximadamente 39 centavos de dólar de amêndoas!

OPTE POR ORGÂNICOS

Escolha alimentos orgânicos sempre que possível; no entanto, se o custo for um problema, basta procurar os mais atuais "Doze Sujos" e "Quinze Limpos" do Grupo de Trabalho Ambiental (EWG na sigla em inglês; ele publica uma nova lista anualmente), que reúnem produtos cultivados convencionalmente em termos de conteúdo de pesticida menor ("limpos") E maior ("sujos"). Aqui está uma lista abreviada de alimentos que otimizam o cérebro até o momento desta publicação:

Sujo — Deve sempre ser orgânico	Limpo — Não precisa ser orgânico
Couve	Aspargo
Espinafre	Abacate
Morango	Repolho
Pepino	Couve-flor
Pimentão	Cebola
Tomate-cereja	Berinjela

DIVIDA PARA CONQUISTAR O SEU PRATO

Com relação à proporção de proteína animal para vegetais ingeridos, você consumirá vegetais principalmente por volume, gordura e calorias. Isso ocorre porque os vegetais saciam, mas não fornecem muitas calorias. As gorduras constituem a maior parte das calorias consumidas ao longo do dia, mas ao olhar para um prato a maior parte do espaço será dado a vegetais coloridos e fibrosos. Comer essencialmente vegetais também ajuda a neutralizar os radicais livres oxidantes que são gerados durante o processo de cozimento (em carnes, por exemplo) antes de serem absorvidos pela corrente sanguínea.

OBEDEÇA À REGRA DE "UM DIA RUIM"

Animais criados em fazendas locais e autorizados a comer seus alimentos preferidos são mais felizes e mais saudáveis. Muitos fazendeiros locais tomam muito cuidado para tratar bem seus animais, orgulhando-se do fato de que seus rebanhos têm apenas "um dia ruim". Este é um contraste gritante com a forma como a grande maioria do gado é criado atualmente, forçados a viver vidas tristes em gaiolas apertadas, alimentados com dietas que os deixam doentes e minimamente expostos ao exterior ou mesmo uns aos outros. Embora uma alimentação com base em proteína animais possa ter sido uma parte essencial de nossa evolução, ser "humano" é uma parte essencial do ser humano – e convenientemente, a escolha humana é mais saudável para você e para o meio ambiente.

Sugiro seguir a seguinte regra: só consuma carne quando você tiver certeza de que o animal só teve "um dia ruim".

A ENORME SALADA DIÁRIA "GORDUROSA"

Uma das melhores estratégias para cobrir suas bases alimentares é comer uma enorme salada todos os dias e carregá-la com gorduras e proteínas saudáveis. Embora comer saladas para melhorar a saúde possa parecer bastante intuitivo, ao criar uma regra para você mesmo de incorporar uma salada grande todos os dias você estará garantindo que enriquecerá seu cérebro com uma variedade de nutrientes vegetais e fibras. Além disso, simplesmente não há melhor acompanhamento para o azeite de oliva extravirgem do que uma salada!

Seja para almoço ou jantar, cada salada é uma nova oportunidade de alimentar seu cérebro (e micróbios intestinais). Certifique-se de ter uma tigela bem grande (quanto maior, melhor, e eu gosto de vidro para poder ver todas as cores que estou comendo) e vá em frente. Para a base, opte pela densidade de nutrientes – evite a alface branca-clara, que é nutricionalmente pobre e principalmente água, e procure as folhas mais escuras. Espinafre e couve são ótimas opções. Aqui estão duas ideias – sinta-se à vontade para improvisar sobre elas:

▶ Couve, pepino, pimenta *jalapeño* em fatias finas, brócolis crus, sementes de girassol, abacate, frango grelhado, azeite de oliva extravirgem, vinagre balsâmico, sal, pimenta, limão.

- Espinafre, rúcula, tomate, pimentão, sementes de chia, abacate, camarão grelhado, azeite de oliva extravirgem, vinagre balsâmico, sal, pimenta, alho cru picado, limão.

A beleza de fazer saladas é que não há regras! Misture o máximo de vegetais que puder e regue-os com azeite de oliva, o que aumentará a absorção de seus muitos nutrientes (incluindo os carotenoides, que podem aumentar a velocidade de processamento do cérebro). O segredo é ter como objetivo uma salada enorme por dia, e há muito espaço para uma variedade saudável.

Qual é o problema com os laticínios? Acredita-se que 75% da população adulta global seja intolerante à lactose, e a Escola de Saúde Pública de Harvard proibiu recentemente os laticínios em seu "prato de alimentação saudável".

A proteína do leite está no mesmo nível do pão branco em termos de estimulação da insulina e, do ponto de vista evolutivo, isso é provavelmente um meio de ajudar um recém-nascido a ganhar peso. Mas as proteínas do leite de vaca se metabolizam especificamente em compostos semelhantes à morfina chamados casomorfinas, que parecem ter um efeito inflamatório no intestino. Eles também mostraram interagir com neurotransmissores e foram associados à dores de cabeça, atraso no desenvolvimento psicomotor, autismo e diabetes tipo 1.[3]

O efeito direto que isso tem sobre o cérebro médio ainda não foi comprovado na literatura, mas há uma outra linha de pesquisa que vale a pena mencionar. O leite reduz uma substância do corpo chamada urato. Níveis muito elevados de urato podem causar gota, mas em níveis normais o produto químico parece ser um poderoso antioxidante para o cérebro e, particularmente, protetor contra a doença de Parkinson. Tanto o consumo de leite quanto a redução dos níveis de urato têm sido associados a um maior risco de desenvolver a doença de Parkinson, e estudos estão em andamento para verificar se o aumento do urato pode retardar a progressão da doença.

Por essas razões, não recomendo outros laticínios além de manteiga e *ghee*. Mas se você não for sensível a ele e decidir apreciá-lo ocasionalmente, opte por variedades integrais.

EVITE FALSOS ALIMENTOS "SEM GLÚTEN"

Substituir alimentos que contenham glúten por imitações sem glúten altamente processados (como a maioria dos biscoitos e produtos de panificação sem glúten) certamente não é o caminho a seguir – esses alimentos, muitas vezes feitos com farinhas de grãos altamente processados e açúcar refinado, podem ser intensificadores do açúcar no sangue, anulando praticamente todos os benefícios de se livrar do glúten para a população não celíaca. Além disso, eles geralmente contêm gorduras poli-insaturadas facilmente oxidáveis, que podem contribuir para as cascatas de radicais livres em suas artérias. Sempre prefira alimentos que nunca contiveram glúten, para começar — pois são muito diferentes do alimento real por serem manipulados industrialmente.

E QUANTO AO ÁLCOOL?

Por outro lado, a pesquisa mostrou que bebedores moderados de álcool (até dois copos por dia para homens e um para mulheres) tendem a ter uma saúde melhor. Por outro lado, o etanol (que é o que nos dá o "pileque") é uma neurotoxina, e quando olhamos especificamente a saúde do cérebro, a pesquisa é um pouco menos cor-de-rosa: um estudo durante 30 anos descobriu que mesmo bebedores moderados de álcool (que consumiam cinco a sete drinques por semana) tinham o triplo do risco de encolhimento do hipocampo do que os abstêmios.[4]

Os benefícios psicológicos do consumo moderado de álcool como lubrificante social e desestressor não são banais. Em um mundo ideal, todos nós teríamos mecanismos saudáveis para lidar com o estresse e beberíamos o mínimo possível, um ou dois drinques por semana no máximo — mas também não temos vidas livres de estresse, brincando na floresta e colhendo frutas o dia todo. Embora recomende abster-se de álcool, se você decidir beber, aqui estão algumas dicas para tornar a bebida o mais saudável possível para o cérebro:

- **Certifique-se sempre de ir dormir sóbrio.** O álcool diminui marcadamente a qualidade do sono e afeta vários hormônios que são liberados durante o sono, principalmente o hormônio do crescimento.[5]
- **Siga a regra "um por um".** Entre cada bebida, sempre consuma um copo com água. O álcool irrita o intestino e torna mais difícil a reidratação depois de feito o dano.
- **Polvilhe um pouco de sal nessa água.** O álcool é um diurético, que pode causar a excreção de eletrólitos como o sódio. Certifique-se de substituir o que foi perdido por um pouco de sal.
- **Prefira vinho tinto, vinho branco seco ou destilados.** Beba seu destilado preferido com gelo ou com água com gás e limão. Evite a todo custo misturas açucaradas com suco ou refrigerante.
- **Beba com o estômago vazio.** Essa pode ser uma dica mais controversa, mas beber com o estômago vazio pode permitir que o fígado processe o álcool com mais eficiência e sem impedir os processos digestivos. O álcool prejudica a reciclagem de LDL e aumenta os picos de triglicerídeos (gordura no sangue) após a refeição. Tome a bebida antes ou depois do jantar, não durante — apenas tenha cuidado, porque uma bebida pode ser mais potente com o estômago vazio.

▶ **Evite bebidas que contenham glúten, que podem ser um soco duplo.** O glúten aumenta a permeabilidade intestinal, o que pode intensificar esse mesmo efeito do álcool. Bebedores de cerveja, estou falando com vocês.

O armário de remédios

Garantir produtos saudáveis é uma forma de "pôr os pingos nos is" para uma saúde em longo prazo e um bem-estar e desempenho em cada momento. Aqui estão algumas alterações que causarão maior impacto.

▶ **Mude para um desodorante sem alumínio.** Muitos desodorantes contêm alumínio, e a exposição excessiva ao alumínio tem sido fortemente associada ao aumento do risco de demência. Embora a pesquisa ainda não tenha confirmado a causalidade, por que arriscar? *Alternativa*: Compre desodorante sem alumínio ou faça o seu próprio com óleo de coco (um bactericida seletivo) e bicarbonato de sódio.

▶ **Evite o uso frequente de anti-inflamatórios não esteroides (AINES) para o alívio da dor.** O uso regular de AINES como ibuprofeno e naproxeno foi recentemente relacionado a um maior risco de eventos cardíacos. Embora esses medicamentos sejam comumente usados para tratar dores leves, eles "atacam" as mitocôndrias das células, reduzindo sua capacidade de produzir energia e aumentando a produção de espécies reativas de oxigênio (ou radicais livres). Isso foi demonstrado nas células do coração, mas essas drogas podem facilmente cruzar a barreira hematoencefálica. *Alternativa*: experimente a curcumina, um anti-inflamatório que reduz a dor. O ômega-3 EPA também pode ajudar, pois é um potente anti-inflamatório.

▶ **Evite o uso crônico de acetaminofeno.** O acetaminofeno, ou paracetamol, analgésico vendido livremente, pode diminuir os suprimentos de glutationa no corpo, um antioxidante mestre do cérebro. *Alternativa*: curcumina ou EPA.

▶ **Pare de usar drogas anticolinérgicas (descritas no Capítulo 8).** Esses medicamentos são comumente usados para tratar sintomas de alergia ou como soníferos e bloqueiam o neurotransmissor acetilcolina, que é importante para o aprendizado e a memória. *Alternativa*: Consulte seu médico se esses medicamentos forem prescritos.

▶ **Jogue fora os bloqueadores de acidez, especialmente inibidores da bomba de prótons (IBPs).** Essas drogas são frequentemente tomadas para o refluxo ácido, mas podem alterar a digestão, bloqueando a absorção de nutrientes vitais como a vitamina B12 e aumentando assim o risco de disfunção cognitiva e demência. *Alternativa*: Ao reduzir a ingestão de carboidratos, você provavelmente reduzirá seus sintomas de refluxo, bem como a necessidade de medicamentos.[6]

▶ **Evite antibióticos, especialmente variedades de amplo espectro, a menos que necessário.** *Alternativa*: peça ao seu médico um antibiótico de espectro estreito.

Dias 1 a 14: Limpando o cache

Agora que você limpou a cozinha e o armário de remédios e estocou alimentos que estimulam o cérebro, é hora de começar as duas primeiras semanas do Plano de Alimento para o Cérebro.

Na primeira semana, o foco deve ser eliminar a *junk food* da sua dieta e, em vez disso, voltar-se para alimentos que aumentam a cognição e queimam gordura. Os alimentos que removeremos primeiro são aqueles para os quais não há absolutamente nenhuma exigência biológica humana: isso significa que todos os alimentos processados e qualquer coisa que contenha trigo e cereais refinados, óleos de sementes e grãos e açúcar adicionado (incluindo bebidas!) devem ser cortados. Ao descartar esses alimentos de nossa dieta, eliminamos a maior parte das calorias consumidas pela maioria das pessoas no mundo ocidental. São calorias que vêm de alimentos "ultraprocessados", os mais vis bandidos. Esses alimentos são digeridos rapidamente, elevando os níveis de açúcar no sangue e promovendo grandes picos de insulina como contrapeso, criando fadiga na montanha-russa de açúcar no sangue – e você deve chutá-los todos para a rua na primeira semana.

Durante esta semana, também começaremos uma fase de carboidratos ultrabaixos que durará pelas semanas um e dois. Isso significa que estaremos eliminando todos os grãos, leguminosas e outras fontes de açúcares vegetais concentrados que não contêm glúten, incluindo tubérculos e frutas doces. Isso é importante para ajudar a redefinir o metabolismo do corpo às suas "configurações de fábrica" e converter um corpo que está acostumado a queimar carboidratos como combustível em outro adaptado à gordura e, portanto, metabolicamente flexível. Esse período de amaciamento ainda incluirá todos os carboidratos de que você precisa na forma de vegetais fibrosos e frutas com baixo teor de frutose.

Nesta fase de carboidratos ultrabaixos, a ingestão líquida de carboidratos (que é o total de carboidratos menos a fibra dietética) pode variar de 20 a 40 gramas por dia e deve consistir principalmente em vegetais verdes sem amido. Inicialmente, quanto menos carboidratos, melhor – e não se preocupe, porque na terceira semana começaremos a reintegrar os carboidratos para apoiar nossos níveis de atividade.

Ao longo dessas 2 semanas, à medida que a quantidade de ômega-3 para ômega-6 começa a se alinhar com o que é biologicamente apropriado, você começará a sentir maior vigor mental, maior concentração e melhor humor. No final da segunda semana, você deverá experimentar não apenas uma melhor digestão com o aumento da fibra vegetal, mas um sono mais profundo. Estudos recentes demonstraram que o consumo de fibras pode aumentar a qualidade do sono, especialmente o tempo gasto no sono de ondas lentas.[7] É quando a secreção do hormônio do crescimento está em seu pico e o cérebro está se limpando dos resíduos acumulados durante o dia. Ao acordar, você deve se sentir mais descansado e experimentar uma maior vantagem mental.

EVITANDO A "GRIPE" DE BAIXOS CARBOIDRATOS

Algumas pessoas que estão fazendo a transição para uma dieta baixa em carboidratos pela primeira vez apresentam sintomas de abstinência semelhantes aos de um viciado em drogas. No passado, você poderia ter se "automedicado" com carboidratos no momento em que o açúcar no sangue caísse, mas isso só serve para perpetuar o ciclo vicioso. Aqui, o uso estratégico de óleo de coco ou TCM (MCT na sigla em inglês) pode ajudar a livrar o cérebro da glicose à medida que sua máquina de queima de gordura acelera. Durante essa fase inicial de baixo teor de carboidratos nas primeiras duas semanas, recomendo 1 a 2 colheres de sopa de óleo de coco ou TCM por dia. Comece devagar para evitar dores de estômago, que podem ocorrer com o consumo excessivo de óleo TCM!

Além disso, a redução da insulina (que ocorrerá durante este período) fará com que seus rins excretem sódio, aumentando a "gripe". Portanto, você pode querer aumentar a ingestão de sal. Em essência, durante a primeira semana de restrição de carboidratos, você pode precisar de até 2 gramas adicionais de sódio, cerca de uma colher de chá de sal por dia para se sentir bem, o que pode ser reduzido para 1 grama após a primeira semana (1/2 colher de chá).

A partir do dia 15:
Reintegre os carboidratos estrategicamente

Neste ponto, você está em uma dieta com muito baixo teor de carboidratos e fibras há 2 semanas. Provavelmente, você se adaptou metabolicamente à queima de gordura como combustível. É aqui que você pode começar a adicionar refeições de "realimentação" com alto teor de carboidratos e baixo teor de gordura alguns dias por semana (veja a Pirâmide de Carbono Personalizada, página 260, para detalhes). Carboidratos e insulina não são ruins — eles são abundantes e mal utilizados hoje. Integrá-los estrategicamente terá dois propósitos: reabastecer os músculos com glicogênio (açúcar) armazenado, bem como aumentar os hormônios que podem ser reduzidos por dietas com baixo teor de carboidratos, incluindo a leptina, o regulador metabólico mestre.

COMO (E QUANDO) SE REALIMENTAR DE CARBOIDRATOS

Nem todo mundo pode precisar reintegrar amidos após duas semanas. Caso esteja acima do peso ou resistente à insulina, pode ser mais importante continuar seguindo uma dieta extremamente restrita em carboidratos (de 20 a 40 gramas de carboidratos líquidos por dia) para reduzir o excesso de peso e recuperar a resiliência metabólica. Seu objetivo deve ser tornar-se sensível à insulina primeiro (ou seja, reduzir a insulina e a glicose em jejum) antes de experimentar realimentações com alto teor de carboidratos.

Para uma pessoa metabolicamente saudável e adaptada às gorduras, uma refeição ocasional pós-treino com alto teor de carboidratos e baixo teor de gordura pode ser benéfica. Por exemplo, com exercícios de alta intensidade, os carboidratos pós-treino podem realmente ajudar a aumentar o desempenho. Normalmente, as células precisam de insulina para controlar os transportadores de glicose e trazê-los para a superfície das membranas celulares, mas no período seguinte ao treinamento de força os músculos agem como uma esponja para o açúcar, puxando a glicose do sangue sem a necessidade de insulina. É menos provável que esses carboidratos sejam armazenados como gordura, e a reentrada no modo de queima de gordura será muito mais rápida. O aumento resultante na massa muscular aumentará seu metabolismo geral e fornecerá um absorvente adicional do excesso de calorias.

Bananas maduras com manchas, frutas vermelhas, arroz branco ou integral e vegetais ricos em amido e outros alimentos com baixo teor de frutose são excelentes escolhas para uma realimentação de carboidratos, e algo entre 75 e 150 gramas de carboidratos líquidos podem ser consumidos para fornecer um estímulo anabólico sem comprometer a adaptação à gordura. (Isso ainda é drasticamente menor do que a ingestão padrão norte-americana de carboidratos, de mais de 300 gramas por dia.) A experimentação individual pode ser eficiente, mas tente manter o consumo desses carboidratos próximo à sessão de exercícios para ajudar a minimizar o armazenamento de gordura. Dependendo do quão avançado é o seu treinamento, essas realimentações podem ser integradas de uma a algumas vezes por semana.

Observação: a ciência sobre realimentação de carboidratos está longe de estabelecida, mas certamente sugere que picos ocasionais de insulina não são prejudiciais e, de fato, são importantes para o estímulo anabólico, a testosterona e a função da tireoide e preservação da massa magra. Dito isso, sempre queremos reduzir a insulina secretada e evitar os frequentes altos e baixos decorrentes de múltiplas cargas de carboidratos ao longo de um dia.

PIRÂMIDE DE CARBOIDRATOS PERSONALIZADA

Dada a grande variedade de tipos de corpo e genética, use as diretrizes básicas abaixo para fazer experiências e determinar sua ingestão ideal de carboidratos para flexibilidade metabólica. Ingestão de carboidratos (três níveis):

ULTRA-BAIXO/CETOGÊNICO (DIAS 1 A 14)

- √ Consuma apenas 20 a 40 gramas de carboidratos por dia.
- √ Fique neste nível durante os primeiros 10 a 14 dias para esgotar o glicogênio (açúcar armazenado) e adaptar o cérebro à gordura.
- √ Se você está comendo dessa forma por um prazo mais longo para perder peso, adicione uma única refeição rica em carboidratos por semana. Isso significa que você pode se deliciar com alimentos com alto teor de amido (tente manter a refeição com baixo teor de gordura) para repor os estoques de energia muscular uma vez por semana. Não há um número mágico, mas experimente de 100 a 150 gramas de carboidratos nessa refeição.

CARB MAIS BAIXO (APÓS 14 DIAS)

- √ Consuma 50 a 75 gramas de carboidratos por dia.
- √ Pessoas que buscam manutenção do peso e realizam atividades físicas leves devem permanecer neste nível.

OPCIONAL: CICLISMO CARB

- √ Neste nível, a ingestão de carboidratos pode ser aumentada após um treinamento vigoroso (veja os exemplos anaeróbicos no Capítulo 10 e abaixo).
- √ Consuma de 75 a 150 gramas de carboidratos por dia.
- √ Essa quantidade ainda é muito mais baixa em carboidratos do que a dieta americana média. Você pode aproveitar os reforços que obtém com os carboidratos,

O PLANO ALIMENTO PARA O CÉREBRO

misturando dias com baixo teor de carboidratos com dias com alto teor de carboidratos para abastecer os treinos e o aumento muscular, e para manter os músculos quando estiver perdendo gordura corporal.

Em dias de treino pesado, comece com 100 a 150 gramas após o treino e faça uma ingestão menor de gordura nesse dia. Os treinos de esgotamento de glicogênio incluem várias séries pesadas de movimentos compostos. Isso significa 40 a 70 repetições por grupo muscular, dois a três grupos por treino e movimentos compostos, incluindo agachamentos com barra, levantamento terra, pull-ups, flexões, supino, afundos e mergulhos. O Dr. Paul e eu recomendamos trabalhar com um treinador experiente se você estiver se levantando pela primeira vez.

✓ Ingestão de proteínas:
- Comece com 1g por quilo de peso corporal. Você pode aumentar para 1,5g por quilo se perder ou ganhar peso ou se fizer treinamento com pesos pesados.

✓ Horário e frequência das refeições:
- Coma menos carboidratos antes do treino e mais depois do treino.
- Tente concentrar carboidratos em uma única sessão para evitar picos prolongados de insulina.
- Faça de duas a quatro refeições por dia.

✓ Jejum:
- Escolha uma janela de alimentação (8 horas para homens, 10 para mulheres, por exemplo) e considere pular o café da manhã.
- Experimente protocolos diferentes para ver o que funciona melhor (há algumas opções detalhadas nos capítulos 6 e 10).
- Durante o jejum, certifique-se de beber muitos líquidos e adicionar eletrólitos como sal.

	Domingo	Segunda	Terça	Quarta	Quinta	Sexta	Sábado
Exercícios	Longa caminhada ou passeio	Treino de resistência	Ioga, caminhada	Percurso de bicicleta	Treino de resistência	Ioga	Corridas rápidas no parque
Carboidratos	20 a 40 gramas (carb baixo)	150 gramas (carb maior)	20 a 40 gramas (carb baixo)	20 a 40 gramas (carb baixo)	150 gramas (carb maior)	20 a 40 gramas (carb baixo)	75 gramas (carb baixo a moderado)
Refeições	2	3	3	3	3	3	2

Notas finais

Como se costuma dizer na indústria cinematográfica, "Corta!" Espero que ao ler Alimentos Geniais você tenha aprendido tanto quanto eu ao pesquisar, escrever e viver as ideias aqui apresentadas. Colaborar com o Dr. Paul também foi em geral agradável. (Brincadeira foi ótimo.)

Lembre-se: a nutrição é uma ciência em constante evolução -- uma ciência em que raramente existem verdades absolutas. Na vida, e especialmente na Internet, as pessoas tendem a ser fanáticas sobre suas teses nutricionais. Mas a ciência deve ser desapaixonada – um método de fazer perguntas e buscar respostas, mesmo que essas respostas não sejam o que você deseja ouvir. Peço que você busque sua própria verdade. Desafie suas suposições regularmente, não tenha medo da autoridade e questione tudo – até mesmo o que você lê nos livros (incluindo este).

Sinto-me honrado por você ter escolhido ler Alimentos Geniais (e espero que você considere recomendá-lo a um amigo ou pessoa querida – a melhor forma de elogio). Por mais divertido e fascinante que fosse para mim pesquisar e escrever este livro, fui impulsionado pelo desejo de que a saúde da minha mãe pudesse voltar ao que era. Escrevi com o único objetivo de ajudar outras pessoas a se sentirem melhor e sofrerem menos. Portanto, nada disso foi em vão.

Agora, imploro que você pegue essas conclusões e escreva sua própria história de saúde.

CAPÍTULO 12

RECEITAS E SUPLEMENTOS

Aprender a cozinhar alimentos saudáveis que você goste é um dos maiores presentes que você pode dar a si mesmo. Também lhe ofereça uma desculpa para convidar amigos e dar jantares, que não são apenas muito divertidos, mas bons para você. Nesta seção, compartilharei algumas receitas que criei e algumas que foram contribuições de meus talentosos amigos.

Receitas

OVOS MEXIDOS "CREMOSOS"

Eu poderia comer isso todos os dias. Aqui está uma das melhores dicas para fazer ovos deliciosos: quanto mais baixo o fogo e mais devagar você cozinhar, melhor e mais cremosos eles ficarão. E sempre os tire do fogo antes do nível de cozimento desejado (pois os ovos continuam cozinhando por um momento após retirá-los do fogo).

Serve 1 pessoa

Do que você vai precisar:

1 colher de sopa mais 1 colher de chá de óleo de abacate ou azeite de oliva extravirgem

3 ovos inteiros de pasto ou de ômega-3, batidos

1 1/2 colher de chá de fermento nutricional

3 pitadas de sal

Como fazer:
- ▶ Aqueça 1 colher de sopa de óleo em uma frigideira grande em fogo baixo. Adicione os ovos na frigideira e mexa lentamente usando uma espátula resistente ao calor. Peneire o fermento nutricional sobre os ovos e mexa. Adicione 2 pitadas de sal.

▶ Retire do fogo antes de atingir a consistência desejada.

Como servir

Regue a colher restante de óleo por cima e termine com uma pitada de sal. Costumo servir os ovos com um abacate inteiro fatiado ao lado. Para variar, jogue algumas cebolas em cubos, pimentões picados ou cogumelos fatiados na frigideira e refogue-os antes de adicionar os ovos.

ESPERTO JAMAICANO

Quando eu era criança em Nova York, um dos meus lanches favoritos depois da escola eram os hambúrgueres de carne jamaicana que eu comprava nas pizzarias locais. Por mais deliciosos que fossem, provavelmente estavam carregados de gorduras trans e óleos processados. Aqui, recriei o tempero da carne e adoro comê-lo com legumes salteados. É um prato muito nutritivo.

Serve 2-3 pessoas

Do que você vai precisar:

1 colher de chá de *ghee*
1/2 cebola, picada
5 dentes de alho esmagados e descascados
1/2 kg de carne moída de boi de pasto
1 colher de chá de sal
1 colher de sopa de cominho moído
1 1/2 colheres de chá de cúrcuma em pó
1/2 colher de chá de coentro
1/2 colher de chá de pimenta da Jamaica
1/2 colher de chá de cardamomo
1/4 colher de chá de pimenta do reino
1/4 xícara de fermento nutricional (opcional)

Como fazer:

1. Aqueça o *ghee* em uma frigideira média em fogo médio. Adicione a cebola e cozinhe por 4 a 5 minutos, até ficar macia. Adicione o alho esmagado e deixe aromatizar por 1 minuto. Acrescente a carne moída, e depois o sal e todas as especiarias, cozinhe mexendo sempre até desmanchar e dourar, cerca de 10 minutos. Polvilhe com uma quantidade generosa de fermento nutricional (Opcional).

Como servir:

Ao lado ou em cima de legumes salteadas (página 268); minha preferida é couve.

"PICADILLO" DE BOI NATURAL

Morei em Miami durante 4 anos quando fui para a faculdade e não consegui me cansar da comida cubana, especialmente "picadillo". Aqui está uma variação saudável desse prato tradicional que faço com frequência.

Serve 2-3 pessoas

Do que você vai precisar:

1 colher de sopa de azeite extravirgem

1 cebola grande e picada em pedaços finos

4 dentes de alho esmagados e descascados

1/2 kg de carne moída, de boi criado no pasto

1 colher de chá de sal

1 1/2 colher de chá de pimenta do reino

1/4 colher de chá de pimenta vermelha em flocos (opcional)

120 gramas de molho de tomate orgânico sem açúcar (o molho tem um pouco de açúcar natural do tomate)

1/2 xícara de azeitonas sem caroço, picadas (azeitonas recheadas com pimentão são boas)

Como fazer:

1. Aqueça o óleo em uma frigideira grande em fogo médio. Adicione a cebola e cozinhe por 4 a 5 minutos, até amolecer. Jogue o alho amassado e deixe aromatizar por 1 minuto. Adicione a carne moída, o sal, a pimenta e flocos de pimenta vermelha, se usar. Cozinhe tudo e sempre mexendo até desmanchar e dourar, cerca de 10 minutos. Adicione o molho de tomate e as azeitonas, leve para ferver, depois reduza o fogo para bem baixo e cozinhe durante 10 minutos.

Como servir:

Ao lado ou em cima de legumes salteadas (página 268) ou couve-flor "picada" (salteada no alho, sal e azeite extravirgem).

SALMÃO SELVAGEM DO ALASCA EMPANADO COM CÚRCUMA, GENGIBRE E *TAHINI-MISO*

Agora que você sabe que o salmão selvagem é um Alimento para o Cérebro, deixe-me ensinar-lhe como transformar seu filé normal em um superalimento rico em nutrientes em apenas alguns passos. Esta receita foi uma contribuição do meu bom amigo e *chef* de bem-estar Misha Hyman.

Serve 2-3 pessoas

Do que você vai precisar:

SALMÃO:
1/2 kg de salmão selvagem fresco ou congelado do Alasca
Sal (a gosto)
Pimenta preta moída grosseiramente (a gosto)
Azeite de oliva extravirgem

TAHINI-MISO:
1/4 xícara de *tahine*
1/2 xícara de miso de arroz integral
1/4 xícara de óleo de sésamo torrado
Gengibre ralado a gosto
Alho ralado (a gosto)
Açafrão fresco ralado (a gosto)
Suco de limão fresco

ACOMPANHAMENTO:
1 punhado de cebolinha picada
1 colher de chá de coentro fresco picado
1 punhado de sementes de gergelim preto

Como fazer:

1. Prepare o salmão: tire o salmão fresco da geladeira por volta de uma hora antes de começar a cozinhá-lo, para que fique em temperatura ambiente. Isso é importante porque você deseja que o peixe cozinhe por igual. Se

RECEITAS E SUPLEMENTOS

você usar salmão congelado, descongele-o totalmente e leve-o à temperatura ambiente. Polvilhe o salmão com sal e pimenta.
2. Pré-aqueça o forno a 220°C.
3. Faça o *tahini-miso*: Misture todos os ingredientes em um liquidificador e bata até ficar homogêneo. Reserve enquanto cozinha o salmão.
4. Cozinhe o salmão: coloque o azeite em uma frigideira e leve ao fogo médio. Quando estiver bem quente, coloque o salmão na frigideira com a pele voltada para cima. Cozinhe por 3 a 4 minutos, depois transfira para o forno e cozinhe por 6 a 8 minutos, dependendo do ponto que você preferir.
5. Pincele imediatamente o salmão com uma camada fina de *tahini-miso*.
6. Complemente com cebolinha, coentro e sementes de gergelim preto.

Como servir:

Este salmão combina perfeitamente com aspargos salteados em manteiga (de vaca alimentada com capim) com alho e açafrão, com espinafre fresco misturado no final para murchar e polvilhado com sementes de cânhamo.

FÍGADO INCRÍVEL

Esta é uma receita da minha amiga Mary Shenouda, também conhecida como @PaleoChef no Instagram. Eu nunca tinha provado fígado de frango antes de experimentar o prato de Mary, mas tive uma conversão instantânea. É delicioso e uma fonte "incrível" de nutrientes, incluindo colina, vitamina B12, folato e vitamina A.

Serve 2-3 pessoas

Do que você vai precisar:

1 kg de fígado de frango orgânico, picado

3/4 colheres de chá de sal

1/3 copo de *ghee*

6 dentes de alho esmagados e picados

1 pimentão verde grande, picado

1 pimentão *jalapeño*, sem sementes e picado

1 colher de sopa de cominho moído

1/2 colher de chá de canela em pó

1/4 colher de chá de gengibre

1/4 colher de chá de cravo

1/4 colher de chá de cardamomo

Suco de 1 limão

Como fazer:

1. Limpe e pique grosseiramente o fígado. Polvilhe com o sal, mexa e reserve por 2 a 3 minutos.
2. Aqueça o *ghee* em uma frigideira grande em fogo médio-alto, adicione o fígado e sele até dourar dos dois lados. Adicione o alho, o pimentão e a *jalapeño* e cozinhe até que os vegetais comecem a amolecer, cerca de 5 minutos. Adicione o cominho, canela, gengibre, cravo e cardamomo, reduza o fogo a médio-baixo, tampe e cozinhe por mais 5 a 8 minutos. Adicione o suco de limão, raspando os pedacinhos dourados do fundo da panela e misturando bem. Retire do fogo.

Como servir:

Sirva com uma dose adicional de *ghee* derretido, um toque de suco de limão e coentro salpicado.

ASAS DE FRANGO INSANAMENTE CROCANTES SEM GLÚTEN

A maioria das asas de frango é muito prejudicial à saúde – partes de animais de confinamento fritas em óleos não saudáveis e empanados com farinha refinada (eca!). Estas, no entanto, são assadas, sem cereais e cheias de nutrientes. A pele do frango é cheia de colágeno, assim como as articulações ricas em cartilagem da asa de frango. Colágeno consiste em aminoácidos importantes que se tornaram relativamente raros na dieta moderna. Nota: alguns molhos picantes contêm ingredientes ruins. Quando for escolher o molho apimentado, certifique-se de que tenha apenas pimenta vermelha, vinagre, sal e alho.

Serve 2-3 pessoas

Do que você vai precisar:

Óleo de coco amolecido ou derretido
1/2 kg de asas de frango orgânico criado solto
Sal de alho (eu gosto de sal de alho orgânico Redmond Real)
1/2 xícara de molho picante (tabasco)
2 colheres de sopa de manteiga de vaca alimentada com capim
Pimenta caiena extra (opcional)

Como fazer:

RECEITAS E SUPLEMENTOS

1. Preaqueça o forno a 120°C e unte uma assadeira com óleo de coco.
2. Coloque as asas na assadeira e polvilhe com sal de alho. Aplique um bom tempero uniforme (de um lado está bom).
3. Asse as asas por 45 minutos. Por que uma temperatura tão baixa? Isso ajuda a secar as asas e derreter a gordura extra e o tecido conjuntivo. Muito importante! (Nota: as asas não estão prontas após esta etapa – não coma ainda!)
4. Aumente o fogo para 220°C e asse por mais 45 minutos. As asas devem ter uma bela cor dourada quando prontas e terão encolhido consideravelmente. Retire do forno e deixe descansar em temperatura ambiente por 5 minutos.
5. Enquanto as asas descansam, misture o molho picante e a manteiga (adicionando pimenta-caiena extra, se desejar) em uma panela pequena em fogo muito baixo apenas para aquecer o molho picante e derreter a manteiga.
6. Bata o molho e transfira para uma tigela grande ou panela. Despeje nas asas e mexa bem para cobri-las com o molho.

Como servir:

Recomendo que sirva estas asas com uma grande salada, legumes assados ou outros vegetais.

ISCAS DE FRANGO COM CÚRCUMA E AMÊNDOAS

Quem não gosta de iscas de frango? Nesta receita, idealizada pela chef Liana Werner-Gray (autora de *The Earth Diet*), farinha de amêndoa e cúrcuma fazem uma ótima crosta que não só ajuda você a ficar longe de cereais e do empanado tradicional, como também oferece um meio delicioso de integração do cúrcuma (açafrão-da-terra). Você também pode fazer *nuggets* de frango em vez de iscas – basta cortar o frango em formas quadradas. As crianças adoram! (Eu chamei essas iscas de FINGERS por causa do estudo FINGER, que você deve se lembrar da página 22)

Serve 2-3 pessoas

Do que você vai precisar:

3/4 de copo de óleo de coco extravirgem

1 ovo

1/2 kg de peito de frango orgânico, criado solto, desossado e sem pele, cortado em tiras (ou use iscas já cortadas para ganhar tempo)

1 xícara de farinha de amêndoa

1 1/2 colher de sopa de cúrcuma em pó

1 colher de chá de sal

1 pitada de pimenta do reino moída na hora

Como fazer:

1. Em uma frigideira grande, aqueça o óleo em fogo médio-alto.
2. Enquanto o óleo esquenta, bata o ovo numa tigela grande, acrescente o frango e mexa para untar.
3. Em uma tigela pequena, misture a farinha de amêndoa, a cúrcuma, sal e pimenta. Espalhe a mistura em um prato.
4. Retire as iscas de frango da mistura de ovo e mergulhe-as na mistura de farinha de amêndoa. Cubra-as bem.
5. Teste o óleo colocando uma pitada de farinha de amêndoa; quando chiar, está no ponto. Coloque as tiras de frango na panela e cozinhe por 4 a 5 minutos de cada lado, até dourar e o frango estar cozido.
6. Quando terminar, coloque em cima de toalhas de papel para drenar o excesso de óleo.

Como servir:

Eles vão muito bem com legumes salteados ou a Salada de Couve "Cremosa".

LEGUMES SALTEADOS

Estou sempre salteando verduras. Elas formam uma cama excelente para qualquer dos pratos que apresentei aqui. Depois de adicionar a couve ou qualquer verdura escura e folhuda que você esteja usando, mantenha a panela tampada para que a água evaporada ajude a cozer a couve.

Serve 2-3 pessoas

Do que você vai precisar:

1 cebola picada

4 dentes de alho esmagados e descascados

1 maço de couve, sem os caules centrais e laterais, as folhas rasgadas ou picadas

1/4 de colher de chá de sal

1/4 colher de chá de pimenta do reino

Como fazer:

1. Em uma frigideira grande, aqueça o óleo em fogo médio. Coloque a cebola e cozinhe até ficar macia, 4 a 5 minutos. Adicione o alho e cozinhe por 1 a 2 minutos, até sentir o aroma. Adicione a couve, sal e pimenta, reduza o fogo para médio-baixo, tampe e cozinhe, mexendo algumas vezes, até amolecer (aproximadamente 10 minutos).

Como servir:

Eu adoro adicionar um hambúrguer de boi criado no pasto, um pedaço de salmão selvagem, 2 ou 3 ovos *pochê* ou fritos, ou algumas coxas de frango nessas verduras.

TIGELA DO CÉREBRO MELHOR

Esta é uma receita bem simples (se podemos chamá-la assim), que fornece incrível nutrição cerebral na forma de gordura monoinsaturada, luteína, zeaxantina, ômega-3 e fibra.

Serve 1 pessoa

Do que você vai precisar:

1 lata de sardinhas (eu adoro em azeite extravirgem com limão)
1 abacate
1 rodela de limão
1 colher de sopa de maionese orgânica picante (opcional)

Como fazer:

1. Esvazie a lata de sardinha em uma tigela. Corte o abacate em fatias e adicione à tigela e esprema o limão por cima. Se você quiser aprimorar as coisas um pouco, acrescente a maionese orgânica picante!

SALADA DE COUVE "CREMOSA"

Aqui está uma deliciosa salada que é fácil de fazer e saborosa o suficiente para converter até mesmo o mais fóbico de salada do grupo.

Serve 2-3 pessoas

Do que você vai precisar:

1 maço de couve, sem os caules centrais e laterais (reserve para fazer suco ou comer mais tarde)

2 colheres de sopa de azeite extravirgem

2 colheres de sopa de vinagre de maçã

1/2 pimentão verde picado

1/4 xícara de fermento nutricional

1 colher de chá de alho em pó

3/4 colheres de chá de sal

Como fazer:

1. Rasgue as folhas da couve em pedaços pequenos e coloque-os em uma tigela grande. Adicione o azeite e o vinagre e mexa ou massageie as folhas para começar a amaciá-las. Acrescente o pimentão verde, depois o fermento nutricional, o alho em pó e sal e misture bem.

Como servir:

Coma como está ou misture algumas anchovas. Ou coloque por cima um hambúrguer de boi alimentado com capim!

CHOCOLATE CRU ESTIMULANTE CEREBRAL

O chocolate amargo tem estado muito nas revistas de pesquisa recentemente por seus efeitos de aumento da cognição. Para criar uma receita sem açúcar, recrutei meu bom amigo Tero Isokauppila. Tero é o fundador da empresa de cogumelos Four Sigmatic, mas também é uma das pessoas mais experientes que conheço sobre cacau, o principal ingrediente do chocolate.

Serve 3-4 pessoas

Do que você vai precisar:

1 xícara de manteiga de cacau finamente picada

1 xícara de óleo de coco extravirgem

2 colheres de sopa de adoçante sem açúcar à escolha (recomendo fruta do monge, eritritol ou estévia)

1/2 colher de chá de baunilha em pó

1 pitada de sal marinho

3 pacotes de Elixir de Cogumelo Lion's Mane ou 1 colher de chá cheia de extrato de juba de leão (opcional)

1 xícara de cacau em pó sem açúcar, mais se necessário

Como fazer:

1. Coloque a manteiga de cacau em banho-maria ou tigela refratária sobre uma panela de água fervente (certifique-se de que a tigela não toque a água e mantenha-a em fogo baixo; isso é importante para preservar as enzimas do cacau e suas propriedades nutritivas para o cérebro). Mexa até derreter completamente.
2. Adicione o óleo de coco e use um *fouet* ou batedor de leite para misturar até que as gorduras sejam emulsionadas. Adicione o adoçante, baunilha em pó, sal e juba de leão, se quiser usar. Bata novamente para misturar.
3. Adicione lentamente o cacau em pó à mistura até atingir a consistência de creme espesso, adicionando mais se necessário.
4. Despeje a mistura em bandejas de cubos de gelo e coloque no congelador por 30 a 60 minutos para endurecer. Deixe-os amolecer por 5 a 10 minutos após retirá-los do congelador antes de servir.

Suplementos

ÓLEO DE PEIXE (EPA/DHA)

Óleo de peixe, como eu te amo? Deixe-me contar as maneiras. Um suplemento de óleo de peixe de alta qualidade é uma fonte abundante e prática de gorduras ômega-3 pré-formadas EPA e DHA, e adicionar óleo de peixe à sua dieta pode ser um dos passos mais poderosos que você pode dar para a saúde e funcionamento do seu cérebro.

Levo meu óleo de peixe comigo sempre que viajo e só deixo de tomar nos dias em que como peixe gordo. Uma consideração importante: sempre observe a quantidade de EPA e DHA, não a quantidade total de óleo. Por exemplo, se o seu suplemento contém 1 mil miligramas de óleo de peixe e uma proporção relativamente pequena de EPA e DHA, você tem um suplemento de baixa qualidade.

Recomendação: Procure obter cerca de 500 miligramas de triglicerídeos DHA e 1 mil miligramas de EPA diariamente de óleo de peixe ou de peixes gordurosos em sua dieta. Refrigere o óleo de peixe para mantê-lo fresco.

O QUE AS BALEIAS SABEM QUE NÓS NÃO SABEMOS? ÓLEO DE PEIXE *VS.* ÓLEO DE *KRILL*

Os ácidos graxos ligados aos triglicerídeos constituem a vasta configuração das gorduras encontradas no corpo. Mas as membranas celulares, incluindo as dos neurônios, são feitas de fosfolipídios, e não de triglicerídeos. Enquanto muitos suplementos de óleo de peixe fornecem ômega-3 de DHA e EPA na forma de triglicerídeos, os ômega-3 fornecidos pelo óleo de *krill* são encontrados na forma de fosfolipídio equivalente à membrana (o óleo de *krill* é feito de minúsculos crustáceos invertebrados que compõem grande parte da dieta das baleias).

Embora a maioria das pesquisas que validam o uso de suplementação de ômega-3 para a saúde e função cerebral tenham usado óleo de peixe, uma nova pesquisa sugere que o óleo de *krill* pode fornecer uma forma superior e mais biodisponível de ômega-3, e em particular DHA, que é mais prontamente absorvido e incorporado nas membranas neuronais. O óleo de *krill* também contém uma série de outros nutrientes vitais, como colina e astaxantina. O primeiro é o precursor do neurotransmissor acetilcolina, que é crítico para o funcionamento ideal da memória, e o último, um poderoso antioxidante solúvel em gordura.

Então, você deve tomar óleo de krill em vez de óleo de peixe? A solução mais sensata é consumir peixe selvagem, que contém as formas triglicerídeo e fosfolipídio de EPA e DHA. Ovas de peixe (caviar, ou para os fãs de *sushi*, *ikura* ou tobiko) também são uma fonte deliciosa de ômega-3 ligados a fosfolipídios. Se o custo não for um problema e você optar por suplementar, pode ser benéfico cobrir suas bases com óleo de peixe à base de triglicerídeos e óleo de *krill*. Se o custo ou a praticidade forem um problema, o óleo de peixe triglicerídeo de alta qualidade deve funcionar bem.

VITAMINA D3

Uma meta-análise recente descobriu que, de todos os fatores de risco ambientais para o desenvolvimento de demência, a evidência que apontava o baixo nível de vitamina D foi a mais forte. A deficiência de vitamina D também pode prejudicar a capacidade do cérebro de sintetizar serotonina a partir de seu precursor triptofano, levando a níveis reduzidos desse neurotransmissor no cérebro. Isso pode levar à depressão e à névoa cerebral.

A principal fonte de vitamina D vem de nossa exposição aos raios UVB do sol. Hoje, muitas pessoas passam muito tempo em ambientes fechados, e a exposição da pele ao sol é limitada — o que significa que provavelmente terão níveis mais baixos de vitamina D. Também existem muitas diferenças entre pessoas que afetam nossa capacidade de sintetizar vitamina D.

Os jovens produzem mais vitamina D do que os mais velhos — por exemplo, uma pessoa de 70 anos produz quatro vezes menos vitamina D do sol do que uma pessoa de 20 anos. Aqueles com pigmentos de pele mais escuros também produzem menos vitamina D (a melanina, que dá cor à pele morena ou negra, é o protetor solar natural da evolução). Isso significa que, se você é uma pessoa de cor que mora em uma latitude norte, a suplementação pode ser particularmente importante.

Aqueles que estão acima do peso têm menos vitamina D disponível, porque, como uma vitamina solúvel em gordura, ela é armazenada no tecido adiposo. Isso também ocorre com outras vitaminas lipossolúveis (como a vitamina E) e pode explicar por que pessoas com sobrepeso e obesas são mais propensas a ter deficiência de vitamina D, mesmo com igual exposição ao sol que suas contrapartes mais magras.

Talvez não seja coincidência que três quartos dos americanos adolescentes e adultos sejam considerados deficientes em vitamina D, em paralelo com a epidemia de obesidade generalizada.

VITAMINA D: A VITAMINA ANTIENVELHECIMENTO?

Nós evoluímos sob o sol, e a vitamina D é um cavalo de batalha químico com o qual nossa biologia passou a contar. Ela desempenha um papel na regulação da expressão de quase mil genes humanos – são quase 5% do genoma humano! Quase poderia ser considerada uma vitamina maravilhosa, exceto que a vitamina D nem mesmo é uma vitamina verdadeira – é um hormônio dependente da exposição ao sol.

Algumas das muitas funções da vitamina D envolvem amortecer a resposta pró-inflamatória e defender as células do desgaste do envelhecimento. Na verdade, mulheres com níveis sanguíneos de 40 a 60 ng/mL mostraram ter telômeros mais longos em comparação com controles de mesma idade. Telômeros são estruturas que protegem o DNA de danos e normalmente se encurtam com a idade. Acredita-se que ter telômeros mais longos em qualquer idade é o melhor.

Outro estudo descobriu que em gêmeas idênticas as que tinham níveis mais baixos de vitamina D possuíam telômeros mais curtos, correspondendo a 5 anos de envelhecimento biológico acelerado. Isso certamente ajuda a entender se o envelhecimento "saudável" é uma questão de natureza (genética) ou criação (ambiente). Essas mulheres tinham a mesma natureza (a mesma composição genética), mas aquelas com menos vitamina D pareciam biologicamente mais velhas sob o microscópio!

Se for usar suplementos, lembre-se: é possível ter excesso de vitamina D no sangue. A vitamina D aumenta a absorção de cálcio, e o maior risco de toxicidade da vitamina D é a hipercalcemia ou excesso de cálcio no sangue (veja vitamina K2 abaixo). Isso pode levar a problemas como calcificação da artéria e cálculos renais. Por outro lado, é impossível obter vitamina D em excesso do sol – lembre-se de tomar os devidos cuidados com o sol e não se queimar.

Embora não haja um consenso sobre o nível ideal de vitamina D, manter os níveis sanguíneos na faixa de 40 a 60 ng/ml parece conferir a menor taxa de mortalidade por todas as causas em um determinado período de tempo, o que inclui morte não acidental por qualquer causa. Seu médico pode facilmente verificar seus níveis com uma coleta de sangue de rotina. A insuficiência, conforme atualmente descrita pela Endocrine Society (que na verdade considera a importância mais ampla da vitamina D para o corpo, distinta da saúde óssea), é abaixo de 30 ng/ml.

Recomendação: 2 mil a 5 mil UI de vitamina D3 por dia, verificados semestralmente por médico para garantir níveis entre 40 e 60 ng/ml.

FOLATO, VITAMINA B12 E VITAMINA B6

O complexo de vitaminas conhecido como vitaminas B inclui a vitamina B9 ou folato e a vitamina B12 ou cobalamina. A B12 é importante para o funcionamento normal dos nervos e prevenção da anemia (deficiência de glóbulos vermelhos). O folato, como mencionei ao discutir as virtudes das folhas verde-escuras, também é uma parte importante de algo chamado ciclo de metilação. Garantir folato adequado (e B12) ajuda a manter baixa a homocisteína, um aminoácido tóxico. Seu nível de homocisteína é facilmente determinado por seu médico com um simples exame de sangue, mas a homocisteína elevada é comum, afetando até 30% das pessoas com mais de 65 anos de idade em todo o mundo.[1]

Um nível elevado de homocisteína tem sido relacionado não apenas com pior desempenho cognitivo, mas com um risco duplo de desenvolver demência, ataque cardíaco e derrame. As chances de encolhimento do cérebro são até dez vezes maiores em pacientes com alta homocisteína em comparação com aqueles com níveis normais.[2] Consumir um complexo de vitamina B incluindo folato, B12 e B6 pode manter os níveis dentro da faixa normal e saudável.

Muitas pessoas, sem saber, suplementam com ácido fólico — isso porque ele é adicionado a uma ampla variedade de alimentos, incluindo pão e multivitaminas na forma de ácido fólico. Infelizmente, por causa de uma mutação genética comum conhecida como MTHFR (abreviação de metilenotetraidrofolato redutase), muitas pessoas não convertem o ácido fólico, que é sintético, em folato ativo, chamado metilfolato. Isso pode elevar os níveis de homocisteína, entre outros problemas potenciais.

Ao suplementar com vitaminas B, evite tomar megadoses, o que não é necessário, mas comum em suplementos. Tomar muito folato se você tiver deficiência de vitamina B12 pode, na verdade, acelerar o envelhecimento do cérebro, enquanto uma quantidade ideal de ambos pode ter o efeito protetor desejado. Uma maneira de garantir um equilíbrio saudável é simplesmente comer alimentos ricos em fontes naturais de folato – vegetais – e combinar esse consumo com o consumo de gema de ovo, carne, frango, salmão ou sardinha, todos fontes ricas de B12.

Recomendação: tente obter vitaminas B dos alimentos. Peça ao seu médico para verificar os níveis de folato e B12, junto com a homocisteína. Se os níveis de B estiverem baixos ou a homocisteína estiver alta (abaixo de 9 umol/l é ideal; mais baixo geralmente é melhor), considere suplementar. Comece com 400 microgramas de folato (como metilfolato ou metiltetra-hidrofolato), 500 microgramas de B12 (metilcobalamina) e 20 miligramas de B6 por dia.

VITAMINA K2

A vitamina K2 é um nutriente essencial. Ele está envolvido na homeostase do cálcio, garantindo que o mineral fique onde queremos (como nossos ossos e dentes) e não se acumule em lugares que não queremos (como em nossas artérias e rins). Muitas pessoas, incluindo alguns médicos, confundem K2 com K1, uma vitamina envolvida na coagulação. Mas, embora a deficiência de K1 seja rara e fácil de detectar pelo sangramento excessivo e os hematomas que causa, os *déficits* de K2 podem ser mais comuns e, infelizmente, manifestar-se de forma invisível. A ingestão de vitamina K2 também foi associada à redução da incidência de câncer, aumento da sensibilidade à insulina, melhor saúde do cérebro e muito mais.

Recomendação: 50 a 100 microgramas de K2 MK-7 diariamente.

CÚRCUMA

A cúrcuma é uma raiz usada na culinária ayurvédica há milênios. Ela contém duas substâncias dignas de nota: a curcumina, um polifenol, que demonstrou capacidade anti-inflamatória, e a turmerona aromática, que pode ajudar a impulsionar as células-tronco no cérebro. Eu aconselho a usar cúrcuma na cozinha e suplementar conforme necessário para dores ou condições inflamatórias.

Recomendação: 500 a 1 mil miligramas de cúrcuma, conforme necessário.

Certifique-se de que a formulação contenha piperina (extrato de pimenta preta), que aumenta a biodisponibilidade. Extratos de rizoma de cúrcuma ou fitossomo de cúrcuma são considerados formulações com maior biodisponibilidade.

ASTAXANTINA

A astaxantina é um carotenoide comumente encontrado no óleo de *krill*, e é o que dá ao salmão selvagem e aos flamingos-rosa sua aparência avermelhada. Embora a pesquisa sobre esse antioxidante pouco conhecido seja um tanto limitada, há o suficiente para garantir sua inclusão em meu regime diário. A astaxantina demonstrou trazer benefícios ao corpo todo, incluindo aumento da função cognitiva, proteção da pele dos danos do sol, melhora da aparência da pele, proteção dos olhos, redução da inflamação, conversão dos lipídios do sangue para um perfil mais cardioprotetor, fornecendo potentes efeitos antioxidantes e eliminação de radicais livres, e muito mais. Alguns desses benefícios parecem ser mediados por sua capacidade de regular os genes que protegem contra os danos ao DNA e o estresse do envelhecimento, incluindo o FOX03. Eu a tomo diariamente. Como outros carotenoides, a astaxantina é solúvel em gordura, portanto, tome-a com alimentos que contenham gordura.

Recomendação: 12 miligramas por dia com uma refeição ou lanche contendo gordura.

PROBIÓTICOS

A pesquisa sobre probióticos é nova e está em evolução. Gosto de alimentos probióticos (como *kimchi* e *kombucha*), mas tomar um suplemento de probióticos também não faz mal, principalmente se os alimentos que contêm probióticos não forem atraentes para você.

Recomendação: Se você optar por suplemento, procure um com um grande número de cepas diferentes (o intestino contém centenas de espécies diferentes!) e de 5 a 10 bilhões de unidades formadoras de colônias (UFC).

Assegurar que você tome seu probiótico com uma fonte de fibra prebiótica pode ajudar os organismos a "se firmarem" melhor no ambiente intestinal competitivo e poroso.

AGRADECIMENTOS

Max

Tantas pessoas emprestaram seu tempo, intelecto, talentos e habilidades para me ajudar a montar este livro que não posso agradecer a todas. Mas certamente posso tentar.

Em primeiro lugar, obrigado a todos os pesquisadores ao redor do mundo que estão fazendo ciência, provando que nossas escolhas são importantes quando se trata de nosso desempenho cognitivo e saúde cerebral em longo prazo. Quero agradecer especialmente aos incontáveis especialistas que falaram comigo por telefone ou pelo Skype, me receberam em seus laboratórios e responderam às minhas perguntas por e-mail. Em particular: Robert Krikorian, Miia Kivipelto, Agnes Flöel, Suzanne de la Monte, Alessio Fasano, Lisa Mosconi, Mary Newport, Melissa Schilling, Nina Teicholz, James DiNicolantonio e Felice Jacka. Também agradeço às instituições que me receberam: NYU Langone Medical Center, Universidade Harvard, Universidade Brown, Weill Cornell Medicine/NewYork-Presbyterian e Alzheimer's Prevention Clinic, Karolinska Institutet e Charité Hospital.

Um grande obrigado a Richard Isaacson, meu mentor, colega e amigo. Aprendi muito sobre ciência com você. Sou grato sempre que posso colaborar em sua pesquisa e fico ansioso por empreendimentos futuros juntos. (Isso inclui aulas de *spinning*.)

Agradeço ao meu agente literário, Giles Anderson: sua orientação neste processo foi inestimável.

A equipe Harper Wave: vocês são tão, tão incríveis! Estou muito feliz por termos trabalhado juntos neste livro. Karen, você é luminosa. Sarah, obrigado por editar estas palavras. Estou muito orgulhoso do que conquistamos juntos.

Paul Grewal, obrigado por contribuir com seu tempo e experiência inestimáveis para o meu livro. Eu não poderia ter escolhido um colaborador melhor ou mais brilhante.

Mehmet Oz, Ali Perry e toda a equipe do Dr. Oz. Eu acho que é a coisa mais legal do mundo ser um "especialista principal" no programa, e uso o distintivo com honra.

Craig e Sarah Clemens, muito amor para vocês! Craig, obrigado por batizar meu bebê (este livro) e compartilhar seus talentos para ajudá-lo a ter um impacto. Estou ansioso para nossa próxima sessão de karaokê.

Kristin Loberg, obrigado por seu feedback brilhante e generoso durante meu processo de escrita. Você é uma inspiração. Ainda te devo uma sessão de ioga.

Aos produtores do programa de TV *The Doctors*, obrigado por me receberem repetidamente e me deixarem alimentar seus apresentadores com tendências de saúde estranhas. Eu faço isso com a melhor das intenções!

Aos meus amigos da área de saúde e bem-estar, obrigado por me receberem em suas comunidades com apoio e inspiração: David e Leize Perlmutter, Mark Hyman, William Davis, Terry Wahls, Mary Newport, Emily Fletcher, Kelly LeVeque, Mike Mutzel, Erin Matlock, James Maskell, Alex Doman, Mark Sisson, Pedram Shojai, Steven Gundry, Maria Shriver e a equipe Digital Natives.

Escrever um livro exige muito trabalho e suporte.

Outros amigos que deram valiosos *insights*, *feedbacks*, sugestões ou comentários, ou que apenas me apoiaram em momentos de dúvida (muitos deles!): Liana Werner-Gray, Tero Isokauppila, Michele Promaulayko, Crosby Tailor, Mary Shenouda, Amanda Cole, Kendall Dabaghi, Noah Berman, Misha Hyman, Mike Berman, Alex Kip, Chris Gartin, Ryan Star, Hilla Medalia, Rachel Beider, James Swanwick, Alexandra Calma, Sean Carey, Dhru Purohit, Andrew Luer, Nariman Hamed e Matt Bilinsky.

Se esqueci seu nome, sinto muito — me procure e recebo você para jantar.

Um grande obrigado a cada pessoa que me segue no Facebook, Twitter e Instagram por me inspirar continuamente todos os dias para continuar na busca pela verdade. Sinto-me humilde por suas mensagens. Também quero dar um agradecimento aos membros do *The Cortex*, ao meu grupo no Facebook e à equipe de rua, bem como a qualquer pessoa que esteja na minha lista de e-mail. E, claro, um grande obrigado a todos os que contribuíram com a campanha de *crowdfunding* para meu documentário *Bread Head* (www.breadheadmovie.com), que deu início a tudo. Obrigado, obrigado, obrigado pelo seu apoio. Isso significa o mundo para mim.

Finalmente, agradeço a meus dois irmãos, Andrew e Benny, meu pai, Bruce, minha mãe, Kathy e Delilah.

Paul

Gostaria de agradecer primeiro a minha avó, Jaspal Kaur, cuja longa luta contra a doença de Alzheimer mostrou o poder de seu cérebro e espírito incríveis. Desde que era basicamente órfã em Macau até começar sozinha a primeira escola primária mista na sua região da Índia, ela foi uma pioneira. Se as estratégias delineadas neste livro puderem evitar que o que aconteceu com ela aconteça a apenas uma pessoa, nossos esforços terão sido mais que bem empregados.

Obrigado, mãe, por nos imprimir uma fração de seu gênio.

Pai, estou feliz que sua mãe o expulsou da Índia por vender seus livros para comprar pombos-correio.

AGRADECIMENTOS

Alex, Rikki, Sean, Jim, Upkar, obrigado por seus comentários e amizade.

Max, foi uma honra conhecê-lo e colaborar com você simultaneamente neste projeto; é uma oportunidade única na vida e não esquecerei tão cedo o salto de fé que você deu para me incluir em um empreendimento tão profundamente pessoal.

RECURSOS

THE CORTEX, UMA COMUNIDADE PRIVADA DO FACEBOOK

http://maxl.ug/thecortex

Tem alguma pergunta sobre alguma coisa deste livro? O primeiro lugar aonde você deve ir é The Cortex. É uma comunidade privada que criei no Facebook para pessoas que estão passando por suas próprias jornadas de saúde, para compartilhar dicas, truques, receitas, pesquisas e muito mais. Muitas delas são experientes e seguem o Plano Alimento para o Cérebro, enquanto outras estão apenas começando. Apresente-se!

VEJA MEU DOCUMENTÁRIO, *BREAD HEAD*

www.breadheadmovie.com

Minha história está documentada em meu filme, *Bread Head*, o primeiro e único documentário de longa-metragem exclusivamente sobre a prevenção da demência, porque as mudanças começam no cérebro décadas antes do primeiro sintoma de perda de memória. Visite o *site* para assistir ao filme, ver um trailer, encontrar exibições locais e se tornar um ativista do *Bread Head*.

PARTICIPE DA MINHA *NEWSLETTER* OFICIAL

www.maxlugavere.com

Quer uma pesquisa detalhada e entregue diretamente na sua caixa de entrada? Meu boletim informativo é onde eu costumo compartilhar artigos de pesquisa (com resumos fáceis de ler), entrevistas improvisadas e outras informações de fácil digestão projetadas para melhorar sua vida. Sem *spam*, nunca – não se preocupe, eu cuido de você!

RECURSOS DE PESQUISA

Uma das principais maneiras de garantir que as informações que está recebendo são sólidas é garantir que os lugares que você procura sejam confiáveis e os mais próximos possível da ciência. Estas são as únicas fontes que recomendo usar para rastrear pesquisas científicas:

SCIENCEDAILY

www.sciencedaily.com

Este *site* republica comunicados de imprensa universitários que geralmente acompanham a publicação de estudos. Ele reúne pesquisas de todas as disciplinas diferentes, mas muitas vezes você pode encontrar coisas boas aqui, rolando para baixo até *Health News* ou clicando em *Health* na barra de menu no alto.

Nota: comunicados de imprensa de universidades não são necessariamente perfeitos, mas são um ótimo ponto de partida e geralmente fornecem links para as pesquisas discutidas. Ler o comunicado de imprensa e o artigo de estudo pode ajudá-lo a aprender a interpretar a pesquisa. E os lançamentos são frequentemente as mesmas fontes que os jornalistas usarão para escrever seus artigos. Então, basicamente, este *site* leva você direto à fonte!

MEDICAL XPRESS

www.medicalxpress.com

Este site faz o mesmo que ScienceDaily, mas é exclusivamente relacionado à saúde e medicina.

EUREK ALERT!

www.eurekalert.com

É semelhante aos dois recursos acima – publica comunicados de imprensa – mas é administrado pela Associação Americana para o Progresso da Ciência, que publica a revista científica *Science*.

PUBMED

www.ncbi.nlm.nih.gov/pubmed

Quando faço pesquisas, costumo usar o PubMed. Uma forma de usar o Google para pesquisar no PubMed é adicionar "site:nih.gov" à sua pesquisa do Google. Por exemplo, "insulina de Alzheimer site:nih.gov" pesquisaria o *site* do NIH (que inclui PubMed) por todos os artigos que mencionam Alzheimer e insulina.

Recursos de Produtos

Quer saber a marca exata dos óculos de bloqueio de luz azul que uso? Ou meu curso de meditação *online* favorito? Ou uma maneira fácil de obter a carne da mais alta qualidade enviada para você mensalmente, não importa onde você esteja no mundo? Eu lhe dou cobertura. Ao longo dos anos, tornei-me amigo de muitos produtores de alimentos, empresas de suplementos e produtos. Qualquer coisa que eu recomende é algo que verifiquei e uso pessoalmente. Para verificar minhas recomendações de produtos específicos mencionados neste livro, visite http://maxl.ug/GFresources.

CONTATOS

Entre em contato com os autores para palestras, treinamento ou apenas dar um oi!

MAX LUGAVERE

www.maxlugavere.com

info@maxlugavere.com

Facebook: facebook.com/maxlugavere

Twitter: twitter.com/maxlugavere

Instagram: instagram.com/maxlugavere

DR. PAUL GREWAL

www.mymd.nyc

Twitter: twitter.com/paulgrewalmd

Instagram: instagram.com/paulgrewalmd

NOTAS

CAPÍTULO 1: O PROBLEMA INVISÍVEL

1   Claire T. McEvoy et al., "Neuroprotective Diets Are Associated with Better Cognitive Function: The Health and Retirement Study", *Journal of the American Geriatrics Society* 65, no. 8 (2017).

2   P. Eriksson et al., "Neurogenesis in the Adult Human Hippocampus", *Nature Medicine* 4, no. 11 (1998): 1313–17.

3   John Westfall, James Mold e Lyle Fagnan, "Practice-Based Research—'Blue Highways' on the NIH Roadmap", *Journal of the American Medical Association* 297, no. 4 (2007): 403–6.

4   O. Rogowski et al., "Waist Circumference as the Predominant Contributor to the Micro-Inflammatory Response in the Metabolic Syndrome: A Cross Sectional Study", *Journal of Inflammation* 26 (2010): 35.

5   NCD Risk Factor Collaboration, "Trends in Adult Body-Mass Index in 200 Countries from 1975 to 2014: A Pooled Analysis of 1698 Population-based Measurement Studies with 19.2 Million Participants", *Lancet* 387, no. 10026 (2016): 1377–96.

6   Jeffrey Blumberg et al., "Vitamin and Mineral Intake Is Inadequate for Most Americans: What Should We Advise Patients About Supplements?", suplemento de *Journal of Family Practice* 65, no. 9 (2016): S1–8.

1   Michael Hopkin, "Extra-Virgin Olive Oil Mimics Painkiller", Nature, 31 agosto 2005, http://www.nature.com/drugdisc/news/articles/050829-11.html.

ALIMENTO PARA O CÉREBRO #1: AZEITE DE OLIVA EXTRAVIRGEM

2   A. Abuznait et al., "Olive-Oil-Derived Oleocanthal Enhances B-Amyloid Clearance as a Potential Neuroprotective Mechanism against Alzheimer's Disease: In Vitro and In Vivo Studies", *ACS Chemical Neuroscience* 4, no. 6 (2013): 973–82.

3   E. H. Martinez-Lapiscina et al., "Mediterranean Diet Improves Cognition: The PREDIMED-NAVARRA Randomised Trial", *Journal of Neurology, Neurosurgery, and Psychiatry* 84, no. 12 (2013): 1318–25.

4   J. A. Menendez et al., "Analyzing Effects of Extra-Virgin Olive Oil Polyphenols on Breast Cancer-Associated Fatty Acid Synthase Protein Expression Using Reverse-Phase Protein Microarrays", *International Journal of Molecular Medicine* 22, no. 4 (2008): 433–39.

1   Antonio Gotto Jr., "Evolving Concepts of Dyslipidemia, Atherosclerosis, and Cardiovascular Disease: The Louis F. Bishop Lecture", *Journal of the American College of Cardiology* 46, no. 7 (2005): 1219–24.

2   Ian Leslie, "The Sugar Conspiracy", *Guardian*, 7 abril 2016, http://www.theguardian.com/society/2016/apr/07/the-sugar-conspiracy-robert-lustig-john-yudkin?CMP=share_btn_tw.

CAPÍTULO 2: GORDURAS FANTÁSTICAS E ÓLEOS NOCIVOS

3   Cristin Kearns, Laura Schmidt e Stanton Glantz, "Sugar Industry and Coronary Heart Disease Research: A Historical Analysis of Internal Industry Documents", *JAMA Internal Medicine* 176, no. 11 (2016): 1680–85.

4   Anahad O'Connor, "Coca-Cola Funds Scientists Who Shift Blame for Obesity Away from Bad Diets", *New York Times*, 9 agosto 2015, https://well.blogs.nytimes .com/2015/08/09/coca-cola-funds-scientists-who-shift-blame-for-obesity-away-from -bad-diets/?_r=0.

5   L. Lluis et al., "Protective Effect of the Omega-3 Polyunsaturated Fatty Acids: Eicosapentaenoic Acid/Docosahexaenoic Acid 1:1 Ratio on Cardiovascular Disease Risk Markers in Rats", *Lipids in Health and Disease* 12, no. 140 (2013): 140.

6   National Cancer Institute, "Table 2. Food Sources of Total Omega 6 Fatty Acids (18:2 + 20:4), Listed in Descending Order by Percentages of Their Contribution to Intake, Based on Data from the National Health and Nutrition Examination Survey 2005–2006", https://epi.grants.cancer.gov/diet/foodsources/fatty_acids/table2.html.

7   K. Chen, M. Kazachkov e P. H. Yu, "Effect of Aldehydes Derived from Oxidative Deamination and Oxidative Stress on B-Amyloid Aggregation; Pathological Implications to Alzheimer's Disease", *Journal of Neural Transmission* 114 (2007): 835–39.

8   R. A. Vaishnav et al., "Lipid Peroxidation-Derived Reactive Aldehydes Directly and Differentially Impair Spinal Cord and Brain Mitochondrial Function", *Journal of Neurotrauma* 27, no. 7 (2010): 1311–20.

9   G. Spiteller and M. Afzal, "The Action of Peroxyl Radicals, Powerful Deleterious Reagents, Explains Why Neither Cholesterol nor Saturated Fatty Acids Cause Atherogenesis and Age-Related Diseases", *Chemistry* 20, no. 46 (2014): 14298–345.

10   T. L. Blasbalg et al., "Changes in Consumption of Omega-3 and Omega-6 Fatty Acids in the United States During the 20th Century", *American Journal of Clinical Nutrition* 93, no. 5 (2011): 950–62.

11   Sean O'Keefe et al., "Levels of Trans Geometrical Isomers of Essential Fatty Acids in Some Unhydrogenated US Vegetable Oils", *Journal of Food Lipids* 1, no. 3 (1994): 165–76.

12   A. P. Simopoulos, "Evolutionary Aspects of Diet: The Omega-6/Omega-3 Ratio and the Brain", *Molecular Neurobiology* 44, no. 2 (2011): 203–15.

13   Janice Kiecolt-Glaser et al., "Omega-3 Supplementation Lowers Inflammation and Anxiety in Medical Students: A Randomized Controlled Trial", *Brain, Behavior, and Immunity* 25, no. 8 (2011): 1725–34.

14   Lon White et al., "Prevalence of Dementia in Older Japanese-American Men in Hawaii: The Honolulu-Asia Aging Study", *Journal of the American Medical Association* 276, no. 12 (1996): 955–60.

15   D. S. Heron et al., "Lipid Fluidity Markedly Modulates the Binding of Serotonin to Mouse Brain Membranes", *Proceedings of the National Academy of Sciences* 77, no. 12 (1980): 7463–67.

NOTAS

16   A. Veronica Witte et al., "Long-Chain Omega-3 Fatty Acids Improve Brain Function and Structure in Older Adults", Cerebral Cortex 24, no. 11 (2014): 3059–68; Aaron T. Piepmeier e Jennifer L. Etnier, "Brain-Derived Neurotrophic Factor (BDNF) as a Potential Mechanism of the Effects of Acute Exercise on Cognitive Performance", Journal of Sport and Health Science 4, no. 1 (2015): 14–23.

17   Paul S. Aisen, "Serum Brain-Derived Neurotrophic Factor and the Risk for Dementia", Journal of the American Medical Association 311, no. 16 (2014): 1684–85.

18   Bun-Hee Lee e Yong-Ku Kim, "The Roles of BDNF in the Pathophysiology of Major Depression and in Antidepressant Treatment", Psychiatry Investigation 7, no. 4 (2010): 231–35.

19   James V. Pottala et al., "Higher RBC EPA + DHA Corresponds with Larger Total Brain and Hippocampal Volumes: WHIMS-MRI Study", Neurology 82, no. 5 (2014): 435–42.

20   Ellen Galinsky, "Executive Function Skills Predict Children's Success in Life and in School", Huffington Post, 21 junho 2012, http://www.huffingtonpost.com/ellen-galin sky/executive-function-skills_1_b_1613422.html.

21   Kelly Sheppard e Carol Cheatham, "Omega-6 to Omega-3 Fatty Acid Ratio and Higher-Order Cognitive Functions in 7- to 9-year-olds: A Cross-Sectional Study", American Journal of Clinical Nutrition 98, no. 3 (2013): 659–67.

22   M. H. Bloch e A. Qawasmi, "Omega-3 Fatty Acid Supplementation for the Treatment of Children with Attention-Deficit/Hyperactivity Disorder Symptomatology: Systematic Review and Meta-Analysis", Journal of the American Academy of Child Adolescent Psychiatry 50, no. 10 (2011): 991–1000; D. J. Bos et al., "Reduced Symptoms of Inattention after Dietary Omega-3 Fatty Acid Supplementation in Boys with and without Attention Deficit/Hyperactivity Disorder", Neuropsychopharmacology 40, no. 10 (2015): 2298–306.

23   Witte, "Long-Chain Omega-3 Fatty Acids." 24. G. Paul Amminger et al., "Longer-Term Outcome in the Prevention of Psychotic Disorders by the Vienna Omega-3 Study", Nature Communications 6 (2015).."

24   M. H. Bloch e A. Qawasmi, "Omega-3 Fatty Acid Supplementation for the Treatment of Children with Attention-Deficit/Hyperactivity Disorder Symptomatology: Systematic Review and Meta-Analysis", Journal of the American Academy of Child Adolescent Psychiatry 50, no. 10 (2011): 991–1000; D. J. Bos et al., "Reduced Symptoms of Inattention after Dietary Omega-3 Fatty Acid Supplementation in Boys with and without Attention Deficit/Hyperactivity Disorder", Neuropsychopharmacology 40, no. 10 (2015): 2298–306.

25   Christine Wendlinger e Walter Vetter, "High Concentrations of Furan Fatty Acids in Organic Butter Samples from the German Market", Journal of Agricultural and Food Chemistry 62, no. 34 (2014): 8740–44.

26   D. F. Horrobin, "Loss of Delta-6-Desaturase Activity as a Key Factor in Aging", Medical Hypotheses 7, no. 9 (1981): 1211–20.

27 Tamas Decsi e Kathy Kennedy, "Sex-Specific Differences in Essential Fatty Acid Metabolism", *American Journal of Clinical Nutrition* 94, no. 6 (2011): 1914S–19S.

28 R. A. Mathias et al., "Adaptive Evolution of the FADS Gene Cluster within Africa", *PLOS ONE* 7, no. 9 (2012): e44926.

29 Y. Allouche et al., "How Heating Affects Extra-Virgin Olive Oil Quality Indexes and Chemical Composition", *Journal of Agricultural and Food Chemistry* 55, no. 23 (2007): 9646–54; S. Casal et al., "Olive Oil Stability under Deep-Frying Conditions", *Food and Chemical Toxicology* 48, no. 10 (2010): 2972–79.

30 Sara Staubo et al., "Mediterranean Diet, Micronutrients and Macronutrients, and MRI Measures of Cortical Thickness", *Alzheimer's & Dementia* 13, no. 2 (2017): 168–77.

31 Cinta Valls-Pedret et al., "Mediterranean Diet and Age-Related Cognitive Decline", *JAMA Internal Medicine* 175, no. 7 (2015): 1094–103.

32 W. M. Fernando et al., "The Role of Dietary Coconut for the Prevention and Treatment of Alzheimer's Disease: Potential Mechanisms of Action", *British Journal of Nutrition* 114, no. 1 (2015): 1–14; B. Jarmolowska et al., "Changes of Beta-Casomorphin Content in Human Milk During Lactation", *Peptides* 28, no. 10 (2007): 1982–86.

33 Euridice Martinez Steele et al., "Ultra-Processed Foods and Added Sugars in the US Diet: Evidence from a Nationally Representative Cross-Sectional Study", *BMJ Open* 6 (2016).

G. Paul Amminger et al., "Longer-Term Outcome in the Prevention of Psychotic Disorders by the Vienna Omega-3 Study," *Nature Communications* 6 (2015).

34 Camille Amadieu et al., "Nutrient Biomarker Patterns and Long-Term Risk of Dementia in Older Adults", *Alzheimer's & Dementia* 13, no. 10 (2017).

35 Brittanie M. Volk et al., "Effects of Step-wise Increases in Dietary Carbohydrate on Circulating Saturated Fatty Acids and Palmitoleic Acid in Adults with Metabolic Syndrome", *PLOS ONE* 9, no. 11 (2014): e113605.

36 Cassandra Forsythe et al., "Comparison of Low Fat and Low Carbohydrate Diets on Circulating Fatty Acid Composition and Markers of Inflammation", *Lipids* 43, no. 1 (2008): 65–77.

37 Felice Jacka et al., "Western Diet Is Associated with a Smaller Hippocampus: A Longitudinal Investigation", *BMC Medicine* 13 (2015): 215.

38 A. Wu et al., "A Saturated-Fat Diet Aggravates the Outcome of Traumatic Brain Injury on Hippocampal Plasticity and Cognitive Function by Reducing Brain-Derived Neurotrophic Factor", *Neuroscience* 119, no. 2 (2003): 365–75.

39 David DiSalvo, "How a High-Fat Diet Could Damage Your Brain", *Forbes.com*, 30 novembro 2015, http://www.forbes.com/sites/daviddisalvo/2015/11/30/how-a-high-fat-diet-could-damage-your-brain/#2f784e59661c.

40 G. L. Bowman et al., "Nutrient Biomarker Patterns, Cognitive Function, and MRI Measures of Brain Aging", *Neurology* 78, no. 4 (2011).

NOTAS

41   Beatrice Golomb, "A Fat to Forget: Trans Fat Consumption and Memory", *PLOS ONE* 10, no. 6 (2015).

42   Marta Zamroziewicz et al., "Parahippocampal Cortex Mediates the Relationship between Lutein and Crystallized Intelligence in Healthy, Older Adults", *Frontiers in Aging Neuroscience* 8 (2016).

43   M. J. Brown et al., "Carotenoid Bioavailability Is Higher from Salads Ingested with Full-Fat than with Fat-Reduced Salad Dressings as Measured with Electromechanical Detection", *American Journal of Clinical Nutrition* 80, no. 2 (2004): 396–403.

44   Amy Patterson Neubert, "Study: Top Salads with Eggs to Better Absorb Vegetables' Carotenoids", *Purdue University*, 4 junho 2015, http://www.purdue.edu/newsroom/re leases/2015/Q2/study-top-salads-with-eggs-to-better-absorb-vegetables-carotenoids-.html.

CAPÍTULO 3: SUPERALIMENTADO, MAS MORRENDO DE FOME

1   . Loren Cordain et al., "Plant-Animal Subsistence Ratios and Macronutrient Energy Estimations in Worldwide Hunter-Gatherer Diets", *American Journal of Clinical Nutrition* 71, no. 3 (2000): 682–92.

2   Steele, "Ultra-Processed Foods".

3   Blumberg, "Vitamin and Mineral Intake".

4   Lewis Killin et al., "Environmental Risk Factors for Dementia: A Systematic Review", *BMC Geriatrics* 16 (2016): 175.

5   Creighton University, "Recommendation for Vitamin D Intake Was Miscalculated, Is Far Too Low, Experts Say", *ScienceDaily*, 17 março 2015, https://www.sciencedaily.com/releases/2015/03/150317122458.htm.

6   A. Rosanoff, C. M. Weaver e R. K. Rude, "Suboptimal Magnesium Status in the United States: Are the Health Consequences Underestimated?" *Nutrition Review* 70, no. 3 (2012): 153–64.

7   Pauline Anderson, "Inflammatory Dietary Pattern Linked to Brain Aging", Medscape, 17 julho 2017, https://www.medscape.com/viewarticle/883038.

8   Timothy Lyons, "Glycation and Oxidation of Proteins: A Role in the Pathogenesis of Atherosclerosis", in Drugs Affecting Lipid Metabolism (*Kluwer Academic Publishers*, 1993), 407–20.

9   J. Uribarri et al., "Circulating Glycotoxins and Dietary Advanced Glycation Endproducts: Two Links to Inflammatory Response, Oxidative Stress, and Aging", *Journals of Gerontology*, Series A: Biological Sciences and Medical Sciences 62, no. 4 (2007): 427–33.

10   . P. I. Moreira et al., "Oxidative Stress and Neurodegeneration", Annals of the *New York Academy of Sciences* 1043 (2005): 545–52.

11   N. Sasaki et al., "Advanced Glycation End Products in Alzheimer's Disease and Other Neurodegenerative Diseases", *American Journal of Pathology* 153, no. 4 (1998): 1149–55.

12   M. S. Beeri et al., "Serum Concentration of an Inflammatory Glycotoxin, Methylglyoxal, Is Associated with Increased Cognitive Decline in Elderly Individuals", Mechanisms of Ageing and Development 132, no. 11-12 (2011): 583-87; K. Yaffe et al., "Advanced Glycation End Product Level, Diabetes, and Accelerated Cognitive Aging", Neurology 77, no. 14 (2011): 1351-56; Wei-jing Cai et al., "Oral Glycotoxins Are a Modifiable Cause of Dementia and the Metabolic Syndrome in Mice and Humans", Proceedings of the National Academy of Sciences 111, no. 13 (2014): 4940-45.

13   American Academy of Neurology, "Lower Blood Sugars May Be Good for the Brain", ScienceDaily, 23 outubro 2013, https://www.sciencedaily.com/releases/2013/10/131023165016.htm.

14   American Academy of Neurology, "Even in Normal Range, High Blood Sugar Linked to Brain Shrinkage", ScienceDaily, 4 setembro 2012, https://www.sciencedaily.com/releases/2012/09/120904095856.htm.

15   Mark A. Virtue et al., "Relationship between GHb Concentration and Erythrocyte Survival Determined from Breath Carbon Monoxide Concentration", Diabetes Care 27, no. 4 (2004): 931-35.

16   C. Luevano-Contreras e K. Chapman-Novakofski, "Dietary Advanced Glycation End Products and Aging", Nutrients 2, no. 12 (2010): 1247-65.

17   . S. Swamy-Mruthinti et al., "Evidence of a Glycemic Threshold for the Development of Cataracts in Diabetic Rats", Current Eye Research 18, no. 6 (1999): 423-29.

18   N. G. Rowe et al., "Diabetes, Fasting Blood Glucose and Age-Related Cataract: The Blue Mountains Eye Study", Ophthalmic Epidemiology 7, no. 2 (2000): 106-14.

19   M. Krajcovicova-Kudlackova et al., "Advanced Glycation End Products and Nutrition", Physiological Research 51, no. 2 (2002): 313-16.

20   Nicole J. Kellow et al., "Effect of Dietary Prebiotic Supplementation on Advanced Glycation, Insulin Resistance and Inflammatory Biomarkers in Adults with Pre-diabetes: A Study Protocol for a Double-Blind Placebo-Controlled Randomised Crossover Clinical Trial", BMC Endocrine Disorders 14, no. 1 (2014): 55.

21   V. Lecoultre et al., "Effects of Fructose and Glucose Overfeeding on Hepatic Insulin Sensitivity and Intrahepatic Lipids in Healthy Humans", Obesity (Silver Spring) 21, no. 4 (2013): 782-85.

22   Qingying Meng et al., "Systems Nutrigenomics Reveals Brain Gene Networks Linking Metabolic and Brain Disorders", EBioMedicine 7 (2016): 157-66.

23   Do-Geun Kim et al., "Non-alcoholic Fatty Liver Disease Induces Signs of Alzheimer's Disease (AD) in Wild-Type Mice and Accelerates Pathological Signs of AD in an AD Model", Journal of Neuroinflammation 13 (2016).

24   M. Ledochowski et al., "Fructose Malabsorption Is Associated with Decreased Plasma Tryptophan", Scandinavian Journal of Gastroenterology 36, no. 4 (2001): 367-71.

25   M. Ledochowski et al., "Fructose Malabsorption Is Associated with Early Signs of Mental Depression", European Journal of Medical Research 17, no. 3 (1998): 295-98.

NOTAS

26 Shannon L. Macauley et al., "Hyperglycemia Modulates Extracellular Amyloid-â Concentrations and Neuronal Activity in Vivo", *Journal of Clinical Investigation* 125, no. 6 (2015): 2463.

27 Paul K. Crane et al., "Glucose Levels and Risk of Dementia", *New England Journal of Medicine* 2013, no. 369 (2013): 540–48.

28 Derrick Johnston Alperet et al., "Influence of Temperate, Subtropical, and Tropical Fruit Consumption on Risk of Type 2 Diabetes in an Asian Population", *American Journal of Clinical Nutrition* 105, no. 3 (2017).

29 Y. Gu et al., "Mediterranean Diet and Brain Structure in a Multiethnic Elderly Cohort", *Neurology* 85, no. 20 (2015): 1744–51.

30 Staubo, "Mediterranean Diet".

31 E. E. Devore et al., "Dietary Intakes of Berries and Flavonoids in Relation to Cognitive Decline", *Annals of Neurology* 72, no. 1 (2012): 135–43.

32 Martha Clare Morris et al., "MIND Diet Associated with Reduced Incidence of Alzheimer's Disease", *Alzheimer's & Dementia* 11, no. 9 (2015): 1007–14.

33 O'Connor, "Coca-Cola Funds Scientists." 34. Christopher J. L. Murray et al., "The State of US Health, 1990–2010: Burden of Diseases, Injuries, and Risk Factors", Journal of the American Medical Association 310, no. 6 (2013): 591–606.

34 Susan Jones, "11,774 Terror Attacks Worldwide in 2015; 28,328 Deaths Due to Terror Attacks", *CNSNews.com*, 3 junho 2016, http://www.cnsnews.com/news/article/susan-jones/11774-number-terror-attacks-worldwide-dropped-13-2015.

35 Robert Proctor, "The History of the Discovery of the Cigarette–Lung Cancer Link: Evidentiary Traditions, Corporate Denial, Global Toll", *Tobacco Control* 21, no. 2 (2011): 87–91.

1 C. M. Williams et al., "Blueberry-Induced Changes in Spatial Working Memory Correlate with Changes in Hippocampal CREB Phosphorylation and Brain-Derived Neurotrophic Factor (BDNF) Levels", Free Radical Biological Medicine 45, no. 3 (2008): 295–305.

2 R. Krikorian et al., "Blueberry Supplementation Improves Memory in Older Adults", Journal of Agricultural Food Chemistry 58, no. 7 (2010): 3996–4000.

3 Elizabeth Devore et al., "Dietary Intakes of Berries and Flavonoids in Relation to Cognitive Decline", Annals of Neurology 72, no. 1 (2012): 135–43.

4 M. C. Morris et al., "MIND Diet Slows Cognitive Decline with Aging", Alzheimer's & Dementia 11, no. 9 (2015): 1015–22.

ALIMENTO PARA O CÉREBRO #3: MIRTILOS

1 C. M. Williams et al., "Blueberry-Induced Changes in Spatial Working Memory Correlate with Changes in Hippocampal CREB Phosphorylation and Brain-Derived Neurotrophic Factor (BDNF) Levels," Free Radical Biological Medicine 45, no. 3 (2008): 295–305.

2. R. Krikorian et al., "Blueberry Supplementation Improves Memory in Older Adults," Journal of Agricultural Food Chemistry 58, no. 7 (2010): 3996–4000.

3   Elizabeth Devore et al., "Dietary Intakes of Berries and Flavonoids in Relation to Cognitive Decline," Annals of Neurology 72, no. 1 (2012): 135–43.

4.   M. C. Morris et al., "MIND Diet Slows

CAPÍTULO 4: O INVERNO ESTÁ CHEGANDO (PARA O SEU CÉREBRO)

1   K. de Punder e L. Pruimboom, "The Dietary Intake of Wheat and Other Cereal Grains and Their Role in Inflammation", *Nutrients* 5, no. 3 (2013): 771–87.

2   Ibid.

3   J. R. Kraft e W. H. Wehrmacher, "Diabetes—A Silent Disorder", *Comprehensive Therapy* 35, nos. 3–4 (2009): 155–59.

4   Jean-Sebastien Joyal et al., "Retinal Lipid and Glucose Metabolism Dictates Angiogenesis through the Lipid Sensor Ffar1", *Nature Medicine* 22, no. 4 (2016): 439–45.

5   Chung-Jung Chiu et al., "Dietary Carbohydrate and the Progression of Age-Related Macular Degeneration: A Prospective Study from the Age-Related Eye Disease Study", *American Journal of Clinical Nutrition* 86, no. 4 (2007): 1210–18.

6   Matthew Harber et al., "Alterations in Carbohydrate Metabolism in Response to Short--Term Dietary Carbohydrate Restriction", *American Journal of Physiology*—Endocrinology and Metabolism 289, no. 2 (2005): E306–12.

7   Brian Morris et al., "FOXO3: A Major Gene for Human Longevity—A Mini-Review", *Gerontology* 61, no. 6 (2015): 515–25.

8   Ibid.

9   Valerie Renault et al., "FOXO3 Regulates Neural St,em Cell Homeostasis", *Cell Stem Cell* 5 (2009): 527–39.

10   J. M. Bao et al., "Association between FOXO3A Gene Polymorphisms and Human Longevity: A Meta-Analysis", *Asian Journal of Andrology* 16, no. 3 (2014): 446–52.

11   Brian Morris, "FOXO3: A Major Gene for Human Longevity."

12   Catherine Crofts et al., "Hyperinsulinemia: A Unifying Theory of Chronic Disease?" *Diabesity* 1, no. 4 (2015): 34–43.

13   W. Q. Qui et al., "Insulin-Degrading Enzyme Regulates Extracellular Levels of Amyloid Beta-Protein by Degradation", *Journal of Biological Chemistry* 273, no. 49 (1998): 32730–38.

14   Y.M.Li e D.W.Dickson, "Enhanced Binding of Advanced Glycation Endproducts (AGE) by the ApoE4 Isoform Links the Mechanism of Plaque Deposition in Alzheimer's Disease", *Neuroscience Letters* 226, no. 3 (1997): 155–58.

15   Auriel Willette et al., "Insulin Resistance Predicts Brain Amyloid Deposition in Late Middle--Aged Adults", *Alzheimer's & Dementia* 11, no. 5 (2015): 504–10.

16   L. P. van der Heide et al., "Insulin Modulates Hippocampal Activity-Dependent Synaptic Plasticity in a N-Methyl-D-Aspartate Receptor and Phosphatidyl-Inositol-3-Kinase-Dependent Manner", *Journal of Neurochemistry* 94, no. 4 (2005): 1158–66.

NOTAS

17 H. Bruehl et al., "Cognitive Impairment in Nondiabetic Middle-Aged and Older Adults Is Associated with Insulin Resistance", *Journal of Clinical and Experimental Neuropsychology* 32, no. 5 (2010): 487-93.

18 Kaarin Anstey et al., "Association of Cognitive Function with Glucose Tolerance and Trajectories of Glucose Tolerance over 12 Years in the AusDiab Study", Alzheimer's Research & Therapy 7, no. 1 (2015): 48; S. E. Young, A. G. Mainous 3rd, and M. Carnemolla, "Hyperinsulinemia and Cognitive Decline in a Middle-Aged Cohort", *Diabetes Care* 29, no. 12 (2006): 2688-93.

19 B. Kim e E. L. Feldman, "Insulin Resistance as a Key Link for the Increased Risk of Cognitive Impairment in the Metabolic Syndrome", *Exploratory Molecular Medicine* 47 (2015): e149.

20 Dimitrios Kapogiannis et al., "Dysfunctionally Phosphorylated Type 1 Insulin Receptor Substrate in Neural-Derived Blood Exosomes of Preclinical Alzheimer's Disease", *FASEB Journal* 29, no. 2 (2015): 589-96.

21 G. Collier e K. O'Dea, "The Effect of Coingestion of Fat on the Glucose, Insulin, and Gastric Inhibitory Polypeptide Responses to Carbohydrate and Protein", *American Journal of Clinical Nutrition* 37, no. 6 (1983): 941-44.

22 Sylvie Normand et al., "Influence of Dietary Fat on Postprandial Glucose Metabolism (Exogenous and Endogenous) Using Intrinsically C-Enriched Durum Wheat", *British Journal of Nutrition* 86, no. 1 (2001): 3-11.

23 M. Sorensen et al., "Long-Term Exposure to Road Traffic Noise and Incident Diabetes: A Cohort Study", *Environmental Health Perspectives* 121, no. 2 (2013): 217-22.

24 R. H. Freire et al., "Wheat Gluten Intake Increases Weight Gain and Adiposity Associated with Reduced Thermogenesis and Energy Expenditure in an Animal Model of Obesity", *International Journal of Obesity* 40, no. 3 (2016): 479-87; Fabíola Lacerda Pires Soares et al., "Gluten-Free Diet Reduces Adiposity, Inflammation and Insulin Resistance Associated with the Induction of PPAR-Alpha and PPAR-Gamma Expression", *Journal of Nutritional Biochemistry* 24, no. 6 (2013): 1105-11.

25 Thi Loan Anh Nguyen et al., "How Informative Is the Mouse for Human Gut Microbiota Research?" *Disease Models & Mechanisms* 8, no. 1 (2015): 1-16.

26 Matthew S. Tryon et al., "Excessive Sugar Consumption May Be a Difficult Habit to Break: A View from the Brain and Body", *Journal of Clinical Endocrinology & Metabolism* 100, no. 6 (2015): 2239-47.

27 Marcia de Oliveira Otto et al., "Everything in Moderation—Dietary Diversity and Quality, Central Obesity and Risk of Diabetes", *PLOS ONE* 10, no. 10 (2015).

28 Sarah A. M. Kelly et al., "Whole Grain Cereals for the Primary or Secondary Prevention of Cardiovascular Disease", *The Cochrane Library* (2017).

ALIMENTO PARA O CÉREBRO #4: CHOCOLATE AMARGO

1 Adam Brickman et al., "Enhancing Dentate Gyrus Function with Dietary Flavanols Improves Cognition in Older Adults", *Nature Neuroscience* 17, no. 12 (2014): 1798-803.

2. Georgina Crichton, Merrill Elias e Ala'a Alkerwi, "Chocolate Intake Is Associated with Better Cognitive Function: The Maine-Syracuse Longitudinal Study", *Appetite* 100 (2016): 126–32.

CAPÍTULO 5: CORAÇÃO SAUDÁVEL, CÉREBRO SAUDÁVEL

1. M. L. Alosco et al., "The Adverse Effects of Reduced Cerebral Perfusion on Cognition and Brain Structure in Older Adults with Cardiovascular Disease", *Brain Behavior* 3, no. 6 (2013): 626–36.

2. P. W. Siri-Tarino et al., "Meta-Analysis of Prospective Cohort Studies Evaluating the Association of Saturated Fat with Cardiovascular Disease", *American Journal of Clinical Nutrition* 91, no. 3 (2010): 535–46.

3. I. D. Frantz Jr. et al., "Test of Effect of Lipid Lowering by Diet on Cardiovascular Risk. The Minnesota Coronary Survey", *Arteriosclerosis* 9, no. 1 (1989): 129–35.

4. Christopher Ramsden et al., "Re-evaluation of the Traditional Diet-Heart Hypothesis: Analysis of Recovered Data from Minnesota Coronary Experiment (1968–73)", BMJ 353 (2016); Anahad O'Connor, "A Decades-Old Study, Rediscovered, Challenges Advice on Saturated Fat", *New York Times*, 13 abril 2016, https://well.blogs.nytimes.com/2016/04/13/a-decades-old-study-rediscovered-challenges-advice-on-saturated-fat/.

5. Matthias Orth e Stefano Bellosta, "Cholesterol: Its Regulation and Role in Central Nervous System Disorders", *Cholesterol* (2012).

6. P. K. Elias et al., "Serum Cholesterol and Cognitive Performance in the Framingham Heart Study", *Psychosomatic Medicine* 67, no. 1 (2005): 24–30.

7. R. West et al., "Better Memory Functioning Associated with Higher Total and Low-Density Lipoprotein Cholesterol Levels in Very Elderly Subjects without the Apolipoprotein e4 Allele", *American Journal of Geriatric Psychiatry* 16, no. 9 (2008): 781–85.

8. B. G. Schreurs, "The Effects of Cholesterol on Learning and Memory", Neuroscience & Biobehavioral Reviews 34, no. 8 (2010): 1366–79; M. M. Mielke et al., "High Total Cholesterol Levels in Late Life Associated with a Reduced Risk of Dementia", *Neurology* 64, no. 10 (2005): 1689–95.

9. Credit Suisse, "Credit Suisse Publishers Report on Evolving Consumer Perceptions about Fat", PR *Newswire*, September 17, 2015, http://www.prnewswire.com/news-releases/credit-suisse-publishes-report-on-evolving-consumer-perceptions-about-fat-300144839.html.

10. Marja-Leena Silaste et al., "Changes in Dietary Fat Intake Alter Plasma Levels of Oxidized Low-Density Lipoprotein and Lipoprotein(a)", *Arteriosclerosis, Thrombosis, and Vascular Biology* 24, no. 3 (2004): 495–503.

11. Patty W. Siri-Tarino et al., "Saturated Fatty Acids and Risk of Coronary Heart Disease: Modulation by Replacement Nutrients", *Current Atherosclerosis Reports* 12, no. 6 (2010): 384–90.

12. V. A. Mustad et al., "Reducing Saturated Fat Intake Is Associated with Increased Levels of LDL Receptors on Mononuclear Cells in Healthy Men and Women", *Journal of Lipid Research* 38, no. 3 (March 1997): 459–68.

NOTAS

13   L. Li et al., "Oxidative LDL Modification Is Increased in Vascular Dementia and Is Inversely Associated with Cognitive Performance", *Free Radical Research* 44, no. 3 (2010): 241–48.

14   Steen G. Hasselbalch et al., "Changes in Cerebral Blood Flow and Carbohydrate Metabolism during Acute Hyperketonemia", *American Journal of Physiology*—Endocrinology and Metabolism 270, no. 5 (1996): E746–51.

15   E. L. Wightman et al., "Dietary Nitrate Modulates Cerebral Blood Flow Parameters and Cognitive Performance in Humans: A Double-Blind, Placebo-Controlled, Crossover Investigation", *Physiological Behavior* 149 (2015): 149–58.

16   Riaz Memon et al., "Infection and Inflammation Induce LDL Oxidation In Vivo", *Arteriosclerosis, Thrombosis, and Vascular Biology* 20 (2000): 1536–42.

17   A. C. Vreugdenhil et al., "LPS-Binding Protein Circulates in Association with ApoB-Containing Lipoproteins and Enhances Endotoxin-LDL/VLDL Interaction", *Journal of Clinical Investigation* 107, no. 2 (2001): 225–34.

18   B. M. Charalambous et al., "Role of Bacterial Endotoxin in Chronic Heart Failure: The Gut of the Matter", *Shock* 28, no. 1 (2007): 15–23.

19   Stephen Bischoff et al., "Intestinal Permeability—A New Target for Disease Prevention and Therapy", *BMC Gastroenterology* 14 (2014): 189.

20   C. U. Choi et al., "Statins Do Not Decrease Small, Dense Low-Density Lipoprotein", *Texas Heart Institute Journal* 37, no. 4 (2010): 421–28.

21   Melinda Wenner Moyer, "It's Not Dementia, It's Your Heart Medication: Cholesterol Drugs and Memory", *Scientific American*, 1° setembro 2010, https://www.scientificamerican.com/article/its-not-dementia-its-your-heart-medication/.

22   "Coenzyme Q10", Linus Pauling Institute—Macronutrient Information Center, Oregon State University, http://lpi.oregonstate.edu/mic/dietary-factors/coenzyme-Q10.

23   I. Mansi et al., "Statins and New-Onset Diabetes Mellitus and Diabetic Complications: A Retrospective Cohort Study of US Healthy Adults", *Journal of General Internal Medicine* 30, no. 11 (2015): 1599–610.

24   Shannon Macauley et al., "Hyperglycemia Modulates Extracellular Amyloid-B Concentrations and Neuronal Activity In Vivo", *Journal of Clinical Investigation* 125, no. 6 (2015): 2463–67.

ALIMENTO PARA O CÉREBRO #5: OVOS

1   C. N. Blesso et al., "Whole Egg Consumption Improves Lipoprotein Profiles and Insulin Sensitivity to a Greater Extent than Yolk-Free Egg Substitute in Individuals with Metabolic Syndrome", *Metabolism* 62, no. 3 (2013): 400–10.

2   Garry Handelman et al., "Lutein and Zeaxanthin Concentrations in Plasma after Dietary Supplementation with Egg Yolk", *American Journal of Clinical Nutrition* 70, no. 2 (1999): 247–51.

CAPÍTULO 6: ALIMENTANDO SEU CÉREBRO

1   L. Kovac, "The 20 W Sleep-Walkers", *EMBO Reports* 11, no. 1 (2010): 2.

2   NCD Risk Factor Collaboration, "Trends in Adult Body-Mass Index."

3   Institute for Basic Science, "Team Suppresses Oxidative Stress, Neuronal Death Associated with Alzheimer's Disease", *ScienceDaily*, 25 fevereiro 2016, https://www.sciencedaily.com/releases/2016/02/160225085645.htm.

4   J. Ezaki et al., "Liver Autophagy Contributes to the Maintenance of Blood Glucose and Amino Acid Levels", *Autophagy* 7, no. 7 (2011): 727–36.

5   H. White e B. Venkatesh, "Clinical Review: Ketones and Brain Injury", *Critical Care* 15, no. 2 (2011): 219.

6   . R. L. Veech et al., "Ketone Bodies, Potential Therapeutic Uses", *IUBMB Life* 51, no. 4 (2001): 241–47.

7   S. G. Jarrett et al., "The Ketogenic Diet Increases Mitochondrial Glutathione Levels", *Journal of Neurochemistry* 106, no. 3 (2008): 1044–51.

8   Sama Sleiman et al., "Exercise Promotes the Expression of Brain Derived Neurotrophic Factor (BDNF) through the Action of the Ketone Body â-Hydroxybutyrate", *Cell Biology* (2016).

9   Hasselbalch, "Changes in Cerebral Blood Flow."

10   Jean-Jacques Hublin and Michael P. Richards, eds., The Evolution of Hominin Diets: Integrating Approaches to the Study of Palaeolithic Subsistence (Springer Science & Business Media, 2009).

11   S. T. Henderson, "Ketone Bodies as a Therapeutic for Alzheimer's Disease", *Neurotherapeutics* 5, no. 3 (2008): 470–80.

12   S. Brandhorst et al., "A Periodic Diet that Mimics Fasting Promotes Multi-System Regeneration, Enhanced Cognitive Performance, and Healthspan", *Cell Metabolism* 22, no. 1 (2016): 86–99.

13   Caroline Rae et al., "Oral Creatine Monohydrate Supplementation Improves Brain Performance: A Double-Blind, Placebo-Controlled, Cross-over Trial", Proceedings of the Royal Society of London B: *Biological Sciences* 270, no. 1529 (2003): 2147–50.

14   J. Delanghe et al., "Normal Reference Values for Creatine, Creatinine, and Carnitine Are Lower in Vegetarians", *Clinical Chemistry* 35, no. 8 (1989): 1802–3.

15   Rafael Deminice et al., "Creatine Supplementation Reduces Increased Homocysteine Concentration Induced by Acute Exercise in Rats", *European Journal of Applied Physiology* 111, no. 11 (2011): 2663–70.

16   David Benton e Rachel Donohoe, "The Influence of Creatine Supplementation on the Cognitive Functioning of Vegetarians and Omnivores", *British Journal of Nutrition* 105, no. 7 (2011): 1100–1105.

17   Rachel N. Smith, Amruta S. Agharkar e Eric B. Gonzales, "A Review of Creatine Supplementation in Age-Related Diseases: More than a Supplement for Athletes", *F1000Research* 3 (2014).

18 Terry McMorris et al., "Creatine Supplementation and Cognitive Performance in Elderly Individuals", *Aging, Neuropsychology, and Cognition* 14, no. 5 (2007): 517–28.

19 M. P. Laakso et al., "Decreased Brain Creatine Levels in Elderly Apolipoprotein E å4 Carriers", *Journal of Neural Transmission* 110, no. 3 (2003): 267–75.

20 . A. L. Rogovik e R. D. Goldman, "Ketogenic Diet for *Treatment of Epilepsy*", Canadian Family Physician 56, no. 6 (2010): 540–42.

21 Zhong Zhao et al., "A Ketogenic Diet as a Potential Novel Therapeutic Intervention in Amyotrophic Lateral Sclerosis", *BMC* Neuroscience 7, no. 29 (2006).

22 R. Krikorian et al., "Dietary Ketosis Enhances Memory in Mild Cognitive Impairment", Neurobiology of Aging 425, no. 2 (2012): 425e19–27; Matthew Taylor et al., "Feasibility and efficacy data from a ketogenic diet intervention in Alzheimer's disease", *Alzheimer's & Dementia*: Translational Research and Clinical Interventions (2017).

23 S. Djiogue et al., "Insulin Resistance and Cancer: The Role of Insulin and IGFs", *Endocrine-Related Cancer* 20, no. 1 (2013): R1–17.

24 . Harber, "Alterations in Carbohydrate Metabolism".

25 Heikki Pentikäinen et al., "Muscle Strength and Cognition in Ageing Men and Women: The DR's EXTRA Study", *European Geriatric Medicine* 8 (2017).

26 Henderson, "Ketone Bodies as a Therapeutic".

27 E. M. Reiman et al., "Functional Brain Abnormalities in Young Adults at Genetic Risk for Late-Onset Alzheimer's Dementia", *Proceedings of the National Academy of Sciences USA* 101, no. 1 (2004): 284–89.

28 S. T. Henderson, "High Carbohydrate Diets and Alzheimer's Disease", *Medical Hypotheses* 62, no. 5 (2004): 689–700.

29 Hugh C. Hendrie et al., "APOE å4 and the Risk for Alzheimer Disease and Cognitive Decline in African Americans and Yoruba", *International Psychogeriatrics* 26, no. 6 (2014): 977–985.

30 Henderson, "High Carbohydrate Diets".

31 Konrad Talbot et al., "Demonstrated Brain Insulin Resistance in Alzheimer's Disease Patients Is Associated with IGF-1 Resistance, IRS-1 Dysregulation, and Cognitive Decline", *Journal of Clinical Investigation* 122, no. 4 (2012).

32 Dale E. Bredesen, "Reversal of Cognitive Decline: A Novel Therapeutic Program", *Aging* 6, no. 9 (2014): 707.

33 S. C. Cunnane et al., "Can Ketones Help Rescue Brain Fuel Supply in Later Life? Implications for Cognitive Health during Aging and the Treatment of Alzheimer's Disease", *Frontiers in Molecular Neuroscience* 9 (2016): 53.

34 M. Gasior, M. A. Rogawski e A. L. Hartman, "Neuroprotective and Disease-Modifying Effects of the Ketogenic Diet", Behavioral Pharmacology 17, nos. 5–6 (2006): 431–39.

35 S. L. Kesl et al., "Effects of Exogenous Ketone Supplementation on Blood Ketone, Glucose, Triglyceride, and Lipoprotein Levels in Sprague-Dawley Rats", *Nutrition & Metabolism London* 13 (2016): 9.

36 W. Zhao et al., "Caprylic Triglyceride as a Novel Therapeutic Approach to Effectively Improve the Performance and Attenuate the Symptoms Due to the Motor Neuron Loss in ALS Disease", *PLOS ONE* 7, no. 11 (2012): e49191.

37 D. Mungas et al., "Dietary Preference for Sweet Foods in Patients with Dementia", *Journal of the American Geriatric Society* 38, no. 9 (1990): 999–1007.

38 M. A. Reger et al., "Effects of Beta-Hydroxybutyrate on Cognition in Memory- Impaired Adults", *Neurobiology of Aging* 25, no. 3 (2004): 311–14.

39 Janet R. Hunt, "Bioavailability of Iron, Zinc, and Other Trace Minerals from Vegetarian Diets", *American Journal of Clinical Nutrition* 78, no. 3 (2003): 633S–39S.

40 Felice N. Jacka et al., "Red Meat Consumption and Mood and Anxiety Disorders", *Psychotherapy and Psychosomatics* 81, no. 3 (2012): 196–98.

41 Charlotte G. Neumann et al., "Meat Supplementation Improves Growth, Cognitive, and Behavioral Outcomes in Kenyan Children", *Journal of Nutrition* 137, no. 4 (2007): 1119–23.

42 Shannon P. McPherron et al., "Evidence for Stone-Tool-Assisted Consumption of Animal Tissues before 3.39 Million Years Ago at Dikika, Ethiopia", *Nature* 466, no. 7308 (2010): 857–60.

43 M. Gibis, "Effect of Oil Marinades with Garlic, Onion, and Lemon Juice on the Formation of Heterocyclic Aromatic Amines in Fried Beef Patties", *Journal of Agricultural Food Chemistry* 55, no. 25 (2007): 10240–47.

44 Wataru Yamadera et al., "Glycine Ingestion Improves Subjective Sleep Quality in Human Volunteers, Correlating with Polysomnographic Changes", *Sleep and Biological Rhythms* 5, no. 2 (2007): 126–31; Makoto Bannai et al., "Oral Administration of Glycine Increases Extracellular Serotonin but Not Dopamine in the Prefrontal Cortex of Rats", *Psychiatry and Clinical Neurosciences* 65, no. 2 (2011): 142–49.

ALIMENTO PARA O CÉREBRO #6: CARNE DE BOI CRIADO EM PASTO

CAPÍTULO 7: SIGA SUA INTUIÇÃO

1 Camilla Urbaniak et al., "Microbiota of Human Breast Tissue", *Applied and Environmental Microbiology* 80, no. 10 (2014): 3007–14.

2 American Society for Microbiology, "Cities Have Individual Microbial Signatures", *ScienceDaily*, April 19, 2016, https://www.sciencedaily.com/releases/2016/04/160 419144724.htm.

3 Ron Sender, Shai Fuchs e Ron Milo, "Revised Estimates for the Number of Human and Bacteria Cells in the Body", *PLOS Biology* 14, no. 8 (2016): e1002533.

4 Mark Bowden, "The Measured Man", Atlantic, 19 fevereiro 2014, https://www.theatlantic.com/magazine/archive/2012/07/the-measured-man/309018/.

5 Robert A. Koeth et al., "Intestinal Microbiota Metabolism of L-Carnitine, a Nutrient in Red Meat, Promotes Atherosclerosis", *Nature Medicine* 19, no. 5 (2013): 576–85.

NOTAS

6 Jeff Leach, "From Meat to Microbes to Main Street: Is It Time to Trade In Your George Foreman Grill?" *Human Food Project*, April 18, 2013, http://www.humanfood project.com/from-meat-to-microbes-to-main-street-is-it-time-to-trade-in-your-george-foreman-grill/.

7 Francesca De Filippis et al., "High-Level Adherence to a Mediterranean Diet Benefi-cially Impacts the Gut Microbiota and Associated Metabolome", *Gut* 65, no. 11 (2015).

8 Roberto Berni Canani, Margherita Di Costanzo e Ludovica Leone, "The Epigenetic Effects of Butyrate: Potential Therapeutic Implications for Clinical Practice", *Clinical Epigenetics* 4, no. 1 (2012): 4.

9 K. Meijer, P. de Vos e M. G. Priebe, "Butyrate and Other Short-Chain Fatty Acids as Modulators of Immunity: What Relevance for Health?" Current Opinion in *Clinical Nutrition & Metabolic Care* 13, no. 6 (2010): 715–21.

10 A. L. Marsland et al., "Interleukin-6 Covaries Inversely with Cognitive Performance among Middle-Aged Community Volunteers", *Psychosomatic Medicine* 68, no. 6 (2006): 895–903.

11 Yasumichi Arai et al., "Inflammation, but Not Telomere Length, Predicts Successful Ageing at Extreme Old Age: A Longitudinal Study of Semi-supercentenarians", *EBio-Medicine* 2, no. 10 (2015): 1549–58.

12 Christopher J. L. Murray et al., "Global, Regional, and National Disability-Adjusted Life Years (DALYs) for 306 Diseases and Injuries and Healthy Life Expectancy (HALE) for 188 Countries, 1990–2013: Quantifying the Epidemiological Transition", *Lancet* 386, no. 10009 (2015): 2145–91.

13 .Bamini Gopinath et al., "Association between Carbohydrate Nutrition and Successful Aging over 10 Years", *Journals of Gerontology* 71, no. 10 (2016): 1335–40.

14 H. Okada et al., "The 'Hygiene Hypothesis' for Autoimmune and Allergic Diseases: An Update", *Clinical & Experimental Immunology* 160, no. 1 (2010): 1–9.

15 S. Y. Kim et al., "Differential Expression of Multiple Transglutaminases in Human Brain. Increased Expression and Cross-Linking by Transglutaminases 1 and 2 in Alzheimer's Disease", *Journal of Biological Chemistry* 274, no. 43 (1999): 30715–21; G. Andringa et al., "Tissue Transglutaminase Catalyzes the Formation of Alpha-Synuclein Crosslinks in Parkinson's Disease", *FASEB Journal* 18, no. 7 (2004): 932–34; A. Gadoth et al., "Transglutaminase 6 Antibodies in the Serum of Patients with Amyotrophic Lateral Sclerosis", *JAMA Neurology* 72, no. 6 (2015): 676–81.

16 C. L. Ch'ng et al., "Prospective Screening for Coeliac Disease in Patients with Graves' Hyperthyroidism Using Anti-gliadin and Tissue Transglutaminase Antibodies", *Clinical Endocrinology Oxford* 62, no. 3 (2005): 303–6.

17 Clare Wotton e Michael Goldacre, "Associations between Specific Autoimmune Diseases and Subsequent Dementia: Retrospective Record-Linkage Cohort Study, UK", *Journal of Epidemiology & Community Health* 71, no. 6 (2017).

18 C. L. Ch'ng, M. K. Jones e J. G. Kingham, "Celiac Disease and Autoimmune Thyroid Disease", *Clinical Medicine Research* 5, no. 3 (2007): 184–92.

19 . Julia Bollrath e Fiona Powrie, "Feed Your Tregs More Fiber", *Science* 341, no. 6145 (2013): 463–64.

20 Paola Bressan e Peter Kramer, "Bread and Other Edible Agents of Mental Disease", *Frontiers in Human Neuroscience* 10 (2016).

21 Alessio Fasano, "Zonulin, Regulation of Tight Junctions, and Autoimmune Diseases", *Annals of the New York Academy of Sciences* 1258, no. 1 (2012): 25–33.

22 R. Dantzer et al., "From Inflammation to Sickness and Depression: When the Immune System Subjugates the Brain", *Nature Reviews Neuroscience* 9, no. 1 (2008): 46–56.

23 A. H. Miller, V. Maletic e C. L. Raison, "Inflammation and Its Discontents: The Role of Cytokines in the Pathophysiology of Major Depression", *Biological Psychiatry* 65, no. 9 (2009): 732–41.

24 "Depression", World Health Organization, fevereiro 2017, http://www.who.int/mediacentre/factsheets/fs369/en/.

25 Alessio Fasano, "Zonulin and Its Regulation of Intestinal Barrier Function: The Biological Door to Inflammation, Autoimmunity, and Cancer", *Physiological Reviews* 91, no. 1 (2011): 151–75; E. Lionetti et al., "Gluten Psychosis: Confirmation of a New Clinical Entity", *Nutrients* 7, no. 7 (2015): 5532–39.

26 Melanie Uhde et al., "Intestinal Cell Damage and Systemic Immune Activation in Individuals Reporting Sensitivity to Wheat in the Absence of Coeliac Disease", *Gut* 65, no. 12 (2016).

27 Blaise Corthésy, H. Rex Gaskins e Annick Mercenier, "Cross-talk between Probiotic Bacteria and the Host Immune System", *Journal of Nutrition* 137, no. 3 (2007): 781S–90S.

28 . S. Bala et al., "Acute Binge Drinking Increases Serum Endotoxin and Bacterial DNA Levels in Healthy Individuals", *PLOS ONE* 9, no. 5 (2014): e96864.

29 V. Purohit et al., "Alcohol, Intestinal Bacterial Growth, Intestinal Permeability to Endotoxin, and Medical Consequences: A Summary of a Symposium", *Alcohol* 42, no. 5 (2008): 349–61.

30 Manfred Lamprecht e Anita Frauwallner, "Exercise, Intestinal Barrier Dysfunction and Probiotic Supplementation", *Acute Topics in Sport Nutrition* 59 (2012): 47–56.

31 Angela E. Murphy, Kandy T. Velazquez, and Kyle M. Herbert, "Influence of High-Fat Diet on Gut Microbiota: A Driving Force for Chronic Disease Risk", *Current Opinion in Clinical Nutrition and Metabolic Care* 18, no. 5 (2015): 515.

32 J. R. Rapin e N. Wiernsperger, "Possible Links between Intestinal Permeability and Food Processing: A Potential Therapeutic Niche for Glutamine", *Clinics Sao Paulo* 65, no. 6 (2010): 635–43.

33 E. Gaudier et al., "Butyrate Specifically Modulates MUC Gene Expression in Intestinal Epithelial Goblet Cells Deprived of Glucose", *American Journal of Physiology– Gastrointestinal and Liver Physiology* 287, no. 6 (2004): G1168–74.

34 Thi Loan Anh Nguyen et al., "How Informative Is the Mouse for Human Gut Microbiota Research?" *Disease Models & Mechanisms* 8, no. 1 (2015): 1–16.

35 Benoit Chassaing et al., "Dietary Emulsifiers Impact the Mouse Gut Microbiota Promoting Colitis and Metabolic Syndrome", *Nature* 519, no. 7541 (2015): 92–96.

NOTAS | 301

36 Ian Sample, "Probiotic Bacteria May Aid Against Anxiety and Memory Problems", Guardian, October 18, 2015, https://www.theguardian.com/science/2015/oct/18/probiotic-bacteria--bifidobacterium-longum-1714-anxiety-memory-study.

37 Merete Ellekilde et al., "Transfer of Gut Microbiota from Lean and Obese Mice to Antibiotic-Treated Mice", Scientific Reports 4 (2014): 5922; Peter J. Turnbaugh et al., "An Obesity-Associated Gut Microbiome with Increased Capacity for Energy Harvest", *Nature* 444, no. 7122 (2006): 1027–131.

38 Kirsten Tillisch et al., "Brain Structure and Response to Emotional Stimuli as Related to Gut Microbial Profiles in Healthy Women", *Psychosomatic Medicine* 79, no. 8 (2017).

39 Giada De Palma et al., "Transplantation of Fecal Microbiota from Patients with Irritable Bowel Syndrome Alters Gut Function and Behavior in Recipient Mice", *Science Translational Medicine* 9, no. 379 (2017): eaaf6397.

40 Leach, "From Meat to Microbes to Main Street"; Gary D. Wu et al., "Linking Long-Term Dietary Patterns with Gut Microbial Enterotypes", *Science* 334, no. 6052 (2011): 105–8.

41 Bruce Goldman, "Low-Fiber Diet May Cause Irreversible Depletion of Gut Bacteria over Generations", *Stanford Medicine News Center*, 13 janeiro 2016, http://med.stanford.edu/news/all-news/2016/01/low-fiber-diet-may-cause-irreversible-depletion-of-gut-bacteria.html.

42 T. K. Schaffer et al., "Evaluation of Antioxidant Activity of Grapevine Leaves Extracts (Vitis labrusca) in Liver of Wistar Rats", Anais da Academia Brasileira de Ciências 88, no. 1 (2016): 187–96; T. Taira et al., "Dietary Polyphenols Increase Fecal Mucin and Immunoglobulin A and Ameliorate the Disturbance in Gut Microbiota Caused by a High Fat Diet", *Journal of Clinical Biochemical Nutrition* 57, no. 3 (2015): 212–16.

43 Pranita Tamma e Sara Cosgrove, "Addressing the Appropriateness of Outpatient Antibiotic Prescribing in the United States", *Journal of the American Medical Association* 315, no. 17 (2016): 1839–41.

44 R. Dunn et al., "Home Life: Factors Structuring the Bacterial Diversity Found within and between Homes", PLOS ONE 8, no. 5 (2013): e64133; Uppsala Universitet, "Early Contact with Dogs Linked to Lower Risk of Asthma", *ScienceDaily*, 2 novembro 2015, https://www.sciencedaily.com/releases/2015/11/151102143636.htm.

45 M. Samsam, R. Ahangari e S. A. Naser, "Pathophysiology of Autism Spectrum Disorders: Revisiting Gastrointestinal Involvement and Immune Imbalance", *World Journal of Gastroenterology* 20, no. 29 (2014): 9942–51.

46 Elisabeth Svensson et al., "Vagotomy and Subsequent Risk of Parkinson's Disease", *Annals of Neurology* 78, no. 4 (2015): 522–29.

47 Floyd Dewhirst et al., "The Human Oral Microbiome", *Journal of Bacteriology* 192, no. 19 (2010): 5002–17.

48 M. Ide et al., "Periodontitis and Cognitive Decline in Alzheimer's Disease", *PLOS ONE* 11, no. 3 (2016): e0151081.

CAPÍTULO 8: QUADRO DE CONTROLE QUÍMICO DO CÉREBRO

1 Uwe Rudolph, "GABAergic System", *Encyclopedia of Molecular Pharmacology*, 515–19.

2 William McEntee e Thomas Crook, "Glutamate: Its Role in Learning, Memory, and the Aging Brain", *Psychopharmacology* 111, no. 4 (1993): 391–401.

3 "Disease Mechanisms", *ALS Association*, accessed November 7, 2017, http://www.alsa.org/research/focus-areas/disease-mechanisms.

4 Javier A. Bravo et al., "Ingestion of Lactobacillus Strain Regulates Emotional Behavior and Central GABA Receptor Expression in a Mouse via the Vagus Nerve", Proceedings of the *National Academy of Sciences* 108, no. 38 (2011): 16050–55.

5 Expertanswer, "Lactobacillus reuteri Good for Health, Swedish Study Finds", *Science Daily*, 4 novembro 2010, https://www.sciencedaily.com/releases/2010/11/1011021 31302.htm.

6 Richard Maddock et al., "Acute Modulation of Cortical Glutamate and GABA Content by Physical Activity", *Journal of Neuroscience* 36, no. 8 (2016): 2449–57.

7 Eric Herbst e Graham Holloway, "Exercise Increases Mitochondrial Glutamate Oxidation in the Mouse Cerebral Cortex", Applied *Physiology, Nutrition, and Metabolism* 41, no. 7 (2016): 799–801.

8 Boston University, "Yoga May Elevate Brain GABA Levels, Suggesting Possible Treatment for Depression", *ScienceDaily*, 22 maio 2007, https://www.sciencedaily.com/releases/2007/05/070521145516.htm.

9 T. M. Makinen et al., "Autonomic Nervous Function during Whole-Body Cold Exposure before and after Cold Acclimation", *Aviation, Space, and Environmental Medicine* 79, no. 9 (2008): 875–82.

10 K. Rycerz e J. E. Jaworska-Adamu, "Effects of Aspartame Metabolites on Astrocytes and Neurons", *Folia Neuropathological* 51, no. 1 (2013): 10–17.

11 Xueya Cai et al., "Long-Term Anticholinergic Use and the Aging Brain", *Alzheimer's & Dementia* 9, no. 4 (2013): 377–85.

12 Shelly Gray et al., "Cumulative Use of Strong Anticholinergics and Incident Dementia: A Prospective Cohort Study", *JAMA Internal Medicine* 175, no. 3 (2015): 401–7.

13 Richard Wurtman, "Effects of Nutrients on Neurotransmitter Release", in Food Components to Enhance Performance: An Evaluation of Potential Performance-Enhancing Food Components for Operational Rations, ed. Bernadette M. Marriott (Washington, DC: National Academies Press, 1994).

14 Institute of Medicine, "Choline", in Dietary Reference Intakes for Thiamin, Riboflavin, Niacin, Vitamin B6, Folate, Vitamin B12, Pantothenic Acid, Biotin, and Choline (Washington, DC: National Academies Press, 1998).

15 Helen Jensen et al., "Choline in the Diets of the US Population: NHANES, 2003– 2004", *FASEB Journal* 21 (2007): LB46.

NOTAS

16   Roland Griffiths et al., "Psilocybin Produces Substantial and Sustained Decreases in Depression and Anxiety in Patients with Life-Threatening Cancer", *Journal of Psychopharmacology* 30, no. 12 (2016).

17   S. N. Young, "Acute Tryptophan Depletion in Humans: A Review of Theoretical, Practical, and Ethical Aspects", Journal of Psychiatry & Neuroscience 38, no. 5 (2013): 294–305.

18   S. N. Young e M. Leyton, "The Role of Serotonin in Human Mood and Social Interaction.Insight from Altered Tryptophan Levels", *Pharmacology Biochemistry and Behavior* 71, no. 4 (2002): 857–65.

19   S. N. Young et al., "Bright Light Exposure during Acute Tryptophan Depletion Prevents a Lowering of Mood in Mildly Seasonal Women", *European Neuropsychopharmacology* 18, no. 1 (2008): 14–23.

20   R. P. Patrick e B. N. Ames, "Vitamin D and the Omega-3 Fatty Acids Control Serotonin Synthesis and Action, Part 2: Relevance for ADHD, Bipolar Disorder, Schizophrenia, and Impulsive Behavior", *FASEB Journal* 29, no. 6 (2015): 2207–22.

21   Roni Caryn Rabin, "A Glut of Antidepressants", *New York Times*, 12 agosto 2013, https://well.blogs.nytimes.com/2013/08/12/a-glut-of-antidepressants/?mcubz=0.

22   Jay Fournier et al., "Antidepressant Drug Effects and Depression Severity: A Patient-Level Meta-analysis", *Journal of the American Medical Association* 303, no. 1 (2010): 47–53.

23   Ibid.; A. L. Lopresti e P. D. Drummond, "Efficacy of Curcumin, and a Saffron /Curcumin Combination for the Treatment of Major Depression: A Randomised, Double- Blind, Placebo-Controlled Study", *Journal of Affective Disorders* 201 (2017): 188–96.

24   F. Chaouloff et al., "Motor Activity Increases Tryptophan, 5-Hydroxyindoleacetic Acid, and Homovanillic Acid in Ventricular Cerebrospinal Fluid of the Conscious Rat", *Journal of Neurochemistry* 46, no. 4 (1986): 1313–16.

25   Stephane Thobois et al., "Role of Dopaminergic Treatment in Dopamine Receptor Down-Regulation in Advanced Parkinson Disease: A Positron Emission Tomographic Study", *JAMA Neurology* 61, no. 11 (2004): 1705–9.

26   Richard A. Friedman, "A Natural Fix for A.D.H.D.", *New York Times*, 31 outubro 2014, https://www.nytimes.com/2014/11/02/opinion/sunday/a-natural-fix-for-adhd.html? mcubz=0.

27   Matt McFarland, "Crazy Good: How Mental Illnesses Help Entrepreneurs Thrive", *Washington Post*, 29 abril 2015, https://www.washingtonpost.com/news/innovations /wp/2015/04/29/crazy-good-how-mental-illnesses-help-entrepreneurs-thrive/?utm _term=.37b4bc5bc699.

28   P. Rada, N. M. Avena e B. G. Hoebel, "Daily Bingeing on Sugar Repeatedly Releases Dopamine in the Accumbens Shell", *Neuroscience* 134, no. 3 (2005): 737–44.

29   Fengqin Liu et al., "It Takes Biking to Learn: Physical Activity Improves Learning a Second Language", *PLOS ONE* 12, no. 5 (2017): e0177624.

30   B. J. Cardinal et al., "If Exercise Is Medicine, Where Is Exercise in Medicine? Review of U.S. Medical Education Curricula for Physical Activity-Related Content", *Journal of Physical Activity and Health* 12, no. 9 (2015): 1336–45.

31 K. Kukkonen-Harjula et al., "Haemodynamic and Hormonal Responses to Heat Exposure in a Finnish Sauna Bath", *European Journal of Applied Physiology and Occupational Physiology* 58, no. 5 (1989): 543–50.

32 T. Laatikainen et al., "Response of Plasma Endorphins, Prolactin and Catecholamines in Women to Intense Heat in a Sauna", *European Journal of Applied Physiology and Occupational Physiology* 57, no. 1 (1988): 98–102.

33 P. Sramek et al., "Human Physiological Responses to Immersion into Water of Different Temperatures", *European Journal of Applied Physiology* 81, no. 5 (2000): 436–42.

34 McGill University, "Vulnerability to Depression Linked to Noradrenaline", EurekAlert!, 15 fevereiro 2016, https://www.eurekalert.org/pub_releases/2016-02/mu -vtd021216.php. McGill University, "Vulnerability to Depression Linked to Noradrenaline", *EurekAlert!*, 15 fevereiro 2016, https://www.eurekalert.org/pub_releases/2016-02/mu -vtd021216.php.

35 M. T. Heneka et al., "Locus Ceruleus Controls Alzheimer's Disease Pathology by Modulating Microglial Functions through Norepinephrine", *Proceedings of the National Academy of Sciences USA* 107, no. 13 (2010): 6058–63.

36 Ibid.

37 University of Southern California, "Researchers Highlight Brain Region as 'Ground Zero' of Alzheimer's Disease: Essential for Maintaining Cognitive Function as a Person Ages, the Tiny Locus Coeruleus Region of the Brain Is Vulnerable to Toxins and Infection", *ScienceDaily*, 16 fevereiro 2016, https://www.sciencedaily.com/re leases/2016/02/160216142835.htm.

38 A. Samara, "Single Neurons Needed for Brain Asymmetry Studies", Frontiers in Genetics 16, no. 4 (2014): 311.

39 M. S. Parihar e G. J. Brewer, "Amyloid-β as a Modulator of Synaptic Plasticity", *Journal of Alzheimer's Disease* 22, no. 3 (2010): 741–63.

40 Ganesh Shankar e Dominic Walsh, "Alzheimer's Disease: Synaptic Dysfunction and Aâ", *Molecular Neurodegeneration* 4, no. 48 (2009).

41 Gianni Pezzoli e Emanuele Cereda, "Exposure to Pesticides or Solvents and Risk of Parkinson Disease", *Neurology* 80, no. 22 (2013): 2035–41.

42 T. P. Brown et al., "Pesticides and Parkinson's Disease—Is There a Link?" *Environmental Health Perspectives* 114, no. 2 (2006): 156–64.'

43 Grant Kauwe et al., "Acute Fasting Regulates Retrograde Synaptic Enhancement through a 4E-BP-Dependent Mechanism", *Neuron* 92, no. 6 (2016): 1204–12.

44 Jonah Lehrer, "The Neuroscience of Inception", *Wired*, July 26, 2010, https://www.wired.com/2010/07/the-neuroscience-of-inception/.

45 Steven James et al., "Hominid Use of Fire in the Lower and Middle Pleistocene: A Review of the Evidence", *Current Anthropology* 30, no. 1 (1989).

NOTAS

ALIMENTO PARA O CÉREBRO #8: BRÓCOLIS

1   S. K. Ghawi, L. Methven e K. Niranjan, "The Potential to Intensity Sulforaphane Formation in Cooked Broccoli (Brassica oleracea var. italica) Using Mustard Seeds (Sinapis alba)", *Food Chemistry* 138, nos. 2–3 (2013): 1734–41.

CAPÍTULO 9: SONO SAGRADO (E OS AJUDANTES HORMONAIS)

1   J. Zhang et al., "Extended Wakefulness: Compromised Metabolics in and Degeneration of Locus Ceruleus Neurons", *Journal of Neuroscience* 34, no. 12 (2014): 4418–31.

2   C. Benedict et al., "Acute Sleep Deprivation Increases Serum Levels of Neuron-Specific Enolase (NSE) and S100 Calcium Binding Protein B (S-100B) in Healthy Young Men", *Sleep* 37, no. 1 (2014): 195–98.

3   *National Sleep Foundation*, "Bedroom Poll", acessado em 7 novembro 2017, https://sleepfoundation.org/sites/default/files/bedroompoll/NSF_Bedroom_Poll_Report.pdf.

4   American Psychological Association, "Stress in America: Our Health at Risk", 11 janeiro 2012, http://www.apa.org/news/press/releases/stress/2011/final-2011.pdf.

5   A. P. Spira et al., "Self-Reported Sleep and â-amyloid Deposition in Community-Dwelling Older Adults", *JAMA Neurology* 70, no. 12 (2013): 1537–43.

6   Huixia Ren et al., "Omega-3 Polyunsaturated Fatty Acids Promote Amyloid-â Clearance from the Brain through Mediating the Function of the Glymphatic System", *FASEB Journal* 31, no. 1 (2016).

7   A. Afaghi, H. O'Connor e C. M. Chow, "Acute Effects of the Very Low Carbohydrate Diet on Sleep Indices", *Nutritional Neuroscience* 11, no. 4 (2008): 146–54.

8   Marie-Pierre St-Onge et al., "Fiber and Saturated Fat Are Associated with Sleep Arousals and Slow Wave Sleep", *Journal of Clinical Sleep Medicine* 12, no. 1 (2016): 19–24.

9   Seung-Gul Kang et al., "Decrease in fMRI Brain Activation during Working Memory Performed after Sleeping under 10 Lux Light", *Scientific Reports* 6 (2016): 36731.

10   Cibele Aparecida Crispim et al., "Relationship between Food Intake and Sleep Pattern in Healthy Individuals", *Journal of Clinical Sleep Medicine* 7, no. 6 (2011): 659.

11   E. Donga et al., "A Single Night of Partial Sleep Deprivation Induces Insulin Resistance in Multiple Metabolic Pathways in Healthy Subjects", *Journal of Endocrinology Metabolism* 95, no. 6 (2010): 2963–68.

12   University of Chicago Medical Center, "Weekend Catch-Up Sleep Can Reduce Diabetes Risk Associated with Sleep Loss", *ScienceDaily*, 18 janeiro 2016, https://www.sciencedaily.com/releases/2016/01/160118184342.htm.

13   S. M. Schmid et al., "A Single Night of Sleep Deprivation Increases Ghrelin Levels and Feelings of Hunger in Normal-Weight Healthy Men", *Journal of Sleep Research* 17, no. 3 (2008): 3313–14.

14   M. Dirlewanger et al., "Effects of Short-Term Carbohydrate or Fat Overfeeding on Energy Expenditure and Plasma Leptin Concentrations in Healthy Female Subjects", International Journal of Obesity 24, no. 11 (2000): 1413-18; M. Wabitsch et al., "Insulin and Cortisol Promote Leptin Production in Cultured Human Fat Cells", Diabetes 45, no. 10 (Janeiro 1996): 1435-38.

15   W. A. Banks et al., "Triglycerides Induce Leptin Resistance at the Blood-Brain Barrier", Diabetes 53, no. 5 (2004): 1253-60.

16   E. A. Lawson et al., "Leptin Levels Are Associated with Decreased Depressive Symptoms in Women across the Weight Spectrum, Independent of Body Fat", Clinical Endocrinology—Oxford 76, no. 4 (2012): 520-25.

17   L. D. Baker et al., "Effects of Growth Hormone–Releasing Hormone on Cognitive Function in Adults with Mild Cognitive Impairment and Healthy Older Adults: Results of a Controlled Trial", Archives of Neurology 69, no. 11 (2012): 1420-29.

18   . Helene Norrelund, "The Metabolic Role of Growth Hormone in Humans with Particular Reference to Fasting", Growth Hormone & IGF Research 15, no. 2 (2005): 95-122.

19   Intermountain Medical Center, "Routine Periodic Fasting Is Good for Your Health, and Your Heart, Study Suggests", ScienceDaily, 20 maio 2011, https://www.sciencedaily.com/releases/2011/04/110403090259.htm.

20   Kukkonen-Harjula et al., "Haemodynamic and Hormonal Responses".

21   . S. Debette et al., "Visceral Fat Is Associated with Lower Brain Volume in Healthy Middle-Aged Adults", Annals of Neurology 68, no. 2 (2010): 136-44.

22   E. S. Epel et al., "Stress and Body Shape: Stress-Induced Cortisol Secretion Is Consistently Greater among Women with Central Fat", Psychosomatic Medicine 62, no. 5 (2000): 623-32.

23   W. Turakitwanakan, C. Mekseepralard e P. Busarakumtragul, "Effects of Mindfulness Meditation on Serum Cortisol of Medical Students", Journal of the Medical Association of Thailand 96, supplement 1 (2013): S90-95.

24   R. Berto, "The Role of Nature in Coping with Psycho-Physiological Stress: A Literature Review on Restorativeness", Behavioral Sciences 4, no. 4 (2014): 394-409.

25   T. Watanabe et al., "Green Odor and Depressive-like State in Rats: Toward an Evidence-Based Alternative Medicine?" Behavioural Brain Research 224, no. 2 (2011): 290-96.

26   C. D. Conrad, "Chronic Stress-Induced Hippocampal Vulnerability: The Glucocorticoid Vulnerability Hypothesis", Reviews in the Neurosciences 19, no. 6 (2008): 395-411.

27   J. J. Kulstad et al., "Effects of Chronic Glucocorticoid Administration on Insulin-Degrading Enzyme and Amyloid-Beta Peptide in the Aged Macaque", Journal of Neuropathology & Experimental Neurology 64, no. 2 (2005): 139-46.

ALIMENTO PARA O CÉREBRO #9: SALMÃO SELVAGEM

1   Staubo, "Mediterranean Diet".

NOTAS

CAPÍTULO 10: AS VIRTUDES DO ESTRESSE (OU COMO SE TORNAR UM ORGANISMO MAIS ROBUSTO)

1   Elsevier Health Sciences, "Prolonged Daily Sitting Linked to 3.8 Percent of All-Cause Deaths", *EurekAlert!*, 26 março 2016, https://www.eurekalert.org/pub_releases/2016-03/ehs-pds032316.php.

2   University of Utah Health Sciences, "Walking an Extra Two Minutes Each Hour May Offset Hazards of Sitting Too Long", *ScienceDaily*, 30 abril 2015, https://www.sciencedaily.com/releases/2015/04/150430170715.htm.

3   University of Cambridge, "An Hour of Moderate Exercise a Day Enough to Counter Health Risks from Prolonged Sitting", *ScienceDaily*, 27 julho 2016, https://www.sciencedaily.com/releases/2016/07/160727194405.htm.

4   Kirk Erickson et al., "Exercise Training Increases Size of Hippocampus and Improves Memory", Proceedings of the *National Academy of Sciences* 108, no. 7 (2010): 3017–22.

5   Dena B. Dubal et al., "Life Extension Factor Klotho Enhances Cognition", *Cell Reports* 7, no. 4 (2014): 1065–76.

6   Keith G. Avin et al., "Skeletal Muscle as a Regulator of the Longevity Protein, Klotho", *Frontiers in Physiology* 5 (2014).

7   J. C. Smith et al., "Semantic Memory Functional MRI and Cognitive Function after Exercise Intervention in Mild Cognitive Impairment", *Journal of Alzheimer's Disease* 37, no. 1 (2013).

8   Jennifer Steiner et al., "Exercise Training Increases Mitochondrial Biogenesis in the Brain", *Journal of Applied Physiology* 111, no. 4 (2011): 1066–71.

9   "Fit Legs Equals Fit Brain, Study Suggests", *BBC.com*, 10 novembro 2015, http://www.bbc.com/news/health-34764693.

10 Mari-Carmen Gomez-Cabrera et al., "Oral Administration of Vitamin C Decreases Muscle Mitochondrial Biogenesis and Hampers Training-Induced Adaptations in Endurance Performance", *The American Journal of Clinical Nutrition* 87, no. 1 (2008): 142–49.

11 "Housing", Statistics Finland, 15 maio 2017, http://www.stat.fi/tup/suoluk/suoluk_asuminen_en.html.

12 M. Goekint et al., "Influence of Citalopram and Environmental Temperature on Exercise-Induced Changes in BDNF", *Neuroscience Letters* 494, no. 2 (2011): 150–54.

13 Mark Maynard et al., "Ambient Temperature Influences the Neural Benefits of Exercise", *Behavioural Brain Research* 299 (2016): 27–31.

14 Simon Zhornitsky et al., "Prolactin in Multiple Sclerosis", *Multiple Sclerosis Journal* 19, no. 1 (2012): 15–23.

15 Laatikainen, "Response of Plasma Endorphins".

16 Wouter van Marken Lichtenbelt et al., "Healthy Excursions outside the Thermal Comfort Zone", *Building Research & Information* 45, no. 7 (2017): 1–9.

17 Denise de Ridder et al., "Always Gamble on an Empty Stomach: Hunger Is Associated with Advantageous Decision Making", *PLOS ONE* 9, no. 10 (2014): E111081.

18 M. Alirezaei et al., "Short-Term Fasting Induces Profound Neuronal Autophagy", *Autophagy* 6, no. 6 (2010): 702–10.

19 Megumi Hatori et al., "Time-Restricted Feeding without Reducing Caloric Intake Prevents Metabolic Diseases in Mice Fed a High-Fat Diet", *Cell Metabolism* 15, no. 6 (2012): 848–60.

20 F. B. Aksungar, A. E. Topkaya e M. Akyildiz, "Interleukin-6, C-Reactive Protein and Biochemical Parameters during Prolonged Intermittent Fasting", Annals of *Nutrition and Metabolism* 51, no. 1 (2007): 88–95; J. B. Johnson et al., "Alternate Day Calorie Restriction Improves Clinical Findings and Reduces Markers of Oxidative Stress and Inflammation in Overweight Adults with Moderate Asthma", *Free Radical Biology & Medicine* 42, no. 5 (2007): 665–74.

21 Kauwe, "Acute Fasting".

22 Gary Wisby, "Krista Varady Weighs in on How to Drop Pounds", UIC Today, 5 fevereiro 2013, https://news.uic.edu/krista-varady-weighs-in-on-how-to-drop-pounds -fast.

23 Jan Moskaug et al., "Polyphenols and Glutathione Synthesis Regulation", *American Journal of Clinical Nutrition* 81, no. 1 (2005): 277S–835.

24 . P. G. Paterson et al., "Sulfur Amino Acid Deficiency Depresses Brain Glutathione Concentration", *Nutritional Neuroscience* 4, no. 3 (2001): 213–22.

25 Caroline M. Tanner et al., "Rotenone, Paraquat, and Parkinson's Disease", *Environmental Health Perspectives* 119, no. 6 (2011): 866–72.

26 Claudiu-Ioan Bunea et al., "Carotenoids, Total Polyphenols and Antioxidant Activity of Grapes (Vitis vinifera) Cultivated in Organic and Conventional Systems", *Chemistry Central Journal* 6, no. 1 (2012): 66.

27 Vanderbilt University Medical Center, "Eating Cruciferous Vegetables May Improve Breast Cancer Survival", *ScienceDaily*, 3 abril 2012, https://www.sciencedaily.com /releases/2012/04/120403153531.htm.

28 B. E. Townsend e R. W. Johnson, "Sulforaphane Reduces Lipopolysaccharide-Induced Proinflammatory Markers in Hippocampus and Liver but Does Not Improve Sickness Behavior", *Nutritional Neuroscience* 20, no. 3 (2017): 195–202.

29 K. Singh et al., "Sulforaphane Treatment of Autism Spectrum Disorder (ASD)", Proceedings of the *National Academy of Science* USA 111, no. 43 (2014): 15550–55.

ALIMENTO PARA O CÉREBRO #10: AMÊNDOAS

1 Z. Liu et al., "Prebiotic Effects of Almonds and Almond Skins on Intestinal Microbiota in Healthy Adult Humans", *Anaerobe* 26 (2014): 1–6.

2 A. Wu, Z. Ying e F. Gomez-Pinilla, "The Interplay between Oxidative Stress and Brain-Derived Neurotrophic Factor Modulates the Outcome of a Saturated Fat Diet on Synaptic Plasticity and Cognition", European Journal of Neuroscience 19, no. 7 (2004): 1699–707.

3 A. J. Perkins et al., "Association of Antioxidants with Memory in a Multiethnic Elderly Sample Using the Third National Health and Nutrition Examination Survey", American Journal of Epidemiology 150, no. 1 (1999): 37–44.

4 R. Yaacoub et al., "Formation of Lipid Oxidation and Isomerization Products during Processing of Nuts and Sesame Seeds", Journal of Agricultural and Food Chemistry 56, no. 16 (2008): 7082–90.

5 A. Veronica Witte et al., "Effects of Resveratrol on Memory Performance, Hippocampal Functional Connectivity, and Glucose Metabolism in Healthy Older Adults", Journal of Neuroscience 34, no. 23 (2014): 7862–70.

CAPÍTULO 11: O PLANO ALIMENTO PARA O CÉREBRO

1 Tao Huang et al., "Genetic Susceptibility to Obesity, Weight-Loss Diets, and Improvement of Insulin Resistance and Beta-Cell Function: The POUNDS Lost Trial", American Diabetes Association—76th Scientific Sessions (2016).

2 Karina Fischer et al., "Cognitive Performance and Its Relationship with Postprandial Metabolic Changes after Ingestion of Different Macronutrients in the Morning", British Journal of Nutrition 85, no. 3 (2001): 393–405.

3 E. Fiedorowicz et al., "The Influence of μ-Opioid Receptor Agonist and Antagonist Peptides on Peripheral Blood Mononuclear Cells (PBMCs)", Peptides 32, no. 4 (2011): 707–12.

4 Anya Topiwala et al., "Moderate Alcohol Consumption as Risk Factor for Adverse Brain Outcomes and Cognitive Decline: Longitudinal Cohort Study", BMJ 357 (2017): j2353.

5 P. N. Prinz et al., "Effect of Alcohol on Sleep and Nighttime Plasma Growth Hormone and Cortisol Concentrations", Journal of Clinical and Endocrinology and Metabolism 51, no. 4 (1980): 759–64.

6 S. D. Pointer et al., "Dietary Carbohydrate Intake, Insulin Resistance and Gastrooesophageal Reflux Disease: A Pilot Study in European- and African-American Obese Women", Alimentary Pharmacology & Therapeutics 44, no. 9 (2016): 976–88.

CAPÍTULO 12: RECEITAS E SUPLEMENTOS

1 William Shankle et al., "CerefolinNAC Therapy of Hyperhomocysteinemia Delays Cortical and White Matter Atrophy in Alzheimer's Disease and Cerebrovascular Disease", Journal of Alzheimer's Disease 54, no. 3 (2016): 1073–84.

2 Ibid.

ÍNDICE REMISSIVO

A

abacate 47, 49, 53, 54, 55, 56, 75, 96, 111, 112, 152, 193, 229, 245, 246, 248, 249, 250, 251, 252, 261, 262, 269

abacaxi 74, 75, 124

ácido alfa-linolênico 36, 46

ácido araquidônico 46

ácido cáprico 139

ácido caprílico 139, 140

ácido graxo 29, 36, 45, 139, 183

ácido linoléico 46

ácidos graxos 35, 36, 40, 50, 83, 84, 126, 128, 139, 152, 172, 184, 203, 234, 235, 271

ácidos nucleicos 37

açúcar 32, 33, 35, 49, 50, 51, 55, 58, 61, 62, 63, 64, 65, 66, 68, 69, 70, 71, 72, 73, 74, 75, 77, 78, 79, 80, 81, 82, 83, 85, 87, 88, 90, 91, 92, 93, 94, 95, 96, 97, 98, 104, 109, 112, 114, 115, 119, 123, 124, 125, 126, 133, 134, 136, 137, 139, 153, 162, 167, 171, 172, 177, 184, 189, 201, 202, 204, 208, 213, 222, 233, 240, 243, 245, 246, 247, 248, 249, 250, 252, 255, 256, 257, 258, 263, 270, 271

açúcares 49, 62, 63, 70, 73, 85, 110, 182, 234, 255

adolescente 11, 79, 134

adultos 65, 115

África 91, 212, 231

água 41, 68, 71, 73, 83, 108, 117, 133, 142, 156, 158, 168, 172, 176, 192, 207, 217, 235, 246, 247, 248, 249, 251, 253, 268, 271

alcachofra 113, 246

álcool 110, 111, 161, 174, 176, 204, 253, 254

Alemanha 65, 160

alface 113, 171, 172, 251

algas 36, 45, 54

alimentação 4, 16, 144, 183

alimento para o Cérebro 15, 16, 51, 243, 255, 264, 281

alimentos 4, 23, 33, 34, 37, 68, 69, 76, 78, 108, 112, 229, 236, 245, 246, 260

Alzheimer 12, 13, 14, 21, 22, 29, 37, 38, 40, 41, 43, 46, 47, 52, 55, 65, 72, 73, 84, 86, 87, 88, 89, 96, 97, 102, 110, 111, 112, 117, 118, 120, 124, 130, 131, 136, 137, 138, 139, 140, 156, 157, 160, 163, 165, 170, 171, 175, 178, 192, 193, 203, 209, 215, 216, 224, 225, 227, 228, 231, 232, 238, 241, 244, 277, 278, 282, 285, 286, 288, 289, 290, 291, 292, 293, 296, 297, 299, 301, 302, 304, 307, 309

amêndoas 48, 164, 240, 241, 250, 267

amendoim 39, 237, 247

aminoácidos 83, 125, 131, 134, 146, 158, 182, 184, 210, 266

animais 40, 50, 51, 57, 58, 66, 71, 72, 73, 74, 127, 143, 144, 145, 146, 159, 160, 162, 163, 164, 166, 168, 192, 194, 227, 228, 234, 238, 250, 251, 266

ansiedade 27, 41, 73, 144, 159, 164, 165, 174, 175, 176, 182, 187, 209

anticâncer 238

anticolinérgico forte 180

antidepressivo 180

anti-histamínico 180

anti-inflamatório 28, 36, 41, 46, 115, 118, 152, 183, 192, 254

antimicrobiana 113

antioxidante 29, 78, 105, 115, 117, 197, 228, 234, 240, 241, 252, 254, 272, 275

antioxidantes 37, 38, 67, 68, 76, 112, 126, 168, 193, 216, 222, 229, 237, 241, 276

ApoE4 110, 130, 136, 137, 138, 139, 179, 216, 224, 292

arroz 39, 59, 61, 63, 68, 79, 80, 81, 90, 111, 208, 226, 244, 245, 246, 257, 264

artificial 26, 69, 186

astaxantina 193, 216, 272, 275, 276
autismo 37, 124, 144, 169, 177, 197, 239, 244, 252
aveia 64
avelãs 48
azeite de oliva 28, 29, 47, 48, 51, 53, 54, 55, 78, 80, 81, 111, 114, 138, 172, 193, 217, 237, 245, 248, 251, 252, 261

B

bactéria 147, 150, 151, 153, 156, 166, 177
bactérias 21, 28, 56, 68, 73, 113, 147, 148, 149, 150, 151, 152, 153, 156, 158, 159, 160, 162, 163, 164, 165, 166, 167, 168, 169, 170, 172, 177, 236, 240
bagels 79, 211
bainha de mielina 47
banana 56, 75, 90, 112, 152
batata 38, 64, 90, 91, 124, 152, 226, 244, 246, 249
beta-amiloide 74, 86, 87, 209, 215, 231
beta-caroteno 53
beta-sitosterol 107
bioquímica 14, 37, 38, 84, 142
brócolis 97, 113, 152, 180, 197, 198, 229, 237, 238, 239, 246, 251

C

café 12, 20, 34, 95, 114, 121, 128, 145, 151, 152, 164, 174, 210, 235, 245, 246, 247, 248, 249, 259
cafeína 176, 205
camarão 36, 38, 107, 216, 239, 245, 252
câncer 24, 25, 35, 38, 51, 77, 81, 129, 131, 159, 165, 171, 182, 197, 216, 220, 234, 236, 275
canela em pó 265
canola 31, 35, 36, 39, 47, 49, 52, 54, 245
caranguejo 216, 245
carboidratos 16, 29, 33, 41, 49, 50, 51, 55, 57, 61, 63, 64, 67, 70, 72, 74, 75, 77, 79, 80, 81, 83, 84, 85, 86, 89, 90, 91, 92, 93, 94, 95, 96, 97, 110, 111, 115, 119, 120, 121, 124, 127, 128, 129, 130, 131, 132, 133, 134, 135, 136, 139, 142, 143, 144, 146, 151, 161, 167, 184, 189, 204, 205, 206, 207, 208, 210, 211, 213, 214, 215, 226, 230, 243, 244, 246, 247, 255, 256, 257, 258, 259
carne bovina 34, 47, 97, 104, 143, 144, 146, 152, 193, 198, 237
carotenoides 53, 54, 55, 120, 193, 241, 252, 276
cártamo 36, 39, 245
células 14, 22, 36, 38, 39, 41, 42, 52, 59, 65, 66, 71, 81, 82, 83, 84, 85, 88, 91, 92, 97, 109, 111, 123, 126, 129, 131, 133, 138, 147, 148, 154, 155, 156, 157, 158, 159, 160, 161, 162, 163, 164, 171, 175, 185, 186, 192, 193, 197, 201, 205, 207, 213, 220, 223, 224, 225, 226, 228, 234, 235, 237, 240, 243, 254, 257, 273, 275
células cerebrais 14, 22, 36, 39, 42, 59, 88, 123, 193, 201, 223, 224, 225, 228, 235
cereais matinais 64
cérebro 3, 4, 8, 11, 12, 14, 15, 16, 19, 20, 21, 22, 23, 24, 25, 27, 28, 29, 34, 35, 36, 37, 38, 39, 40, 41, 42, 43, 44, 45, 46, 47, 49, 50, 51, 52, 53, 54, 55, 56, 58, 59, 63, 65, 66, 67, 68, 69, 71, 72, 73, 75, 76, 77, 78, 81, 82, 83, 84, 85, 86, 87, 88, 89, 94, 96, 97, 98, 99, 102, 105, 106, 108, 111, 112, 115, 116, 117, 118, 119, 120, 123, 124, 125, 126, 127, 129, 130, 131, 132, 134, 135, 136, 137, 138, 139, 140, 142, 143, 144, 145, 148, 149, 152, 157, 158, 159, 160, 162, 163, 166, 169, 170, 171, 172, 174, 175, 176, 177, 178, 179, 182, 184, 185, 186, 187, 188, 189, 190, 191, 192, 194, 195, 196, 197, 201, 202, 203, 204, 205, 206, 207, 209, 212, 213, 214, 215, 216, 220, 222, 223, 224, 225, 228, 229, 231, 232, 233, 234, 235, 237, 238, 239, 240, 241, 243, 244, 247, 250, 251, 252, 253, 254, 255, 256, 258, 271, 272, 274, 275, 278, 281
cerveja 38, 84, 92, 111, 254
cetona 127, 134, 139
chá 62, 134, 162, 235, 246, 247, 248, 249, 256, 261, 262, 263, 264, 265, 266, 268, 270
chia 46, 47, 246, 252
chocolate 76, 97, 98, 112, 114, 152, 229, 237, 241, 249, 270

ÍNDICE REMISSIVO

ciência 15, 16, 22, 28, 31, 35, 96, 103, 104, 124, 132, 147, 148, 162, 163, 170, 194, 207, 231, 237, 258, 260, 277, 281

cientistas 14, 19, 22, 24, 33, 34, 45, 47, 48, 55, 61, 66, 69, 73, 76, 85, 86, 90, 103, 107, 116, 124, 149, 151, 153, 154, 155, 159, 160, 163, 165, 166, 167, 169, 176, 177, 181, 182, 223, 232

clorofila 53, 60, 172

cocaína 174, 186, 188

colesterol 31, 33, 35, 52, 101, 102, 103, 104, 105, 106, 107, 108, 109, 110, 113, 114, 115, 116, 117, 118, 119, 120, 125, 235

consanguíneos 89

coração 13, 16, 20, 31, 35, 66, 79, 102, 107, 108, 111, 165, 178, 213, 244, 254

Coreia 160

corpo humano 14, 19, 37, 62, 120, 203, 231

couve 64, 180, 250, 251, 268

criança 101, 133, 192, 219, 262

crianças 43, 144, 145, 168, 169, 191, 209, 219, 267

D

Dan Buettner 211

demência 13, 15, 21, 22, 25, 37, 40, 48, 49, 50, 55, 60, 61, 65, 74, 76, 78, 87, 89, 96, 102, 105, 106, 111, 117, 131, 137, 140, 144, 153, 157, 164, 165, 170, 172, 173, 174, 176, 179, 209, 220, 224, 225, 231, 232, 236, 244, 254, 272, 274, 281

depressão 15, 23, 26, 27, 29, 43, 46, 71, 73, 124, 131, 144, 146, 153, 159, 160, 164, 166, 174, 176, 177, 180, 181, 182, 183, 184, 187, 209, 238, 272

deterioração 15, 19

dextrose 61, 69

DHA 36, 40, 41, 42, 43, 44, 46, 47, 71, 183, 184, 193, 216, 271, 272, 287

diabetes 21, 26, 37, 51, 64, 65, 71, 74, 76, 81, 82, 83, 88, 89, 92, 118, 129, 131, 137, 138, 153, 154, 156, 157, 159, 170, 206, 227, 232, 233, 243, 252, 290

diabetes tipo 2 21, 26, 37, 51, 64, 65, 71, 74, 76, 82, 88, 89, 118, 131, 137, 206, 232, 233, 243

dieta 16, 20, 21, 22, 23, 25, 27, 29, 31, 32, 36, 40, 41, 42, 44, 46, 47, 48, 49, 50, 51, 53, 54, 55, 57, 58, 59, 61, 65, 66, 67, 71, 72, 73, 75, 76, 77, 80, 81, 84, 85, 89, 90, 91, 93, 94, 95, 97, 102, 103, 104, 107, 108, 110, 114, 115, 118, 119, 120, 127, 128, 130, 131, 132, 133, 134, 135, 136, 137, 138, 139, 142, 143, 144, 146, 151, 157, 159, 160, 161, 162, 163, 164, 167, 171, 179, 183, 196, 197, 198, 202, 203, 204, 207, 208, 215, 227, 235, 236, 243, 244, 245, 255, 256, 257, 258, 266, 271, 272

dieta mediterrânea 29, 47, 48, 80, 81, 183

difenidramina 180

dimenidrinato 180

DNA 25, 26, 37, 38, 53, 59, 60, 133, 148, 149, 171, 216, 273, 276, 300

doença autoimune 105, 157, 232

doenças 13, 19, 20, 21, 24, 25, 26, 27, 31, 32, 33, 35, 37, 38, 40, 47, 51, 52, 54, 65, 67, 70, 74, 76, 81, 86, 101, 102, 103, 104, 105, 108, 113, 118, 120, 129, 130, 131, 151, 153, 154, 156, 157, 159, 169, 170, 215, 216, 219, 224, 228, 231, 236, 238, 244

dopamina 20, 41, 68, 88, 185, 186, 187, 188, 189, 191, 193, 221

drogas 58, 105, 153, 173, 174, 175, 176, 178, 179, 181, 184, 188, 189, 196, 227, 254, 256

E

envelhecimento 11, 16, 19, 21, 23, 24, 26, 27, 29, 31, 35, 37, 40, 53, 55, 60, 64, 65, 66, 67, 68, 78, 84, 85, 98, 102, 116, 124, 126, 129, 138, 142, 153, 171, 172, 209, 211, 216, 219, 220, 223, 224, 227, 228, 231, 238, 244, 273, 274, 276

enzima 29, 62, 86, 186, 198, 215, 227, 238

enzimas 29, 37, 46, 134, 135, 157, 171, 174, 271

EPA 36, 40, 41, 43, 44, 45, 46, 47, 183, 184, 216, 254, 271, 272, 287

epigenoma 25

esclerose múltipla 37, 40, 105, 124, 154, 156, 157, 233

espinafre 64, 180, 250, 251, 252

Estados Unidos 20, 22, 35, 39, 41, 49, 68, 71, 72, 82, 96, 97, 102, 116, 168, 179, 181
estilo de vida 16, 21, 22, 23, 25, 27, 59, 83, 118, 119, 137, 142, 182, 195, 207, 221, 229
estômago 13, 40, 62, 113, 150, 152, 155, 206, 207, 253, 256
estresse 15, 19, 21, 23, 25, 27, 37, 45, 55, 60, 64, 71, 72, 77, 89, 92, 94, 110, 115, 117, 119, 124, 130, 138, 143, 159, 161, 162, 168, 175, 181, 187, 189, 190, 192, 193, 197, 201, 203, 205, 210, 211, 212, 213, 214, 215, 216, 220, 224, 226, 228, 231, 232, 237, 239, 240, 243, 253, 276
evolução 22, 24, 25, 27, 57, 144, 145, 162, 163, 185, 212, 251, 260, 273, 276
excitotoxicidade 175, 176
exercício 27, 45, 84, 90, 124, 129, 132, 135, 177, 182, 184, 191, 196, 221, 222, 223, 224, 225, 226, 227, 228, 229, 230, 232, 233, 240, 247
exposição tóxica 27

F
farinha branca 49, 79
fast food 50, 76, 177
fator Neurotrófico Derivado do Cérebro (BDNF), 84
feijão 47, 145, 246
fertilidade 128
fibras 49, 55, 57, 63, 68, 77, 81, 96, 114, 115, 119, 145, 150, 151, 152, 153, 155, 157, 161, 163, 164, 167, 171, 172, 177, 182, 185, 204, 205, 215, 221, 247, 251, 256
fígado 29, 50, 63, 66, 70, 71, 72, 77, 91, 108, 109, 110, 111, 113, 115, 116, 119, 125, 126, 134, 138, 161, 213, 244, 253, 265, 266
figos 75
fitonutrientes 73, 98, 171
fluvastatina 117
Foie gras 71, 72
FOX03 85, 216, 276, 292
frutas 48, 49, 57, 61, 63, 64, 67, 68, 71, 72, 73, 74, 75, 76, 78, 80, 85, 91, 110, 114, 130, 152, 161, 163, 183, 212, 229, 240, 241, 244, 245, 247, 253, 255, 257

frutos do mar 47, 80, 179, 216
frutose 61, 68, 69, 70, 71, 72, 73, 76, 77, 110, 111, 114, 124, 161, 214, 255, 257

G
genes 21, 24, 25, 46, 49, 59, 60, 64, 65, 71, 77, 92, 106, 143, 149, 171, 186, 205, 216, 223, 234, 240, 273, 276
genética 14, 24, 25, 71, 91, 238, 258, 273, 274
genoma 85, 133, 149, 273
ghee 48, 49, 111, 245, 252, 262, 265, 266
girassol 36, 39, 246, 251
glicação 62, 63, 64, 65, 66, 67, 70, 77, 82, 109, 244
glicose 61, 62, 63, 64, 65, 69, 70, 71, 73, 74, 81, 84, 88, 90, 91, 95, 114, 124, 125, 126, 128, 129, 131, 133, 134, 135, 136, 137, 138, 142, 143, 147, 167, 175, 179, 194, 213, 214, 224, 227, 234, 237, 244, 256, 257
glinfático 86, 202, 203, 215
glutationa 126, 237, 238, 254
glúten 92, 93, 156, 157, 158, 159, 160, 161, 162, 163, 164, 171, 244, 245, 246, 248, **252, 253, 254, 255, 266**
gordura 14, 21, 29, 31, 32, 33, 34, 35, 36, 38, 39, 40, 43, 44, 45, 46, 47, 48, 49, 50, 51, 52, 53, 54, 55, 57, 63, 69, 70, 71, 72, 74, 80, 83, 84, 85, 90, 91, 92, 93, 97, 101, 102, 103, 104, 106, 107, 108, 109, 110, 111, 112, 115, 116, 117, 126, 127, 128, 130, 131, 132, 133, 134, 135, 138, 139, 142, 143, 147, 151, 152, 177, 184, 189, 193, 197, 203, 204, 205, 207, 208, 210, 211, 213, 215, 220, 222, 226, 227, 228, 233, 234, 241, 243, 244, 245, 247, 250, 253, 255, 256, 257, 258, 259, 267, 269, 272, 273, 276
gorduras saturadas 35, 47, 48, 49, 50, 51, 52, 101, 111
gorduras tóxicas 48
grãos 20, 33, 36, 44, 47, 49, 54, 61, 63, 72, 79, 80, 81, 85, 90, 93, 94, 96, 97, 110, 112, 130, 137, 146, 151, 167, 182, 244, 245, 252, 255
grelina 206, 207

H
hambúrgueres 49, 198, 262

ÍNDICE REMISSIVO

HDL-triglicerídeo 115
hiperinsulinemia 85, 89
hipocampo 65, 74, 75, 78, 88, 137, 209, 214, 223, 224, 225, 232, 253
homem 48, 50, 51, 225
hormônio 43, 60, 62, 81, 83, 86, 94, 106, 126, 128, 177, 205, 206, 207, 209, 210, 212, 215, 220, 232, 235, 239, 243, 253, 256, 273
hormônios 21, 28, 37, 48, 59, 70, 90, 94, 106, 132, 195, 201, 205, 206, 212, 215, 246, 253, 257

I

imunológico 25, 26, 27, 40, 59, 73, 81, 111, 149, 154, 155, 156, 157, 158, 159, 161, 164, 167, 171, 185, 213, 215, 231
insônia 27
insulina 21, 26, 49, 52, 56, 62, 63, 64, 66, 70, 71, 72, 75, 77, 81, 82, 83, 84, 85, 86, 87, 88, 89, 90, 91, 92, 93, 95, 96, 97, 98, 110, 111, 120, 123, 127, 128, 130, 131, 133, 134, 137, 139, 142, 143, 166, 175, 184, 203, 205, 206, 207, 208, 209, 210, 213, 215, 227, 233, 234, 243, 252, 255, 256, 257, 258, 259, 275, 282
internet 11, 19
intestino 15, 56, 68, 72, 73, 93, 113, 114, 146, 148, 149, 150, 151, 153, 154, 155, 156, 157, 158, 159, 161, 162, 163, 164, 165, 166, 168, 169, 170, 185, 197, 240, 250, 252, 253, 276
ioga 222, 226, 230, 259

J

James DiNicolantonio 134
Japão 41, 91, 160
jejum 66, 70, 78, 82, 84, 85, 87, 88, 93, 111, 124, 125, 126, 127, 128, 129, 132, 133, 134, 138, 139, 142, 143, 194, 203, 208, 209, 210, 212, 215, 220, 234, 235, 236, 240, 249, 257, 259
junk food 20, 76, 94, 144, 202, 208, 255

K

krill 36, 47, 193, 216, 272, 275

L

lactose 61, 69, 252
lagosta 216, 245

laticínios 35, 48, 49, 152, 252
LDL 105, 108, 109, 110, 111, 112, 113, 114, 115, 116, 119, 120, 125, 253, 294, 295
leite 34, 48, 51, 69, 79, 98, 104, 132, 138, 139, 140, 145, 164, 177, 246, 250, 252, 271
leptina 21, 205, 207, 208, 209, 215, 257
L-glutamina 162
limão 246, 251, 252, 253, 264, 266, 269
linhaça 46, 47, 246
lipídios 36, 37, 84, 110, 112, 132, 216, 276
lipoaspiração bioquímica 14, 84, 142
lipoproteínas 108, 110, 115
longevidade 65, 85, 125, 126, 152, 153, 216, 223, 234
lovastatina 116, 117
LPS 113, 114, 159, 160, 185, 295
luteína 53, 55, 120, 193, 241, 269

M

maltose 69
manteiga 20, 31, 32, 35, 39, 45, 48, 49, 50, 91, 111, 120, 245, 246, 248, 249, 252, 265, 266, 267, 270, 271
MDMA 174, 181
medicina 11, 13, 14, 15, 22, 33, 114, 153, 173, 178, 191, 211, 214, 282
médico 4, 13, 22, 32, 83, 87, 88, 114, 116, 118, 119, 130, 134, 140, 173, 179, 196, 232, 254, 255, 274, 275
memória 11, 12, 15, 31, 37, 42, 52, 65, 75, 76, 78, 82, 88, 98, 105, 106, 120, 130, 131, 134, 136, 137, 139, 140, 142, 146, 166, 174, 175, 178, 179, 181, 182, 187, 189, 191, 192, 193, 204, 205, 209, 216, 223, 224, 241, 254, 272, 281
metabólica 21, 49, 51, 70, 75, 83, 89, 92, 93, 95, 115, 118, 120, 123, 128, 131, 132, 134, 135, 137, 138, 143, 166, 184, 207, 227, 233, 234, 240, 243, 250, 257, 258
metabólicos 72, 75, 91, 208, 233
metabolismo 16, 21, 37, 70, 74, 84, 117, 124, 127, 132, 134, 136, 137, 147, 166, 179, 195, 207, 208, 222, 224, 225, 226, 227, 229, 237, 243, 255, 257
metanfetamina 186
México 74, 97
mexilhão 45, 245

microbioma 28, 132, 148, 149, 150, 151, 153, 155, 158, 162, 164, 166, 167, 169, 170, 172

microbiomas 155, 164, 165, 166, 167, 170, 176

micróbios 114, 148, 149, 150, 151, 162, 166, 168, 170, 172, 251

micronutrientes 45, 58, 63, 96, 97, 144, 145, 198

Miia Kivipelto 22, 277

milho 31, 34, 35, 36, 39, 47, 49, 52, 54, 58, 59, 61, 68, 70, 72, 96, 101, 104, 110, 114, 145, 161, 244, 245, 246, 247

minúsculos 21, 272

mirtilos 238, 248

molécula olestra 34

moléculas necrófagas 37

mulheres 168, 232

multigrãos 244

músculo 125

músculos 81, 90, 123, 125, 131, 132, 133, 182, 210, 213, 220, 226, 227, 228, 229, 230, 240, 257, 259

N

nachos 49

National Geographic 4

neurobiologista 65

neurodegeneração 47, 142, 143, 185

neurônios 41, 42, 47, 66, 85, 105, 126, 174, 175, 178, 179, 181, 182, 186, 190, 192, 194, 201, 203, 205, 232, 272

neuroplasticidade 22, 28, 65, 77, 143, 152, 221, 223, 229, 235, 240

neurotoxicidade 194

neurotransmissor 68, 73, 120, 173, 174, 175, 177, 178, 179, 180, 181, 185, 186, 189, 192, 193, 254, 272

neurotransmissores 41, 42, 43, 52, 88, 105, 133, 134, 173, 174, 175, 178, 179, 184, 186, 189, 193, 194, 195, 205, 212, 235, 252

New York Times 31, 33, 76, 187, 286, 294, 303

Nicholas Coleman 29, 47

Nina Teicholz 31, 277

norepinefrina 177, 189, 190, 191, 192, 197

Norman Doidge 22

Nova York 11, 13, 14, 20, 47, 101, 148, 180, 181, 190, 262

Nova Zelândia 45

nozes 38, 46, 47, 48, 52, 57, 79, 80, 111, 152, 183, 237, 241, 243, 245, 246, 249, 250

nutrição 4, 23, 32

nutrientes 16, 19, 21, 25, 26, 27, 35, 45, 49, 51, 52, 53, 54, 55, 58, 59, 60, 67, 68, 73, 75, 90, 95, 97, 102, 103, 105, 106, 108, 110, 113, 114, 123, 137, 144, 145, 146, 150, 151, 158, 167, 169, 171, 172, 182, 189, 204, 213, 222, 236, 238, 243, 244, 245, 247, 251, 252, 254, 264, 265, 266, 272

O

obesidade 15, 32, 33, 51, 58, 59, 76, 77, 83, 93, 156, 197, 207, 213, 273

oleocanthal 28, 29, 78, 236, 237

óleo de coco 49, 111, 120, 138, 139, 140, 141, 142, 245, 254, 256, 267, 270, 271

óleo de semente de uva 40

oleologista 47

oleólogos 29

óleo polinsaturado 38, 46

óleos 16, 27, 31, 34, 35, 36, 38, 39, 40, 41, 44, 45, 47, 49, 51, 52, 54, 55, 64, 81, 92, 104, 110, 115, 119, 142, 182, 193, 201, 243, 245, 255, 262, 266

ômega-3 36, 39, 40, 41, 42, 43, 44, 45, 46, 47, 51, 54, 55, 71, 81, 121, 132, 144, 151, 183, 184, 196, 203, 205, 212, 216, 245, 254, 256, 261, 269, 271, 272

ômega-6 36, 39, 40, 42, 43, 45, 46, 132, 245, 256

orgânico 37, 39, 48, 52, 68, 70, 78, 114, 238, 246, 250, 263, 265, 266, 267

organismo 25, 60, 65, 85, 87, 236

ostras 245

ovos 29, 34, 36, 40, 46, 47, 48, 53, 54, 56, 97, 101, 108, 120, 121, 151, 179, 183, 237, 239, 243, 245, 247, 248, 249, 250, 261, 262, 269

oxibutinina 180

ÍNDICE REMISSIVO

oxigênio 21, 36, 37, 55, 102, 111, 112, 117, 123, 124, 126, 129, 147, 148, 175, 222, 254

P
pâncreas 81, 82, 84, 85, 88, 90, 127, 243
pão integral 81
Parkinson 12, 13, 37, 40, 43, 47, 71, 106, 124, 131, 157, 169, 186, 193, 228, 231, 238, 244, 252, 299, 301, 303, 304, 308
peixe 40, 41, 43, 44, 45, 46, 47, 53, 54, 67, 80, 130, 183, 193, 217, 237, 264, 271, 272
pepino 97, 246, 251
pesticidas 193, 194, 238, 247
pimenta 246, 248, 251, 252, 262, 263, 265, 266, 267, 268, 269, 275
pizzas 49
poli-insaturadas 36, 37, 38, 45, 47, 52, 54, 101, 115, 117, 119, 252
possível anticolinérgico 180
potássio 55, 56, 112, 171, 245
pravastatina 117
prebiótica 151, 167, 276
prebióticas 151, 167
pré-diabéticos 65
Pretzel 69
probiótico 161, 165, 176, 177, 276
probióticos 114, 155, 160, 161, 164, 165, 170, 176, 276
produtos orgânicos 95, 98, 168, 194, 238
proteínas 37, 38, 63, 64, 87, 97, 108, 113, 115, 125, 128, 130, 131, 143, 144, 145, 156, 158, 164, 189, 203, 212, 231, 234, 235, 247, 251, 252, 259
psicológico 27, 224
psicólogo 43

Q
QI 43, 144
queijo 32, 48, 49, 52, 132, 151, 244, 247, 248, 249
Quetiapina 180

R
recém-nascido 48, 127, 252
refrigerantes 64
Richard Veech 126
rosuvastatina 116, 117
rúcula 112, 152, 171, 172, 197, 252

S
sacarose 69
sal 11, 56, 57, 134, 183, 239, 246, 248, 250, 251, 252, 253, 256, 259, 261, 262, 263, 265, 266, 267, 268, 269, 270, 271
saladas 29, 48, 54, 55, 56, 78, 150, 198, 251, 252
salmão 36, 47, 54, 67, 85, 97, 112, 216, 239, 245, 248, 249, 264, 265, 269, 275
sangue 40, 43, 49, 50, 51, 62, 63, 64, 65, 66, 70, 71, 73, 74, 75, 78, 79, 80, 81, 82, 85, 87, 88, 89, 90, 91, 92, 96, 97, 101, 103, 104, 107, 108, 110, 111, 112, 115, 116, 123, 124, 125, 126, 130, 133, 137, 138, 159, 161, 190, 196, 213, 216, 252, 253, 255, 256, 257, 273, 274, 276
sanguíneos 21, 29, 38, 39, 89, 102, 104, 107, 112, 115, 119, 120, 273, 274
sardinha 36, 47, 54, 245, 249, 269, 275
saudável 20, 21, 23, 31, 35, 36, 39, 43, 44, 51, 54, 55, 59, 64, 66, 67, 70, 73, 75, 79, 81, 82, 85, 91, 92, 93, 94, 95, 97, 102, 105, 106, 108, 109, 110, 112, 116, 120, 127, 131, 143, 149, 153, 155, 157, 162, 165, 167, 168, 170, 171, 175, 182, 183, 185, 189, 202, 206, 208, 209, 211, 223, 226, 251, 252, 253, 257, 263, 273, 274
saúde 4, 11, 14, 15, 16, 21, 22, 23, 24, 27, 28, 29, 31, 35, 39, 42, 44, 47, 48, 49, 50, 51, 55, 58, 60, 70, 76, 77, 79, 80, 81, 83, 85, 89, 91, 92, 95, 96, 102, 103, 104, 108, 109, 115, 117, 118, 120, 123, 134, 137, 143, 144, 145, 149, 150, 151, 152, 153, 161, 162, 165, 166, 167, 169, 170, 171, 175, 183, 185, 189, 192, 196, 197, 201, 206, 209, 215, 220, 222, 227, 228, 231, 232, 233, 234, 236, 238, 239, 244, 251, 253, 254, 260, 266, 271, 272, 274, 275, 277, 278, 281, 282
saúde mental 42, 44, 144, 145, 165, 166, 183
serotonérgico 181
serotonina 41, 73, 88, 146, 174, 181, 182, 183, 184, 185, 189, 272
sobremesas 47, 95
soja 34, 36, 39, 47, 49, 50, 51, 52, 54, 80, 96, 244, 245, 247

sol 60, 94, 106, 174, 180, 181, 195, 196, 212, 216, 272, 273, 274, 276
sono 201, 202, 204, 206, 305
sopa 28, 29, 50, 139, 140, 142, 248, 256, 261, 262, 263, 265, 266, 268, 269, 270
sorvete 38, 49, 68, 164, 244, 245
suprimento alimentar 38, 103, 156, 216

T

tâmaras 74, 75
TDAH 43, 58, 173, 186, 187, 188, 191
tofu 245
toxinas 38, 64, 65, 68, 110, 113, 238
triglicerídeos 70, 71, 108, 115, 135, 139, 253, 271, 272
trigo 31, 58, 59, 61, 69, 79, 80, 81, 90, 92, 95, 96, 97, 110, 114, 158, 160, 189, 244, 245, 246, 255
triptofano 73, 181, 182, 184, 196, 272

U

ultraprocessados 49, 177, 255

V

veganos 46, 130
vegetais 35, 46, 47, 49, 51, 54, 55, 57, 59, 63, 67, 68, 78, 80, 81, 93, 95, 96, 107, 110, 111, 115, 130, 132, 146, 150, 151, 154, 162, 167, 171, 172, 182, 183, 185, 197, 198, 208, 211, 235, 236, 237, 239, 240, 244, 248, 249, 250, 251, 252, 255, 257, 266, 267, 275
velhice 21, 23, 64, 138, 220
vinagre 246, 251, 252, 266, 270
vitamina A 120, 265
vitamina B12 120, 144, 145, 254, 265, 274
vitamina D 60, 103, 106, 181, 184, 196, 272, 273, 274
vitamina E 29, 38, 55, 120, 144, 146, 193, 240, 241, 273

X

xarope de bordo 61, 62, 245

Z

zeaxantina 53, 55, 120, 193, 241, 269
Zonas Azuis 211
zonulina 159, 160